❖ **최신3년(21년~23년) 21개 고3 모의고사 전문항 수록**

❖ **모든 문제 동영상 강의 QR코드**

유튜브 채널

셀프수학

- 자이스토리 공식 해설 강사가 모든 문제를 직접 시원하게 풀어드립니다.
- 개념은 쉽고 확실하게
- 최고난도 문제는 시원하게

❖ '셀프수학' 사이트에 방문하여 PDF파일을 구매하면
PC나 태블릿 이용시 QR을 직접 클릭해 바로 동영상 설명을 들을 수 있어
편하고 스마트하게 공부할 수 있습니다.

❖ 고1, 고2 모의고사 PDF파일도 있습니다.

❖ 자세한 내용은 사이트내의 '커뮤니티' 란을 참고하세요.

<셀프수학>사이트에 들어오면 좋은 강의가 많이 있습니다.

[비싼 인강은 가라]

돈 많이 들이지 않고 최소한의 비용으로 스스로 공부할 수 있습니다.

계속해서 좋은 자료 업데이트 중입니다.

셀프수학-
고등 내신

셀프수학-
모의고사

셀프수학-
중등

셀프수학-
특강

셀프수학-
자이스토리

이 책의 활용법

모든 문제 풀이 강의를 연속해서 들을 수 있습니다

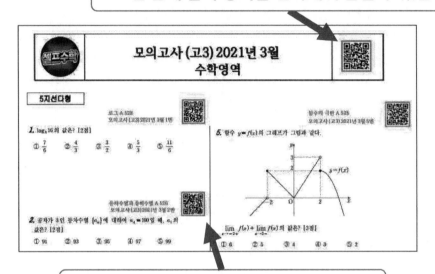

개별 문제 풀이 강의를 들을 수 있습니다

교육청에서 제공하는
해설지를 볼 수 있습니다

환경을 위해 문제의 빈공간을 줄여서 편집했으며
해설지는 제공하지 않습니다.

❖ PDF파일을 구매한 후 아이패드의 굿노트나 갤럭시탭의 삼성노트 프로그램을
   이용하면 QR사진을 찍을 필요 없이 바로 동영상이 재생 될 수 있도록 링크를
   걸어 놓았습니다. 그리고 패드에 직접 풀 수도 있어 종이낭비를 줄여 환경을
   지킬 수 있습니다.

❖ 고1, 고2 모의고사 PDF파일도 있습니다.

❖ 자세한 내용은 '셀프수학' 사이트의 '커뮤니티' 란을 참고하세요.

< 목 차 >

2021년　3월　고3 모의고사 --------2

2021년　4월　고3 모의고사 -------12

2021년　6월　고3 모의고사 -------23

2021년　7월　고3 모의고사 -------34

2021년　9월　고3 모의고사 -------45

2021년 10월　고3 모의고사 -------57

2022년　수능 -------------------68

2022년　3월　고3 모의고사 -------79

2022년　4월　고3 모의고사 -------90

2022년　6월　고3 모의고사 ------101

2022년　7월　고3 모의고사 ------112

2022년　9월　고3 모의고사 ------123

2022년 10월　고3 모의고사 ------133

2023년　수능 ------------------143

2023년　3월　고3 모의고사 ------154

2023년　4월　고3 모의고사 ------164

2023년　6월　고3 모의고사 ------174

2023년　7월　고3 모의고사 ------184

2023년　9월　고3 모의고사 ------195

2023년 10월　고3 모의고사 ------206

2024년　수능 ------------------217

5지선다형

로그 A 528
모의고사 (고3) 2021년 3월 1번

1. $\log_8 16$ 의 값은? [2점]

① $\dfrac{7}{6}$　② $\dfrac{4}{3}$　③ $\dfrac{3}{2}$　④ $\dfrac{5}{3}$　⑤ $\dfrac{11}{6}$

등차수열과 등비수열 A 526
모의고사 (고3) 2021년 3월 2번

2. 공차가 3인 등차수열 $\{a_n\}$에 대하여 $a_4 = 100$일 때, a_1의 값은? [2점]

① 91　② 93　③ 95　④ 97　⑤ 99

삼각함수 A 537
모의고사 (고3) 2021년 3월 3번

3. $0 \le x < 2\pi$일 때, 방정식 $\sin 4x = \dfrac{1}{2}$의 서로 다른 실근의 개수는? [3점]

① 2　② 4　③ 6　④ 8　⑤ 10

정적분 A 505
모의고사 (고3) 2021년 3월 4번

4. $\displaystyle\int_{2}^{-2}(x^3 + 3x^2)\,dx$ 의 값은? [3점]

① -16　② -8　③ 0　④ 8　⑤ 16

함수의 극한 A 525
모의고사 (고3) 2021년 3월 5번
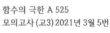

5. 함수 $y = f(x)$의 그래프가 그림과 같다.

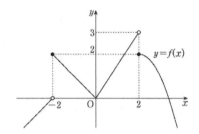

$\displaystyle\lim_{x \to -2+} f(x) + \lim_{x \to 2-} f(x)$의 값은? [3점]

① 6　② 5　③ 4　④ 3　⑤ 2

함수의 연속 B 508
모의고사 (고3) 2021년 3월 6번

6. 함수

$$f(x) = \begin{cases} \dfrac{x^2 + ax + b}{x - 3} & (x < 3) \\[2mm] \dfrac{2x + 1}{x - 2} & (x \ge 3) \end{cases}$$

이 실수 전체의 집합에서 연속일 때, $a - b$의 값은? (단, a, b는 상수이다.) [3점]

① 9　② 10　③ 11　④ 12　⑤ 13

수열의 합 B 519
모의고사 (고3) 2021년 3월 7번

7. 수열 $\{a_n\}$의 일반항이

$$a_n = \begin{cases} \dfrac{(n+1)^2}{2} & (n\text{이 홀수인 경우}) \\[2mm] \dfrac{n^2}{2} + n + 1 & (n\text{이 짝수인 경우}) \end{cases}$$

일 때, $\displaystyle\sum_{n=1}^{10} a_n$의 값은? [3점]

① 235　② 240　③ 245　④ 250　⑤ 255

미분계수와 도함수 B 523
모의고사 (고3) 2021년 3월 8번

8. 곡선 $y = x^3 - 3x^2 - 9x$와 직선 $y = k$가 서로 다른 세 점에서 만나도록 하는 정수 k의 최댓값을 M, 최솟값을 m이라 할 때, $M - m$의 값은? [3점]

① 27　② 28　③ 29　④ 30　⑤ 31

9. 최고차항의 계수가 -3인 삼차함수 $y=f(x)$의 그래프 위의 점 $(2, f(2))$에서의 접선 $y=g(x)$가 곡선 $y=f(x)$와 원점에서 만난다. 곡선 $y=f(x)$와 직선 $y=g(x)$로 둘러싸인 도형의 넓이는? [4점]

① $\dfrac{7}{2}$ ② $\dfrac{15}{4}$ ③ 4 ④ $\dfrac{17}{4}$ ⑤ $\dfrac{9}{2}$

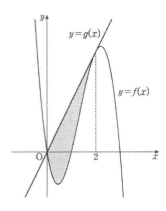

10. 자연수 n에 대하여 점 $A_n(n, n^2)$을 지나고 직선 $y=nx$에 수직인 직선이 x축과 만나는 점을 B_n이라 하자.

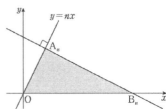

다음은 삼각형 A_nOB_n의 넓이를 S_n이라 할 때, $\displaystyle\sum_{n=1}^{8}\dfrac{S_n}{n^3}$의 값을 구하는 과정이다. (단, O는 원점이다.)

점 $A_n(n, n^2)$을 지나고 직선 $y=nx$에 수직인 직선의 방정식은
$$y=\boxed{\text{(가)}}\times x+n^2+1$$
이므로 두 점 A_n, B_n의 좌표를 이용하여 S_n을 구하면
$$S_n=\boxed{\text{(나)}}$$
따라서
$$\sum_{n=1}^{8}\dfrac{S_n}{n^3}=\boxed{\text{(다)}}$$
이다.

위의 (가), (나)에 알맞은 식을 각각 $f(n)$, $g(n)$이라 하고, (다)에 알맞은 수를 r라 할 때, $f(1)+g(2)+r$의 값은? [4점]

① 105 ② 110 ③ 115 ④ 120 ⑤ 125

11. 그림과 같이 두 점 O, O'을 각각 중심으로 하고 반지름의 길이가 3인 두 원 O, O'이 한 평면 위에 있다. 두 원 O, O'이 만나는 점을 각각 A, B라 할 때, $\angle AOB=\dfrac{5}{6}\pi$이다.

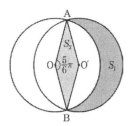

원 O의 외부와 원 O'의 내부의 공통부분의 넓이를 S_1, 마름모 $AOBO'$의 넓이를 S_2라 할 때, S_1-S_2의 값은? [4점]

① $\dfrac{5}{4}\pi$ ② $\dfrac{4}{3}\pi$ ③ $\dfrac{17}{12}\pi$ ④ $\dfrac{3}{2}\pi$ ⑤ $\dfrac{19}{12}\pi$

12. 두 다항함수 $f(x)$, $g(x)$가 다음 조건을 만족시킨다.

(가) $\displaystyle\lim_{x\to 1}\dfrac{f(x)-g(x)}{x-1}=5$

(나) $\displaystyle\lim_{x\to 1}\dfrac{f(x)+g(x)-2f(1)}{x-1}=7$

두 실수 a, b에 대하여 $\displaystyle\lim_{x\to 1}\dfrac{f(x)-a}{x-1}=b\times g(1)$일 때, ab의 값은? [4점]

① 4 ② 5 ③ 6 ④ 7 ⑤ 8

13. 함수

$$f(x)=\begin{cases} 2^x & (x<3) \\ \left(\dfrac{1}{4}\right)^{x+a}-\left(\dfrac{1}{4}\right)^{3+a}+8 & (x\geq 3) \end{cases}$$

에 대하여 곡선 $y=f(x)$ 위의 점 중에서 y좌표가 정수인 점의 개수가 23일 때, 정수 a의 값은? [4점]

① -7 ② -6 ③ -5 ④ -4 ⑤ -3

14. 최고차항의 계수가 1인 삼차함수 $f(x)$에 대하여 함수 $g(x)$를

$$g(x) = f(x) + |f'(x)|$$

라 할 때, 두 함수 $f(x)$, $g(x)$가 다음 조건을 만족시킨다.

(가) $f(0) = g(0) = 0$
(나) 방정식 $f(x) = 0$은 양의 실근을 갖는다.
(다) 방정식 $|f(x)| = 4$의 서로 다른 실근의 개수는 3이다.

$g(3)$의 값은? [4점]

① 9　　　② 10　　　③ 11　　　④ 12　　　⑤ 13

15. 그림과 같이 $\overline{AB} = 5$, $\overline{BC} = 4$, $\cos(\angle ABC) = \dfrac{1}{8}$인 삼각형

ABC 가 있다. $\angle$ABC 의 이등분선과 $\angle$CAB 의 이등분선이
만나는 점을 D, 선분 BD 의 연장선과 삼각형 ABC 의 외접원이
만나는 점을 E 라 할 때, <보기>에서 옳은 것만을 있는 대로
고른 것은? [4점]

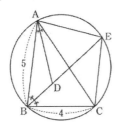

― < 보 기 > ―

ㄱ. $\overline{AC} = 6$

ㄴ. $\overline{EA} = \overline{EC}$

ㄷ. $\overline{ED} = \dfrac{31}{8}$

① ㄱ　　　② ㄱ, ㄴ　　　③ ㄱ, ㄷ
④ ㄴ, ㄷ　　　⑤ ㄱ, ㄴ, ㄷ

단답형

16. 두 함수 $f(x) = 2x^2 + 5x + 3$, $g(x) = x^3 + 2$에 대하여 함수
$f(x)g(x)$의 $x = 0$에서의 미분계수를 구하시오. [3점]

17. 모든 실수 x에 대하여 이차부등식

$$3x^2 - 2(\log_2 n)x + \log_2 n > 0$$

이 성립하도록 하는 자연수 n의 개수를 구하시오. [3점]

18. 실수 전체의 집합에서 미분가능한 함수 $F(x)$의 도함수
$f(x)$가

$$f(x) = \begin{cases} -2x & (x < 0) \\ k(2x - x^2) & (x \geq 0) \end{cases}$$

이다. $F(2) - F(-3) = 21$일 때, 상수 k의 값을 구하시오. [3점]

19. 수열 $\{a_n\}$의 첫째항부터 제n항까지의 합을 S_n이라 하자.
$a_1 = 2$, $a_2 = 4$이고 2 이상의 모든 자연수 n에 대하여

$$a_{n+1}S_n = a_n S_{n+1}$$

이 성립할 때, S_5의 값을 구하시오. [3점]

20. 실수 m에 대하여 직선 $y = mx$와 함수

$$f(x) = 2x + 3 + |x - 1|$$

의 그래프의 교점의 개수를 $g(m)$이라 하자. 최고차항의 계수가 1인 이차함수 $h(x)$에 대하여 함수 $g(x)h(x)$가 실수 전체의 집합에서 연속일 때, $h(5)$의 값을 구하시오. [4점]

21. 그림과 같이 $\overline{AB} = 2$, $\overline{AC} \parallel \overline{BD}$, $\overline{AC} : \overline{BD} = 1 : 2$인 두 삼각형 ABC, ABD가 있다. 점 C에서 선분 AB에 내린 수선의 발 H는 선분 AB를 $1 : 3$으로 내분한다.

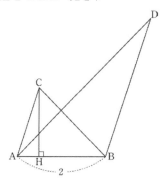

두 삼각형 ABC, ABD의 외접원의 반지름의 길이를 각각 r, R라 할 때, $4(R^2 - r^2) \times \sin^2(\angle CAB) = 51$이다. $\overline{AC}^2$의 값을 구하시오. (단, $\angle CAB < \dfrac{\pi}{2}$) [4점]

22. 양수 a와 일차함수 $f(x)$에 대하여 실수 전체의 집합에서 정의된 함수

$$g(x) = \int_0^x (t^2 - 4)\{|f(t)| - a\}\,dt$$

가 다음 조건을 만족시킨다.

(가) 함수 $g(x)$는 극값을 갖지 않는다.
(나) $g(2) = 5$

$g(0) - g(-4)$의 값을 구하시오. [4점]

수학 정답

1	②	2	①	3	④	4	①	5	②
6	⑤	7	⑤	8	④	9	③	10	⑤
11	④	12	③	13	③	14	①	15	②
16	10	17	6	18	9	19	162	20	8
21	15	22	16						

5 지 선 다 형

중복조합 A 506
모의고사 (고3) 2021년 3월 23번(확통)

23. $_3H_6$ 의 값은? [2점]

① 24 ② 26 ③ 28 ④ 30 ⑤ 32

여러가지순열 A 510
모의고사 (고3) 2021년 3월 24번(확통)

24. 그림과 같이 직사각형 모양으로 연결된 도로망이 있다. 이 도로망을 따라 A 지점에서 출발하여 P 지점을 지나 B 지점까지 최단거리로 가는 경우의 수는? [3점]

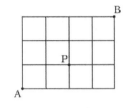

① 12 ② 14 ③ 16 ④ 18 ⑤ 20

여러가지순열 B 514
모의고사 (고3) 2021년 3월 25번(확통)

25. 어느 고등학교 3학년의 네 학급에서 대표 2명씩 모두 8명의 학생이 참석하는 회의를 한다. 이 8명의 학생이 일정한 간격을 두고 원 모양의 탁자에 모두 둘러앉을 때, 같은 학급 학생끼리 서로 이웃하게 되는 경우의 수는? (단, 회전하여 일치하는 것은 같은 것으로 본다.) [3점]

① 92 ② 96 ③ 100 ④ 104 ⑤ 108

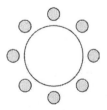

중복조합 B 510
모의고사 (고3) 2021년 3월 26번(확통)

26. 같은 종류의 연필 6자루와 같은 종류의 지우개 5개를 세 명의 학생에게 남김없이 나누어 주려고 한다. 각 학생이 적어도 한 자루의 연필을 받도록 나누어 주는 경우의 수는? (단, 지우개를 받지 못하는 학생이 있을 수 있다.) [3점]

① 210 ② 220 ③ 230 ④ 240 ⑤ 250

여러가지순열 B 515
모의고사 (고3) 2021년 3월 27번(확통)

27. 숫자 1, 2, 3, 3, 4, 4, 4가 하나씩 적힌 7장의 카드를 모두 한 번씩 사용하여 일렬로 나열할 때, 1이 적힌 카드와 2가 적힌 카드 사이에 두 장 이상의 카드가 있도록 나열하는 경우의 수는? [3점]

① 180 ② 185 ③ 190 ④ 195 ⑤ 200

중복조합 C 510
모의고사 (고3) 2021년 3월 28번(확통)

28. 두 집합

$$X = \{1, 2, 3, 4, 5\}, \quad Y = \{2, 4, 6, 8, 10, 12\}$$

에 대하여 X 에서 Y 로의 함수 f 중에서 다음 조건을 만족시키는 함수의 개수는? [4점]

(가) $f(2) < f(3) < f(4)$
(나) $f(1) > f(3) > f(5)$

① 100 ② 102 ③ 104 ④ 106 ⑤ 108

중복조합 C 511
모의고사 (고3) 2021년 3월 29번(확통)

29. 5 이하의 자연수 a, b, c, d에 대하여 부등식

$$a \leq b+1 \leq c \leq d$$

를 만족시키는 모든 순서쌍 (a, b, c, d)의 개수를 구하시오.
[4점]

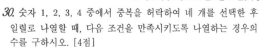

여러가지순열 D 507
모의고사 (고3) 2021년 3월 30번(확통)

30. 숫자 1, 2, 3, 4 중에서 중복을 허락하여 네 개를 선택한 후 일렬로 나열할 때, 다음 조건을 만족시키도록 나열하는 경우의 수를 구하시오. [4점]

(가) 숫자 1은 한 번 이상 나온다.
(나) 이웃한 두 수의 차는 모두 2 이하이다.

[확률과 통계]

23	③	24	④	25	②	26	①	27	⑤
28	③	29	55	30	97				

수학 영역(미적분)

5 지선다형

수열의 극한 A 518
모의고사 (고3) 2021년 3월 23번(미적)

23. $\lim_{n\to\infty} \dfrac{10n^3-1}{(n+2)(2n^2+3)}$ 의 값은? [2점]

① 1   ② 2   ③ 3   ④ 4   ⑤ 5

수열의 극한 B 509
모의고사 (고3) 2021년 3월 24번(미적)

24. 수열 $\{a_n\}$의 일반항이

$$a_n = \left(\dfrac{x^2-4x}{5}\right)^n$$

일 때, 수열 $\{a_n\}$이 수렴하도록 하는 모든 정수 x의 개수는?

[3점]

① 7   ② 8   ③ 9   ④ 10   ⑤ 11

수열의 극한 B 510
모의고사 (고3) 2021년 3월 25번(미적)

25. 모든 항이 양수인 수열 $\{a_n\}$이 모든 자연수 n에 대하여

$$a_{n+1} = a_1 a_n$$

을 만족시킨다. $\lim_{n\to\infty} \dfrac{3a_{n+3}-5}{2a_n+1} = 12$ 일 때, a_1의 값은? [3점]

① $\dfrac{1}{2}$ ② 1   ③ $\dfrac{3}{2}$ ④ 2   ⑤ $\dfrac{5}{2}$

급수 B 515
모의고사 (고3) 2021년 3월 26번(미적)

26. 수열 $\{a_n\}$이 모든 자연수 n에 대하여

$$2n^2 - 3 < a_n < 2n^2 + 4$$

를 만족시킨다. 수열 $\{a_n\}$의 첫째항부터 제 n항까지의 합을 S_n이라 할 때, $\lim_{n\to\infty} \dfrac{S_n}{n^3}$ 의 값은? [3점]

① $\dfrac{1}{2}$ ② $\dfrac{2}{3}$ ③ $\dfrac{5}{6}$ ④ 1   ⑤ $\dfrac{7}{6}$

급수 B 516
모의고사 (고3) 2021년 3월 27번(미적)

27. 수열 $\{a_n\}$이 모든 자연수 n에 대하여

$$\sum_{k=1}^{n} \dfrac{a_k}{(k-1)!} = \dfrac{3}{(n+2)!}$$

을 만족시킨다. $\lim_{n\to\infty}(a_1 + n^2 a_n)$의 값은? [3점]

① $-\dfrac{7}{2}$ ② -3 ③ $-\dfrac{5}{2}$ ④ -2 ⑤ $-\dfrac{3}{2}$

수열의 극한 C 507
모의고사 (고3) 2021년3월 28번(미적)

28. 자연수 n에 대하여 $\angle A = 90°$, $\overline{AB}=2$, $\overline{CA}=n$인 삼각형 ABC에서 $\angle A$의 이등분선이 선분 BC와 만나는 점을 D라 하자. 선분 CD의 길이를 a_n이라 할 때, $\lim_{n\to\infty}(n-a_n)$의 값은?

[4점]

① 1   ② $\sqrt{2}$ ③ 2   ④ $2\sqrt{2}$ ⑤ 4

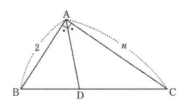

29. 자연수 n에 대하여 곡선 $y=x^2$ 위의 점 $\mathrm{P}_n(2n,\,4n^2)$에서의 접선과 수직이고 점 $\mathrm{Q}_n(0,\,2n^2)$을 지나는 직선을 l_n이라 하자. 점 P_n을 지나고 점 Q_n에서 직선 l_n과 접하는 원을 C_n이라 할 때, 원점을 지나고 원 C_n의 넓이를 이등분하는 직선의 기울기를 a_n이라 하자. $\lim\limits_{n\to\infty}\dfrac{a_n}{n}$의 값을 구하시오. [4점]

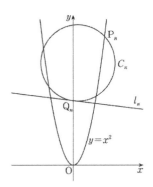

30. 자연수 n에 대하여 삼차함수 $f(x)=x(x-n)(x-3n^2)$이 극대가 되는 x를 a_n이라 하자. x에 대한 방정식 $f(x)=f(a_n)$의 근 중에서 a_n이 아닌 근을 b_n이라 할 때, $\lim\limits_{n\to\infty}\dfrac{a_n b_n}{n^3}=\dfrac{q}{p}$이다. $p+q$의 값을 구하시오. (단, p와 q는 서로소인 자연수이다.) [4점]

[미적분]

23	⑤	24	①	25	④	26	②	27	③
28	③	29	12	30	5				

수학영역(기하)

타원 A 505
모의고사 (고3) 2021년 3월 23번(기하)

23. 타원 $\dfrac{x^2}{36}+\dfrac{y^2}{20}=1$의 두 초점을 F, F'이라 할 때, 선분 FF'의 길이는? [2점]

① 6 ② 7 ③ 8 ④ 9 ⑤ 10

쌍곡선 A 508
모의고사 (고3) 2021년 3월 24번(기하)

24. 두 초점이 F$(c, 0)$, F'$(-c, 0)$이고 주축의 길이가 8인 쌍곡선의 한 점근선이 직선 $y=\dfrac{3}{4}x$일 때, 양수 c의 값은?

[3점]

① 5 ② 6 ③ 7 ④ 8 ⑤ 9

포물선 A 505
모의고사 (고3) 2021년 3월 25번(기하)

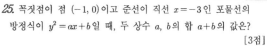

25. 꼭짓점이 점 $(-1, 0)$이고 준선이 직선 $x=-3$인 포물선의 방정식이 $y^2=ax+b$일 때, 두 상수 a, b의 합 $a+b$의 값은?

[3점]

① 14 ② 16 ③ 18 ④ 20 ⑤ 22

쌍곡선 B 507
모의고사 (고3) 2021년 3월 26번(기하)

26. 그림과 같이 쌍곡선 $\dfrac{x^2}{9}-\dfrac{y^2}{16}=1$의 두 초점 F, F'과 쌍곡선 위의 점 A에 대하여 삼각형 AF'F의 둘레의 길이가 24일 때, 삼각형 AF'F의 넓이는? (단, 점 A는 제1사분면의 점이다.)

[3점]

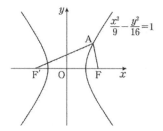

① $4\sqrt{3}$ ② $4\sqrt{6}$ ③ $8\sqrt{3}$ ④ $8\sqrt{6}$ ⑤ $16\sqrt{3}$

포물선 B 506
모의고사 (고3) 2021년 3월 27번(기하)

27. 점 A$(6, 12)$와 포물선 $y^2=4x$ 위의 점 P, 직선 $x=-4$ 위의 점 Q에 대하여 $\overline{AP}+\overline{PQ}$의 최솟값은? [3점]

① 12 ② 14 ③ 16 ④ 18 ⑤ 20

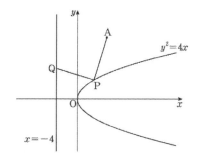

포물선 C 512
모의고사 (고3) 2021년 3월 28번(기하)

28. 자연수 n에 대하여 초점이 F인 포물선 $y^2=2x$ 위의 점 P$_n$이 $\overline{FP_n}=2n$을 만족시킬 때, $\displaystyle\sum_{n=1}^{8}\overline{OP_n}^2$의 값은? (단, O는 원점이고, 점 P$_n$은 제1사분면에 있다.) [4점]

① 874 ② 876 ③ 878 ④ 880 ⑤ 882

쌍곡선 C 513
모의고사 (고3) 2021년 3월 29번(기하)

29. 두 초점이 $F_1(c, 0)$, $F_2(-c, 0)$ $(c > 0)$인 타원이 x축과 두 점 $A(3, 0)$, $B(-3, 0)$에서 만난다. 선분 BO가 주축이고 점 F_1이 한 초점인 쌍곡선의 초점 중 F_1이 아닌 점을 F_3이라 하자. 쌍곡선이 타원과 제1사분면에서 만나는 점을 P라 할 때, 삼각형 PF_3F_2의 둘레의 길이를 구하시오. (단, O는 원점이다.)

[4점]

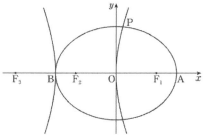

타원 D 505
모의고사 (고3) 2021년 3월 30번(기하)

30. 그림과 같이 두 초점이 $F(c, 0)$, $F'(-c, 0)$ $(c > 0)$이고 장축의 길이가 12인 타원이 있다. 점 F가 초점이고 직선 $x = -k\,(k > 0)$이 준선인 포물선이 타원과 제2사분면의 점 P에서 만난다. 점 P에서 직선 $x = -k$에 내린 수선의 발을 Q라 할 때, 두 점 P, Q가 다음 조건을 만족시킨다.

(가) $\cos(\angle F'FP) = \dfrac{7}{8}$

(나) $\overline{FP} - \overline{F'Q} = \overline{PQ} - \overline{FF'}$

$c + k$의 값을 구하시오. [4점]

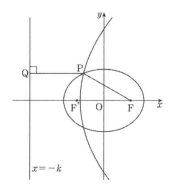

5지선다형

지수 A 502
모의고사 (고3) 2021년 1번

1. $\left(\sqrt{3^{\sqrt{2}}}\right)^{\sqrt{2}}$ 의 값은? [2점]

① 1　　② 3　　③ 5　　④ 7　　⑤ 9

등차수열과 등비수열 A 501
모의고사 (고3) 2021년 4월 2번

2. 공차가 2인 등차수열 $\{a_n\}$에 대하여 $a_5 - a_2$의 값은? [2점]

① 6　　② 7　　③ 8　　④ 9　　⑤ 10

지수함수 A 501
모의고사 (고3) 2021년 4월 3번

3. 닫힌구간 $[0, 4]$에서 함수 $f(x) = \left(\frac{1}{3}\right)^{x-2} + 1$의 최댓값은? [3점]

① 2　　② 4　　③ 6　　④ 8　　⑤ 10

함수의 극한 A 502
모의고사 (고3) 2021년 4월4번

4. 함수 $y = f(x)$의 그래프가 그림과 같다.

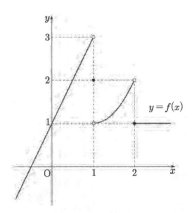

$$\lim_{x \to 1-} f(x) + \lim_{x \to 2+} f(x)$$의 값은? [3점]

① 1　　② 2　　③ 3　　④ 4　　⑤ 5

부정적분 A 502
모의고사 (고3) 2021년 4월 5번

5. 함수 $f(x)$에 대하여 $f'(x) = 2x + 4$이고 $f(-1) + f(1) = 0$일 때, $f(2)$의 값은? [3점]

① 9　　② 10　　③ 11　　④ 12　　⑤ 13

삼각함수 A 502
모의고사 (고3) 2021년 4월6번

6. 양수 a에 대하여 함수 $f(x) = \sin\left(ax + \frac{\pi}{6}\right)$의 주기가 4π일 때, $f(\pi)$의 값은? [3점]

① 0　　② $\frac{1}{2}$　　③ $\frac{\sqrt{2}}{2}$　　④ $\frac{\sqrt{3}}{2}$　　⑤ 1

미분계수와 도함수 B 502
모의고사 (고3) 2021년 4월 7번

7. 함수 $f(x) = x^3 - 3x$에서 x의 값이 1에서 4까지 변할 때의 평균변화율과 곡선 $y = f(x)$ 위의 점 $(k, f(k))$에서의 접선의 기울기가 서로 같을 때, 양수 k의 값은? [3점]

① $\sqrt{3}$　　② 2　　③ $\sqrt{5}$　　④ $\sqrt{6}$　　⑤ $\sqrt{7}$

함수의 연속 B 501
모의고사 (고3) 2021년 4월 8번

8. 함수

$$f(x)=\begin{cases} \dfrac{x^2+3x+a}{x-2} & (x<2) \\[2mm] -x^2+b & (x\geq 2) \end{cases}$$

가 $x=2$에서 연속일 때, $a+b$의 값은? (단, a, b는 상수이다.)

[3점]

① 1 　　② 2 　　③ 3 　　④ 4 　　⑤ 5

함수의 극한 B 501
모의고사 (고3) 2021년 4월 9번

9. 두 함수 $f(x)$, $g(x)$가

$$\lim_{x\to\infty}\{2f(x)-3g(x)\}=1,\quad \lim_{x\to\infty}g(x)=\infty$$

를 만족시킬 때, $\lim_{x\to\infty}\dfrac{4f(x)+g(x)}{3f(x)-g(x)}$의 값은? [4점]

① 1 　　② 2 　　③ 3 　　④ 4 　　⑤ 5

정적분의 활용 C 502
모의고사 (고3) 2021년 4월 10번

10. 수직선 위를 움직이는 점 P의 시각 $t\,(t\geq 0)$에서의 속도 $v(t)$가

$$v(t)=4t-10$$

이다. 점 P의 시각 $t=1$에서의 위치와 점 P의 시각 $t=k\,(k>1)$에서의 위치가 서로 같을 때, 상수 k의 값은? [4점]

① 3 　　② $\dfrac{7}{2}$ 　　③ 4 　　④ $\dfrac{9}{2}$ 　　⑤ 5

삼각함수의 활용 C 502
모의고사 (고3) 2021년 4월 11번

11. $0<x<2\pi$일 때, 방정식 $2\cos^2 x-\sin(\pi+x)-2=0$의 모든 해의 합은? [4점]

① π 　　② $\dfrac{3}{2}\pi$ 　　③ 2π 　　④ $\dfrac{5}{2}\pi$ 　　⑤ 3π

도함수의 활용 C 501
모의고사 (고3) 2021년 4월 12번

12. 닫힌구간 $[0,3]$에서 함수 $f(x)=x^3-6x^2+9x+a$의 최댓값이 12일 때, 상수 a의 값은? [4점]

① 2 　　② 4 　　③ 6 　　④ 8 　　⑤ 10

정적분의 활용 C 503
모의고사 (고3) 2021년 4월 13번

13. 두 양수 a, $b\,(a<b)$에 대하여 함수 $f(x)$를
$f(x)=(x-a)(x-b)$라 하자.

$$\int_0^a f(x)dx=\frac{11}{6},\quad \int_0^b f(x)dx=-\frac{8}{3}$$

일 때, 곡선 $y=f(x)$와 x축으로 둘러싸인 부분의 넓이는? [4점]

① 4 　　② $\dfrac{9}{2}$ 　　③ 5 　　④ $\dfrac{11}{2}$ 　　⑤ 6

14. 4 이상의 자연수 n에 대하여 다음 조건을 만족시키는 n 이하의 네 자연수 a, b, c, d가 있다.

> ○ $a > b$
> ○ 좌표평면 위의 두 점 $A(a, b)$, $B(c, d)$와 원점 O에 대하여 삼각형 OAB는 $\angle A = \dfrac{\pi}{2}$인 직각이등변삼각형이다.

다음은 a, b, c, d의 모든 순서쌍 (a, b, c, d)의 개수를 T_n이라 할 때, $\displaystyle\sum_{n=4}^{20} T_n$의 값을 구하는 과정이다.

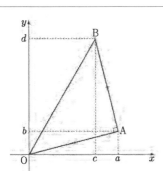

점 $A(a, b)$에 대하여
점 $B(c, d)$가 $\overline{OA} \perp \overline{AB}$, $\overline{OA} = \overline{AB}$를 만족시키려면
$c = a - b$, $d = a + b$이어야 한다.

이때, $a > b$이고 d가 n 이하의 자연수이므로 $b < \dfrac{n}{2}$이다.

$\dfrac{n}{2}$ 미만의 자연수 k에 대하여

$b = k$일 때, $a + b \le n$을 만족시키는 자연수 a의 개수는
$n - 2k$이다.

2 이상의 자연수 m에 대하여

(i) $n = 2m$인 경우

b가 될 수 있는 자연수는 1부터 $\boxed{\text{(가)}}$ 까지이므로

$$T_{2m} = \sum_{k=1}^{\boxed{\text{(가)}}} (2m - 2k) = \boxed{\text{(나)}}$$

(ii) $n = 2m + 1$인 경우

$$T_{2m+1} = \boxed{\text{(다)}}$$

(i), (ii)에 의해 $\displaystyle\sum_{n=4}^{20} T_n = 614$

위의 (가), (나), (다)에 알맞은 식을 각각 $f(m)$, $g(m)$, $h(m)$이라 할 때, $f(5) + g(6) + h(7)$의 값은? [4점]

① 71   ② 74   ③ 77   ④ 80   ⑤ 83

15. 그림과 같이 1보다 큰 실수 k에 대하여 두 곡선
$y = \log_2 |kx|$와 $y = \log_2(x + 4)$가 만나는 서로 다른 두 점을 A, B라 하고, 점 B를 지나는 곡선 $y = \log_2(-x + m)$이 곡선 $y = \log_2 |kx|$와 만나는 점 중 B가 아닌 점을 C라 하자.
세 점 A, B, C의 x좌표를 각각 x_1, x_2, x_3이라 할 때, <보기>에서 옳은 것만을 있는 대로 고른 것은?
(단, $x_1 < x_2$이고, m은 실수이다.) [4점]

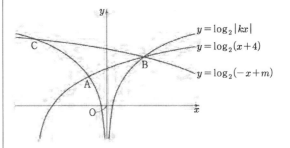

> ─── 〈 보 기 〉 ───
> ㄱ. $x_2 = -2x_1$이면 $k = 3$이다.
> ㄴ. $x_2{}^2 = x_1 x_3$
> ㄷ. 직선 AB의 기울기와 직선 AC의 기울기의 합이 0일 때, $m + k^2 = 19$이다.

① ㄱ   ② ㄷ   ③ ㄱ, ㄴ
④ ㄴ, ㄷ   ⑤ ㄱ, ㄴ, ㄷ

단답형

미분계수와 도함수 A 502
모의고사 (고3) 2021년 4월 16번

16. 함수 $f(x) = x^2 + ax$에 대하여 $f'(1) = 4$일 때, 상수 a의 값을 구하시오. [3점]

삼각함수 B 501
모의고사 (고3) 2021년 4월 17번

17. $0 < \theta < \dfrac{\pi}{2}$인 θ에 대하여 $\sin\theta\cos\theta = \dfrac{7}{18}$일 때, $30(\sin\theta + \cos\theta)$의 값을 구하시오. [3점]

도함수의 활용 B 503
모의고사 (고3) 2021년 4월 18번

18. 다항함수 $f(x)$에 대하여 함수 $g(x)$를

$$g(x) = (x^2 - 2x)f(x)$$

라 하자. 함수 $f(x)$가 $x = 3$에서 극솟값 2를 가질 때, $g'(3)$의 값을 구하시오. [3점]

등차수열과 등비수열 B 502
모의고사 (고3) 2021년 4월 19번

19. 첫째항이 $\dfrac{1}{4}$이고 공비가 양수인 등비수열 $\{a_n\}$에 대하여

$$a_3 + a_5 = \frac{1}{a_3} + \frac{1}{a_5}$$

일 때, a_{10}의 값을 구하시오. [3점]

삼각함수의 활용 C 503
모의고사 (고3) 2021년 4월 20번

20. $\overline{\text{AB}} : \overline{\text{BC}} : \overline{\text{CA}} = 1 : 2 : \sqrt{2}$인 삼각형 ABC가 있다. 삼각형 ABC의 외접원의 넓이가 28π일 때, 선분 CA의 길이를 구하시오. [4점]

21. 첫째항이 자연수인 수열 $\{a_n\}$이 모든 자연수 n에 대하여

$$a_{n+1} = \begin{cases} a_n - 2 & (a_n \geq 0) \\ a_n + 5 & (a_n < 0) \end{cases}$$

을 만족시킨다. $a_{15} < 0$이 되도록 하는 a_1의 최솟값을 구하시오.

[4점]

22. 실수 a에 대하여 두 함수 $f(x)$, $g(x)$를

$$f(x) = 3x + a,\ g(x) = \int_2^x (t+a)f(t)dt$$

라 하자. 함수 $h(x) = f(x)g(x)$가 다음 조건을 만족시킬 때, $h(-1)$의 최솟값은 $\dfrac{q}{p}$이다. $p+q$의 값을 구하시오. (단, p와 q는 서로소인 자연수이다.) [4점]

> (가) 곡선 $y = h(x)$ 위의 어떤 점에서의 접선이 x축이다.
> (나) 곡선 $y = |h(x)|$가 x축에 평행한 직선과 만나는 서로 다른 점의 개수의 최댓값은 4이다.

1	②	2	①	3	⑤	4	④	5	③
6	④	7	⑤	8	①	9	②	10	③
11	③	12	④	13	②	14	⑤	15	③
16	2	17	40	18	8	19	16	20	7
21	5	22	251						

수학 영역(확률과 통계)

중복조합 A 501
모의고사 (고3) 2021년 4월 23번(확통)

23. $_n\Pi_2 = 25$일 때, 자연수 n의 값은? [2점]

① 1 ② 2 ③ 3 ④ 4 ⑤ 5

이항정리 A 502
모의고사 (고3) 2021년 4월 24번(확통)

24. 다항식 $(x+2a)^5$의 전개식에서 x^3의 계수가 640일 때, 양수 a의 값은? [3점]

① 3 ② 4 ③ 5 ④ 6 ⑤ 7

중복조합 B 501
모의고사 (고3) 2021년 4월 25번(확통)

25. 빨간색 볼펜 5자루와 파란색 볼펜 2자루를 4명의 학생에게 남김없이 나누어 주는 경우의 수는? (단, 같은 색 볼펜끼리는 서로 구별하지 않고, 볼펜을 1자루도 받지 못하는 학생이 있을 수 있다.) [3점]

① 560 ② 570 ③ 580 ④ 590 ⑤ 600

여러가지순열 B 501
모의고사 (고3) 2021년4월 26번(확통)

26. 숫자 1, 2, 3, 4, 5 중에서 중복을 허락하여 5개를 택해 일렬로 나열하여 만든 다섯 자리의 자연수 중에서 다음 조건을 만족시키는 N의 개수는? [3점]

(가) N은 홀수이다.
(나) $10000 < N < 30000$

① 720 ② 730 ③ 740 ④ 750 ⑤ 760

이항정리 B 501
모의고사 (고3) 2021년4월 27번(확통)

27. 자연수 n에 대하여 $f(n) = \sum_{k=1}^{n} {}_{2n+1}C_{2k}$일 때, $f(n) = 1023$을 만족시키는 n의 값은? [3점]

① 3 ② 4 ③ 5 ④ 6 ⑤ 7

여러가지순열 C 502
모의고사 (고3) 2021년4월 28번(확통)

28. 그림과 같이 직사각형 모양으로 연결된 도로망이 있다. 이 도로망을 따라 A지점에서 출발하여 P지점을 지나 B지점으로 갈 때, 한 번 지난 도로는 다시 지나지 않으면서 최단거리로 가는 경우의 수는? [4점]

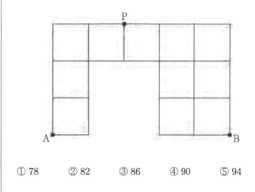

① 78 ② 82 ③ 86 ④ 90 ⑤ 94

여러가지순열 C 503
모의고사 (고3) 2021년 4월 29번(확통)

29. 두 남학생 A, B를 포함한 4명의 남학생과 여학생 C를 포함한
4명의 여학생이 있다. 이 8명의 학생이 일정한 간격을 두고
원 모양의 탁자에 다음 조건을 만족시키도록 모두 둘러앉는
경우의 수를 구하시오. (단, 회전하여 일치하는 것은 같은 것으로
본다.) [4점]

(가) A와 B는 이웃한다.
(나) C는 여학생과 이웃하지 않는다.

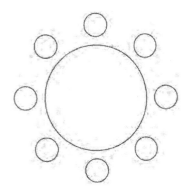

중복조합 D 501
모의고사 (고3) 2021년 4월 30번(확통)

30. 다음 조건을 만족시키는 14 이하의 네 자연수 x_1, x_2, x_3, x_4의
모든 순서쌍 (x_1, x_2, x_3, x_4)의 개수를 구하시오. [4점]

(가) $x_1 + x_2 + x_3 + x_4 = 34$
(나) x_1과 x_3은 홀수이고 x_2와 x_4는 짝수이다.

[확률과 통계]

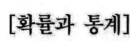

23	⑤	24	②	25	①	26	④	27	③
28	⑤	29	288	30	206				

수학 영역(미적분)

5지선다형

23. $\lim\limits_{n\to\infty}\dfrac{2^n+3^{n+1}}{3^n+1}$의 값은? [2점]

① $\dfrac{5}{3}$ ② 2 ③ $\dfrac{7}{3}$ ④ $\dfrac{8}{3}$ ⑤ 3

24. 함수 $f(x)=\log_3 6x$에 대하여 $f'(9)$의 값은? [3점]

① $\dfrac{1}{9\ln 3}$ ② $\dfrac{1}{6\ln 3}$ ③ $\dfrac{2}{9\ln 3}$

④ $\dfrac{5}{18\ln 3}$ ⑤ $\dfrac{1}{3\ln 3}$

25. 수열 $\{a_n\}$에 대하여 $\sum\limits_{n=1}^{\infty}\left(\dfrac{a_n}{n}-2\right)=5$일 때, $\lim\limits_{n\to\infty}\dfrac{2n^2+3na_n}{n^2+4}$의 값은? [3점]

① 2 ② 4 ③ 6 ④ 8 ⑤ 10

26. 좌표평면에서 양의 실수 t에 대하여 직선 $x=t$가

두 곡선 $y=e^{2x+k}$, $y=e^{-3x+k}$과 만나는 점을 각각 P, Q라 할 때, $\overline{\mathrm{PQ}}=t$를 만족시키는 실수 k의 값을 $f(t)$라 하자. 함수 $f(t)$에 대하여 $\lim\limits_{t\to 0+}e^{f(t)}$의 값은? [3점]

① $\dfrac{1}{6}$ ② $\dfrac{1}{5}$ ③ $\dfrac{1}{4}$ ④ $\dfrac{1}{3}$ ⑤ $\dfrac{1}{2}$

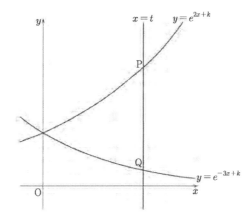

27. 그림과 같이 곡선 $y=x\sin x$ 위의

점 $\mathrm{P}(t,\,t\sin t)\,(0<t<\pi)$를 중심으로 하고 y축에 접하는 원이 선분 OP와 만나는 점을 Q라 하자. 점 Q의 x좌표를 $f(t)$라 할 때, $\lim\limits_{t\to 0+}\dfrac{f(t)}{t^3}$의 값은? (단, O는 원점이다.) [3점]

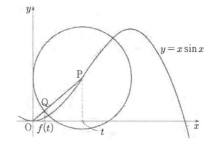

① $\dfrac{1}{4}$ ② $\dfrac{\sqrt{2}}{4}$ ③ $\dfrac{1}{2}$ ④ $\dfrac{\sqrt{2}}{2}$ ⑤ 1

28. 그림과 같이 길이가 4인 선분 A_1B_1을 지름으로 하는 원 O_1이 있다. 원 O_1의 외부에 $\angle B_1A_1C_1 = \dfrac{\pi}{2}$, $\overline{A_1B_1}:\overline{A_1C_1}=4:3$이 되도록 점 C_1을 잡고 두 선분 A_1C_1, B_1C_1을 그린다. 원 O_1과 선분 B_1C_1의 교점 중 B_1이 아닌 점을 D_1이라 하고, 점 D_1을 포함하지 않는 호 A_1B_1과 두 선분 A_1D_1, B_1D_1로 둘러싸인 부분에 색칠하여 얻은 그림을 R_1이라 하자.

그림 R_1에서 호 A_1D_1과 두 선분 A_1C_1, C_1D_1에 동시에 접하는 원 O_2를 그리고 선분 A_1C_1과 원 O_2의 교점을 A_2, 점 A_2를 지나고 직선 A_1B_1과 평행한 직선이 원 O_2와 만나는 점 중 A_2가 아닌 점을 B_2라 하자. 그림 R_1에서 얻은 것과 같은 방법으로 두 점 C_2, D_2를 잡고, 점 D_2를 포함하지 않는 호 A_2B_2와 두 선분 A_2D_2, B_2D_2로 둘러싸인 부분에 색칠하여 얻은 그림을 R_2라 하자.

이와 같은 과정을 계속하여 n번째 얻은 그림 R_n에 색칠되어 있는 부분의 넓이를 S_n이라 할 때, $\lim\limits_{n\to\infty} S_n$의 값은? [4점]

29. 그림과 같이 $\angle BAC = \dfrac{2}{3}\pi$이고 $\overline{AB} > \overline{AC}$인 삼각형 ABC가 있다. $\overline{BD}=\overline{CD}$인 선분 AB 위의 점 D에 대하여 $\angle CBD = \alpha$, $\angle ACD = \beta$라 하자. $\cos^2\alpha = \dfrac{7+\sqrt{21}}{14}$일 때, $54\sqrt{3}\times\tan\beta$의 값을 구하시오. [4점]

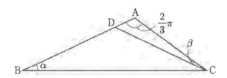

30. 함수 $f(x)$를

$$f(x)=\lim_{n\to\infty}\frac{ax^{2n}+bx^{2n-1}+x}{x^{2n}+2}\ (a,\ b\text{는 양의 상수})$$

라 하자. 자연수 m에 대하여 방정식 $f(x)=2(x-1)+m$의 실근의 개수를 c_m이라 할 때, $c_k=5$인 자연수 k가 존재한다.

$k+\sum\limits_{m=1}^{\infty}(c_m-1)$의 값을 구하시오. [4점]

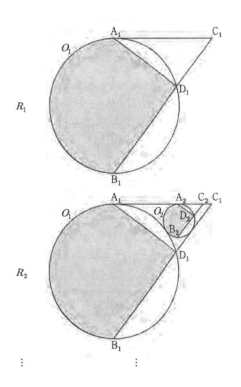

① $\dfrac{32}{15}\pi+\dfrac{256}{125}$ ② $\dfrac{9}{4}\pi+\dfrac{54}{25}$ ③ $\dfrac{32}{15}\pi+\dfrac{512}{125}$

④ $\dfrac{9}{4}\pi+\dfrac{108}{25}$ ⑤ $\dfrac{8}{3}\pi+\dfrac{128}{25}$

[미적분]

23	⑤	24	①	25	④	26	②	27	③
28	③	29	18	30	13				

수학 영역(기하)

5지선다형

벡터의 연산 A 502
모의고사 (고3) 2021년 4월 23번(기하)

23. 영벡터가 아닌 두 벡터 $\vec{a}$, $\vec{b}$가 서로 평행하지 않을 때, $(2\vec{a}-m\vec{b})-(n\vec{a}-4\vec{b})=\vec{a}-\vec{b}$를 만족시키는 두 상수 m, n의 합 $m+n$의 값은? [2점]

① 6　　② 7　　③ 8　　④ 9　　⑤ 10

쌍곡선 A 501
모의고사 (고3) 2021년 4월 24번(기하)

24. 쌍곡선 $\dfrac{x^2}{2}-\dfrac{y^2}{7}=1$ 위의 점 $(4,7)$에서의 접선의 x절편은?

[3점]

① $\dfrac{1}{4}$　　② $\dfrac{3}{8}$　　③ $\dfrac{1}{2}$　　④ $\dfrac{5}{8}$　　⑤ $\dfrac{3}{4}$

타원 B 501
모의고사 (고3) 2021년 4월 25번(기하)

25. 좌표평면 위에 두 초점이 F, F′인 타원 $\dfrac{x^2}{36}+\dfrac{y^2}{12}=1$이 있다.

타원 위의 두 점 P, Q에 대하여 직선 PQ가 원점 O를 지나고 삼각형 PF′Q의 둘레의 길이가 20일 때, 선분 OP의 길이는? (단, 점 P는 제1사분면 위의 점이다.) [3점]

① $\dfrac{11}{3}$　　② 4　　③ $\dfrac{13}{3}$　　④ $\dfrac{14}{3}$　　⑤ 5

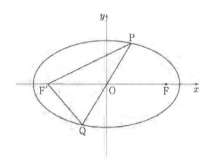

포물선 B 502
모의고사 (고3) 2021년 4월 26번(기하)

26. 그림과 같이 꼭짓점이 원점 O이고 초점이 F$(p, 0)(p>0)$인 포물선이 있다. 포물선 위의 점 A에서 x축, y축에 내린 수선의 발을 각각 B, C라 하자. $\overline{\text{FA}}=8$이고 사각형 OFAC의 넓이와 삼각형 FBA의 넓이의 비가 $2:1$일 때, 삼각형 ACF의 넓이는? (단, 점 A는 제1사분면 위의 점이고, 점 A의 x좌표는 p보다 크다.) [3점]

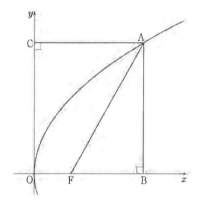

① $\dfrac{27}{2}$　　② $9\sqrt{3}$　　③ 18　　④ $12\sqrt{3}$　　⑤ 24

쌍곡선 B 501
모의고사 (고3) 2021년 4월 27번(기하)

27. 그림과 같이 두 점 F$(c, 0)$, F′$(-c, 0)(c>0)$을 초점으로 하는 타원 $\dfrac{x^2}{a^2}+\dfrac{y^2}{7}=1$과 두 점 F, F′을 초점으로 하는 쌍곡선 $\dfrac{x^2}{4}-\dfrac{y^2}{b^2}=1$이 제1사분면에서 만나는 점을 P라 하자. $\overline{\text{PF}}=3$일 때, a^2+b^2의 값은? (단, a, b는 상수이다.) [3점]

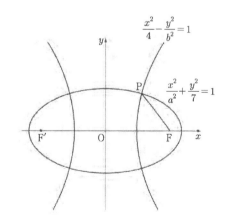

① 31　　② 33　　③ 35　　④ 37　　⑤ 39

28. 좌표평면에서 두 점 $F\left(\dfrac{9}{4},0\right)$, $F'(-c,0)(c>0)$을 초점으로 하는 타원과 포물선 $y^2=9x$가 제1사분면에서 만나는 점을 P라 하자. $\overline{PF}=\dfrac{25}{4}$이고 포물선 $y^2=9x$ 위의 점 P에서의 접선이 점 F'을 지날 때, 타원의 단축의 길이는? [4점]

① 13   ② $\dfrac{27}{2}$ ③ 14   ④ $\dfrac{29}{2}$ ⑤ 15

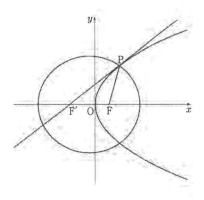

29. 좌표평면 위에 네 점 $A(-2,0)$, $B(1,0)$, $C(2,1)$, $D(0,1)$이 있다. 반원의 호 $(x+1)^2+y^2=1(0\le y\le 1)$ 위를 움직이는 점 P와 삼각형 BCD 위를 움직이는 점 Q에 대하여 $|\overrightarrow{OP}+\overrightarrow{AQ}|$의 최댓값을 M, 최솟값을 m이라 하자. $M^2+m^2=p+2\sqrt{q}$일 때, $p\times q$의 값을 구하시오. (단, O는 원점이고, p와 q는 유리수이다.) [4점]

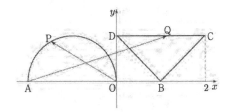

30. 그림과 같이 두 초점이 $F(c,0)$, $F'(-c,0)(c>0)$인 타원 $\dfrac{x^2}{16}+\dfrac{y^2}{7}=1$ 위의 점 P에 대하여 직선 FP와 직선 F'P에 동시에 접하고 중심이 선분 F'F 위에 있는 원 C가 있다. 원 C의 중심을 C, 직선 F'P가 원 C와 만나는 점을 Q라 할 때, $2\overline{PQ}=\overline{PF}$이다. $24\times\overline{CP}$의 값을 구하시오. (단, 점 P는 제1사분면 위의 점이다.) [4점]

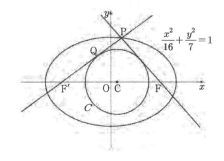

23	①	24	③	25	②	26	④	27	⑤
28	⑤	29	115	30	63				

5지선다형

지수 A 503
모의고사 (고3) 2021년 6월 1번

1. $2^{\sqrt{3}} \times 2^{2-\sqrt{3}}$ 의 값은? [2점]

① $\sqrt{2}$ ② 2   ③ $2\sqrt{2}$ ④ 4   ⑤ $4\sqrt{2}$

부정적분 A 503
모의고사 (고3) 2021년 6월 2번

2. 함수 $f(x)$가

$$f'(x) = 3x^2 - 2x, \quad f(1) = 1$$

을 만족시킬 때, $f(2)$의 값은? [2점]

① 1   ② 2   ③ 3   ④ 4   ⑤ 5

삼각함수 A 503
모의고사 (고3) 2021년 6월 3번

3. $\pi < \theta < \dfrac{3}{2}\pi$ 인 θ에 대하여 $\tan\theta = \dfrac{12}{5}$ 일 때, $\sin\theta + \cos\theta$의 값은? [3점]

① $-\dfrac{17}{13}$ ② $-\dfrac{7}{13}$ ③ 0   ④ $\dfrac{7}{13}$ ⑤ $\dfrac{17}{13}$

함수의 극한 A 503
모의고사 (고3) 2021년 6월 4번

4. 함수 $y = f(x)$의 그래프가 그림과 같다.

$\lim\limits_{x \to 0-} f(x) + \lim\limits_{x \to 2+} f(x)$의 값은? [3점]

① -2 ② -1 ③ 0   ④ 1   ⑤ 2

미분계수와 도함수 A 503
모의고사 (고3) 2021년 6월 5번

5. 다항함수 $f(x)$에 대하여 함수 $g(x)$를

$$g(x) = (x^2 + 3)f(x)$$

라 하자. $f(1) = 2$, $f'(1) = 1$일 때, $g'(1)$의 값은? [3점]

① 6   ② 7   ③ 8   ④ 9   ⑤ 10

정적분의 활용 B 502
모의고사 (고3) 2021년 6월 6번

6. 곡선 $y = 3x^2 - x$와 직선 $y = 5x$로 둘러싸인 부분의 넓이는? [3점]

① 1   ② 2   ③ 3   ④ 4   ⑤ 5

7. 첫째항이 2인 등차수열 $\{a_n\}$의 첫째항부터 제n항까지의 합을 S_n이라 하자.

$$a_6 = 2(S_3 - S_2)$$

일 때, S_{10}의 값은? [3점]

① 100　　② 110　　③ 120　　④ 130　　⑤ 140

8. 함수

$$f(x) = \begin{cases} -2x+6 & (x < a) \\ 2x-a & (x \geq a) \end{cases}$$

에 대하여 함수 $\{f(x)\}^2$이 실수 전체의 집합에서 연속이 되도록 하는 모든 상수 a의 값의 합은? [3점]

① 2　　② 4　　③ 6　　④ 8　　⑤ 10

9. 수열 $\{a_n\}$이 모든 자연수 n에 대하여

$$a_{n+1} = \begin{cases} \dfrac{1}{a_n} & (n\text{이 홀수인 경우}) \\ 8a_n & (n\text{이 짝수인 경우}) \end{cases}$$

이고 $a_{12} = \dfrac{1}{2}$일 때, $a_1 + a_4$의 값은? [4점]

① $\dfrac{3}{4}$　　② $\dfrac{9}{4}$　　③ $\dfrac{5}{2}$　　④ $\dfrac{17}{4}$　　⑤ $\dfrac{9}{2}$

10. $n \geq 2$인 자연수 n에 대하여 두 곡선

$$y = \log_n x, \quad y = -\log_n(x+3) + 1$$

이 만나는 점의 x좌표가 1보다 크고 2보다 작도록 하는 모든 n의 값의 합은? [4점]

① 30　　② 35　　③ 40　　④ 45　　⑤ 50

11. 닫힌구간 $[0, 1]$에서 연속인 함수 $f(x)$가

$$f(0) = 0, \quad f(1) = 1, \quad \int_0^1 f(x)\,dx = \frac{1}{6}$$

을 만족시킨다. 실수 전체의 집합에서 정의된 함수 $g(x)$가 다음 조건을 만족시킬 때, $\displaystyle\int_{-3}^2 g(x)\,dx$의 값은? [4점]

(가) $g(x) = \begin{cases} -f(x+1)+1 & (-1 < x < 0) \\ f(x) & (0 \leq x \leq 1) \end{cases}$

(나) 모든 실수 x에 대하여 $g(x+2) = g(x)$이다.

① $\dfrac{5}{2}$　　② $\dfrac{17}{6}$　　③ $\dfrac{19}{6}$　　④ $\dfrac{7}{2}$　　⑤ $\dfrac{23}{6}$

12. 그림과 같이 $\overline{AB} = 4$, $\overline{AC} = 5$이고 $\cos(\angle BAC) = \dfrac{1}{8}$인 삼각형 ABC가 있다. 선분 AC 위의 점 D와 선분 BC 위의 점 E에 대하여

$$\angle BAC = \angle BDA = \angle BED$$

일 때, 선분 DE의 길이는? [4점]

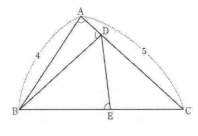

① $\dfrac{7}{3}$　　② $\dfrac{5}{2}$　　③ $\dfrac{8}{3}$　　④ $\dfrac{17}{6}$　　⑤ 3

13. 실수 전체의 집합에서 정의된 함수 $f(x)$가 구간 $(0, 1]$에서

$$f(x) = \begin{cases} 3 & (0 < x < 1) \\ 1 & (x = 1) \end{cases}$$

이고, 모든 실수 x에 대하여 $f(x+1) = f(x)$를 만족시킨다.

$\displaystyle\sum_{k=1}^{20} \frac{k \times f(\sqrt{k})}{3}$ 의 값은? [4점]

① 150　　② 160　　③ 170　　④ 180　　⑤ 190

14. 두 양수 p, q와 함수 $f(x) = x^3 - 3x^2 - 9x - 12$에 대하여 실수 전체의 집합에서 연속인 함수 $g(x)$가 다음 조건을 만족시킬 때, $p+q$의 값은? [4점]

(가) 모든 실수 x에 대하여 $xg(x) = |xf(x-p) + qx|$이다.
(나) 함수 $g(x)$가 $x=a$에서 미분가능하지 않은 실수 a의 개수는 1이다.

① 6　　② 7　　③ 8　　④ 9　　⑤ 10

15. $-1 \le t \le 1$인 실수 t에 대하여 x에 대한 방정식

$$\left(\sin\frac{\pi x}{2} - t\right)\left(\cos\frac{\pi x}{2} - t\right) = 0$$

의 실근 중에서 집합 $\{x | 0 \le x < 4\}$에 속하는 가장 작은 값을 $\alpha(t)$, 가장 큰 값을 $\beta(t)$라 하자. <보기>에서 옳은 것만을 있는 대로 고른 것은? [4점]

<보 기>
ㄱ. $-1 \le t < 0$인 모든 실수 t에 대하여 $\alpha(t) + \beta(t) = 5$이다.
ㄴ. $\{t | \beta(t) - \alpha(t) = \beta(0) - \alpha(0)\} = \left\{ t \,\middle|\, 0 \le t \le \dfrac{\sqrt{2}}{2} \right\}$
ㄷ. $\alpha(t_1) = \alpha(t_2)$인 두 실수 t_1, t_2에 대하여 $t_2 - t_1 = \dfrac{1}{2}$이면 $t_1 \times t_2 = \dfrac{1}{3}$이다.

① ㄱ　　　　② ㄱ, ㄴ　　　　③ ㄱ, ㄷ
④ ㄴ, ㄷ　　　　⑤ ㄱ, ㄴ, ㄷ

로그 A 501
모의고사 (고3) 2021년 6월 16번

16. $\log_4 \frac{2}{3} + \log_4 24$의 값을 구하시오. [3점]

도함수의 활용 A 501
모의고사 (고3) 2021년 6월 17번

17. 함수 $f(x) = x^3 - 3x + 12$가 $x = a$에서 극소일 때, $a + f(a)$의 값을 구하시오. (단, a는 상수이다.) [3점]

등차수열과 등비수열 A 502
모의고사 (고3) 2021년 6월 18번

18. 모든 항이 양수인 등비수열 $\{a_n\}$에 대하여

$$a_2 = 36, \quad a_7 = \frac{1}{3}a_5$$

일 때, a_6의 값을 구하시오. [3점]

정적분의 활용 B 503
모의고사 (고3) 2021년 6월 19번

19. 수직선 위를 움직이는 점 P의 시각 $t\,(t \geq 0)$에서의 속도 $v(t)$가

$$v(t) = 3t^2 - 4t + k$$

이다. 시각 $t = 0$에서 점 P의 위치는 0이고, 시각 $t = 1$에서 점 P의 위치는 -3이다. 시각 $t = 1$에서 $t = 3$까지 점 P의 위치의 변화량을 구하시오. (단, k는 상수이다.) [3점]

정적분 C 503
모의고사 (고3) 2021년 6월 20번

20. 실수 a와 함수 $f(x) = x^3 - 12x^2 + 45x + 3$에 대하여 함수

$$g(x) = \int_a^x \{f(x) - f(t)\} \times \{f(t)\}^4 dt$$

가 오직 하나의 극값을 갖도록 하는 모든 a의 값의 합을 구하시오. [4점]

21. 다음 조건을 만족시키는 최고차항의 계수가 1인 이차함수 $f(x)$가 존재하도록 하는 모든 자연수 n의 값의 합을 구하시오. [4점]

(가) x에 대한 방정식 $(x^n - 64)f(x) = 0$은
　　 서로 다른 두 실근을 갖고, 각각의 실근은 중근이다.
(나) 함수 $f(x)$의 최솟값은 음의 정수이다.

22. 삼차함수 $f(x)$가 다음 조건을 만족시킨다.

(가) 방정식 $f(x) = 0$의 서로 다른 실근의 개수는 2이다.
(나) 방정식 $f(x - f(x)) = 0$의 서로 다른 실근의 개수는
　　 3이다.

$f(1) = 4$, $f'(1) = 1$, $f'(0) > 1$일 때, $f(0) = \dfrac{q}{p}$ 이다. $p + q$의 값을 구하시오. (단, p와 q는 서로소인 자연수이다.) [4점]

[공통: 수학 I · 수학 II]
01. ④　02. ⑤　03. ①　04. ①　05. ③
06. ④　07. ②　08. ④　09. ⑤　10. ②
11. ②　12. ③　13. ⑤　14. ③　15. ②
16. 2　17. 11　18. 4　19. 6　20. 8
21. 24　22. 61

수학 영역(확률과 통계)

5지선다형

이항정리 A 503
모의고사 (고3) 2021년 6월 23번(확통)

23. 다항식 $(2x+1)^5$의 전개식에서 x^3의 계수는? [2점]

① 20   ② 40   ③ 60   ④ 80   ⑤ 100

조건부확률 A 501
모의고사 (고3) 2021년 6월 24번(확통)

24. 어느 동아리의 학생 20명을 대상으로 진로활동 A와 진로활동 B에 대한 선호도를 조사하였다. 이 조사에 참여한 학생은 진로활동 A와 진로활동 B 중 하나를 선택하였고, 각각의 진로활동을 선택한 학생 수는 다음과 같다.

(단위 : 명)

구분	진로활동 A	진로활동 B	합계
1학년	7	5	12
2학년	4	4	8
합계	11	9	20

이 조사에 참여한 학생 20명 중에서 임의로 선택한 한 명이 진로활동 B를 선택한 학생일 때, 이 학생이 1학년일 확률은? [3점]

① $\dfrac{1}{2}$ ② $\dfrac{5}{9}$ ③ $\dfrac{3}{5}$ ④ $\dfrac{7}{11}$ ⑤ $\dfrac{2}{3}$

여러가지확률 B 502
모의고사 (고3) 2021년 6월 25번(확통)

25. 숫자 1, 2, 3, 4, 5 중에서 중복을 허락하여 4개를 택해 일렬로 나열하여 만들 수 있는 모든 네 자리의 자연수 중에서 임의로 하나의 수를 선택할 때, 선택한 수가 3500보다 클 확률은? [3점]

① $\dfrac{9}{25}$ ② $\dfrac{2}{5}$ ③ $\dfrac{11}{25}$ ④ $\dfrac{12}{25}$ ⑤ $\dfrac{13}{25}$

중복조합 B 502
모의고사 (고3) 2021년6월 26번(확통)

26. 빨간색 카드 4장, 파란색 카드 2장, 노란색 카드 1장이 있다. 이 7장의 카드를 세 명의 학생에게 남김없이 나누어 줄 때, 3가지 색의 카드를 각각 한 장 이상 받는 학생이 있도록 나누어 주는 경우의 수는? (단, 같은 색 카드끼리는 서로 구별하지 않고, 카드를 받지 못하는 학생이 있을 수 있다.) [3점]

① 78   ② 84   ③ 90   ④ 96   ⑤ 102

여러가지확률 B 503
모의고사 (고3) 2021년6월 27번(확통)

27. 주사위 2개와 동전 4개를 동시에 던질 때, 나오는 주사위의 눈의 수의 곱과 앞면이 나오는 동전의 개수가 같을 확률은? [3점]

① $\dfrac{3}{64}$ ② $\dfrac{5}{96}$ ③ $\dfrac{11}{192}$ ④ $\dfrac{1}{16}$ ⑤ $\dfrac{13}{192}$

여러가지순열 C 503
모의고사 (고3) 2021년6월 28번(확통)

28. 한 개의 주사위를 한 번 던져 나온 눈의 수가 3 이하이면 나온 눈의 수를 점수로 얻고, 나온 눈의 수가 4 이상이면 0점을 얻는다. 이 주사위를 네 번 던져 나온 눈의 수를 차례로 a, b, c, d라 할 때, 얻은 네 점수의 합이 4가 되는 모든 순서쌍 (a, b, c, d)의 개수는? [4점]

① 187   ② 190   ③ 193   ④ 196   ⑤ 199

29. 1부터 6까지의 자연수가 하나씩 적혀 있는 6개의 의자가
있다. 이 6개의 의자를 일정한 간격을 두고 원형으로 배열할 때,
서로 이웃한 2개의 의자에 적혀 있는 수의 곱이 12가 되지
않도록 배열하는 경우의 수를 구하시오.
(단, 회전하여 일치하는 것은 같은 것으로 본다.) [4점]

30. 숫자 1, 2, 3이 하나씩 적혀 있는 3개의 공이 들어 있는
주머니가 있다. 이 주머니에서 임의로 한 개의 공을 꺼내어
공에 적혀 있는 수를 확인한 후 다시 넣는 시행을 한다.
이 시행을 5번 반복하여 확인한 5개의 수의 곱이 6의 배수일

확률이 $\dfrac{q}{p}$ 일 때, $p+q$의 값을 구하시오.

(단, p와 q는 서로소인 자연수이다.) [4점]

[선택: 확률과 통계]

23. ④   24. ②   25. ③   26. ③   27. ①

28. ⑤   29. 48   30. 47

수학 영역(미적분)

5지선다형

23. $\lim\limits_{n \to \infty} \dfrac{1}{\sqrt{n^2+n+1}-n}$ 의 값은? [2점]

① 1   ② 2   ③ 3   ④ 4   ⑤ 5

24. 매개변수 t 로 나타내어진 곡선

$$x = e^t + \cos t, \quad y = \sin t$$

에서 $t = 0$ 일 때, $\dfrac{dy}{dx}$ 의 값은? [3점]

① $\dfrac{1}{2}$ ② 1   ③ $\dfrac{3}{2}$ ④ 2   ⑤ $\dfrac{5}{2}$

25. 원점에서 곡선 $y = e^{|x|}$ 에 그은 두 접선이 이루는 예각의 크기를 θ 라 할 때, $\tan\theta$ 의 값은? [3점]

① $\dfrac{e}{e^2+1}$ ② $\dfrac{e}{e^2-1}$ ③ $\dfrac{2e}{e^2+1}$

④ $\dfrac{2e}{e^2-1}$ ⑤ 1

26. 그림과 같이 중심이 O_1, 반지름의 길이가 1이고 중심각의 크기가 $\dfrac{5\pi}{12}$ 인 부채꼴 $O_1A_1O_2$ 가 있다. 호 A_1O_2 위에 점 B_1 을 $\angle A_1O_1B_1 = \dfrac{\pi}{4}$ 가 되도록 잡고, 부채꼴 $O_1A_1B_1$ 에 색칠하여 얻은 그림을 R_1 이라 하자.

그림 R_1 에서 점 O_2 를 지나고 선분 O_1A_1 에 평행한 직선이 직선 O_1B_1 과 만나는 점을 A_2 라 하자. 중심이 O_2 이고 중심각의 크기가 $\dfrac{5\pi}{12}$ 인 부채꼴 $O_2A_2O_3$ 을 부채꼴 $O_1A_1B_1$ 과 겹치지 않도록 그린다. 호 A_2O_3 위에 점 B_2 를 $\angle A_2O_2B_2 = \dfrac{\pi}{4}$ 가 되도록 잡고, 부채꼴 $O_2A_2B_2$ 에 색칠하여 얻은 그림을 R_2 라 하자.

이와 같은 과정을 계속하여 n 번째 얻은 그림 R_n 에 색칠되어 있는 부분의 넓이를 S_n 이라 할 때, $\lim\limits_{n \to \infty} S_n$ 의 값은? [3점]

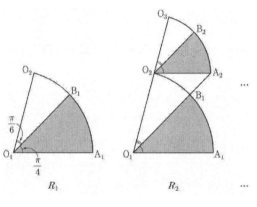

① $\dfrac{3\pi}{16}$ ② $\dfrac{7\pi}{32}$ ③ $\dfrac{\pi}{4}$ ④ $\dfrac{9\pi}{32}$ ⑤ $\dfrac{5\pi}{16}$

27. 두 함수

$$f(x) = e^x, \quad g(x) = k\sin x$$

에 대하여 방정식 $f(x) = g(x)$ 의 서로 다른 양의 실근의 개수가 3일 때, 양수 k의 값은? [3점]

① $\sqrt{2}\,e^{\frac{3\pi}{2}}$ ② $\sqrt{2}\,e^{\frac{7\pi}{4}}$ ③ $\sqrt{2}\,e^{2\pi}$

④ $\sqrt{2}\,e^{\frac{9\pi}{4}}$ ⑤ $\sqrt{2}\,e^{\frac{5\pi}{2}}$

28. 그림과 같이 길이가 2인 선분 AB를 지름으로 하는
반원의 호 AB 위에 점 P가 있다. 선분 AB의 중점을 O라
할 때, 점 B를 지나고 선분 AB에 수직인 직선이 직선 OP와
만나는 점을 Q라 하고, ∠OQB의 이등분선이 직선 AP와
만나는 점을 R라 하자. ∠OAP $= \theta$일 때, 삼각형 OAP의
넓이를 $f(\theta)$, 삼각형 PQR의 넓이를 $g(\theta)$라 하자.

$\lim\limits_{\theta \to 0+} \dfrac{g(\theta)}{\theta^4 \times f(\theta)}$ 의 값은? (단, $0 < \theta < \dfrac{\pi}{4}$) [4점]

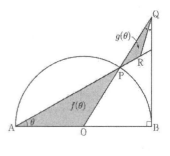

① 2   ② $\dfrac{5}{2}$ ③ 3   ④ $\dfrac{7}{2}$ ⑤ 4

---

29. $t > 2e$인 실수 t에 대하여 함수 $f(x) = t(\ln x)^2 - x^2$이
$x = k$에서 극대일 때, 실수 k의 값을 $g(t)$라 하면 $g(t)$는
미분가능한 함수이다. $g(\alpha) = e^2$인 실수 α에 대하여
$\alpha \times \{g'(\alpha)\}^2 = \dfrac{q}{p}$ 일 때, $p + q$의 값을 구하시오.
(단, p와 q는 서로소인 자연수이다.) [4점]

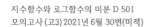

30. $t > \dfrac{1}{2}\ln 2$인 실수 t에 대하여 곡선 $y = \ln(1 + e^{2x} - e^{-2t})$과

직선 $y = x + t$가 만나는 서로 다른 두 점 사이의 거리를

$f(t)$라 할 때, $f'(\ln 2) = \dfrac{q}{p}\sqrt{2}$ 이다. $p + q$의 값을 구하시오.

(단, p와 q는 서로소인 자연수이다.) [4점]

[선택: 미적분]
23. ② 24. ② 25. ④ 26. ③ 27. ④
28. ① 29. 17 30. 11

수학 영역(기하)

5지선다형

벡터의 연산 A 503
모의고사 (고3) 2021년 6월 23번(기하)

23. 두 벡터 $\vec{a}=(k+3,\ 3k-1)$과 $\vec{b}=(1,\ 1)$이 서로 평행할 때, 실수 k의 값은? [2점]

① 1　　② 2　　③ 3　　④ 4　　⑤ 5

타원 A 502
모의고사 (고3) 2021년 6월 24번(기하)

24. 타원 $\dfrac{x^2}{8}+\dfrac{y^2}{4}=1$ 위의 점 $(2,\ \sqrt{2})$에서의 접선의 x절편은?

[3점]

① 3　　② $\dfrac{13}{4}$　　③ $\dfrac{7}{2}$　　④ $\dfrac{15}{4}$　　⑤ 4

벡터의 연산 B 502
모의고사 (고3) 2021년 6월 25번(기하)

25. 좌표평면 위의 두 점 $A(1, 2)$, $B(-3, 5)$에 대하여

$$|\overrightarrow{OP}-\overrightarrow{OA}|=|\overrightarrow{AB}|$$

를 만족시키는 점 P가 나타내는 도형의 길이는?
(단, O는 원점이다.) [3점]

① 10π　　② 12π　　③ 14π　　④ 16π　　⑤ 18π

벡터의 연산 B 503
모의고사 (고3) 2021년 6월 26번(기하)

26. 그림과 같이 한 변의 길이가 1인 정육각형 ABCDEF에서 $|\overrightarrow{AE}+\overrightarrow{BC}|$의 값은? [3점]

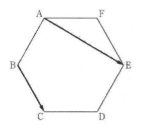

① $\sqrt{6}$　　② $\sqrt{7}$　　③ $2\sqrt{2}$　　④ 3　　⑤ $\sqrt{10}$

이차곡선과 직선 B 501
모의고사 (고3) 2021년 6월 27번(기하)

27. 그림과 같이 쌍곡선 $\dfrac{x^2}{a^2}-\dfrac{y^2}{b^2}=1$ 위의 점 $P(4, k)\,(k>0)$에서의 접선이 x축과 만나는 점을 Q, y축과 만나는 점을 R라 하자. 점 $S(4, 0)$에 대하여 삼각형 QOR의 넓이를 A_1, 삼각형 PRS의 넓이를 A_2라 하자. $A_1:A_2=9:4$일 때, 이 쌍곡선의 주축의 길이는? (단, O는 원점이고, a와 b는 상수이다.) [3점]

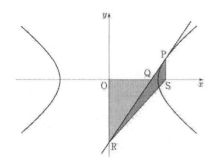

① $2\sqrt{10}$　　② $2\sqrt{11}$　　③ $4\sqrt{3}$　　④ $2\sqrt{13}$　　⑤ $2\sqrt{14}$

28. 두 초점이 F, F′이고 장축의 길이가 $2a$인 타원이 있다. 이 타원의 한 꼭짓점을 중심으로 하고 반지름의 길이가 1인 원이 이 타원의 서로 다른 두 꼭짓점과 한 초점을 지날 때, 상수 a의 값은? [4점]

① $\dfrac{\sqrt{2}}{2}$ ② $\dfrac{\sqrt{6}-1}{2}$ ③ $\sqrt{3}-1$

④ $2\sqrt{2}-2$ ⑤ $\dfrac{\sqrt{3}}{2}$

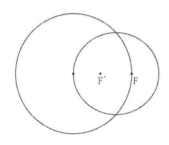

단답형

29. 포물선 $y^2=8x$와 직선 $y=2x-4$가 만나는 점 중 제1사분면 위에 있는 점을 A라 하자. 양수 a에 대하여 포물선 $(y-2a)^2=8(x-a)$가 점 A를 지날 때, 직선 $y=2x-4$와 포물선 $(y-2a)^2=8(x-a)$가 만나는 점 중 A가 아닌 점을 B라 하자. 두 점 A, B에서 직선 $x=-2$에 내린 수선의 발을 각각 C, D라 할 때, $\overline{AC}+\overline{BD}-\overline{AB}=k$이다. k^2의 값을 구하시오.

[4점]

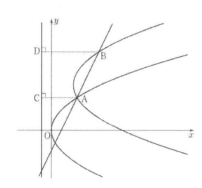

30. 좌표평면 위의 네 점 A(2, 0), B(0, 2), C(−2, 0), D(0, −2)를 꼭짓점으로 하는 정사각형 ABCD의 네 변 위의 두 점 P, Q가 다음 조건을 만족시킨다.

(가) $(\overrightarrow{PQ}\cdot\overrightarrow{AB})(\overrightarrow{PQ}\cdot\overrightarrow{AD})=0$
(나) $\overrightarrow{OA}\cdot\overrightarrow{OP}\geq-2$이고 $\overrightarrow{OB}\cdot\overrightarrow{OP}\geq0$이다.
(다) $\overrightarrow{OA}\cdot\overrightarrow{OQ}\geq-2$이고 $\overrightarrow{OB}\cdot\overrightarrow{OQ}\leq0$이다.

점 R(4, 4)에 대하여 $\overrightarrow{RP}\cdot\overrightarrow{RQ}$의 최댓값을 M, 최솟값을 m이라 할 때, $M+m$의 값을 구하시오. (단, O는 원점이다.) [4점]

[선택: 기하]
23. ② 24. ⑤ 25. ① 26. ② 27. ③
28. ③ 29. 80 30. 48

5지선다형

로그 A 502
모의고사 (고3) 2021년 7월 1번

1. $4^{\frac{1}{2}} + \log_2 8$ 의 값은? [2점]

① 1　　② 2　　③ 3　　④ 4　　⑤ 5

정적분 A 501
모의고사 (고3) 2021년 7월 2번

2. $\int_0^1 (2x+3)dx$ 의 값은? [2점]

① 1　　② 2　　③ 3　　④ 4　　⑤ 5

미분계수와 도함수 A 504
모의고사 (고3) 2021년 7월 3번

3. 함수 $f(x)=x^2-ax$ 에 대하여 $f'(1)=0$ 일 때, 상수 a 의 값은? [3점]

① 1　　② 2　　③ 3　　④ 4　　⑤ 5

함수의 극한 A 504
모의고사 (고3) 2021년 7월 4번

4. 닫힌구간 $[-2, 2]$ 에서 정의된 함수 $y=f(x)$ 의 그래프가 그림과 같다.

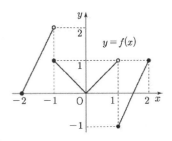

$\lim_{x \to -1-} f(x) + \lim_{x \to 1+} f(x)$ 의 값은? [3점]

① -1　　② 0　　③ 1　　④ 2　　⑤ 3

지수함수의 활용 A 502
모의고사 (고3) 2021년 7월 5번

5. 부등식 $5^{2x-7} \le \left(\frac{1}{5}\right)^{x-2}$ 을 만족시키는 자연수 x 의 개수는? [3점]

① 1　　② 2　　③ 3　　④ 4　　⑤ 5

삼각함수 A 504
모의고사 (고3) 2021년 7월 6번

6. $\cos(-\theta) + \sin(\pi+\theta) = \frac{3}{5}$ 일 때, $\sin\theta\cos\theta$ 의 값은? [3점]

① $\frac{1}{5}$　② $\frac{6}{25}$　③ $\frac{7}{25}$　④ $\frac{8}{25}$　⑤ $\frac{9}{25}$

수학적 귀납법 B 502
모의고사 (고3) 2021년 7월 7번

7. 수열 $\{a_n\}$ 은 $a_1=10$ 이고, 모든 자연수 n 에 대하여

$$a_{n+1} = \begin{cases} 5 - \dfrac{10}{a_n} & (a_n \text{이 정수인 경우}) \\[2mm] -2a_n + 3 & (a_n \text{이 정수가 아닌 경우}) \end{cases}$$

를 만족시킨다. $a_9 + a_{12}$ 의 값은? [3점]

① 5　　② 6　　③ 7　　④ 8　　⑤ 9

8. 첫째항이 $a\,(a>0)$ 이고, 공비가 r 인 등비수열 $\{a_n\}$ 의 첫째항부터 제 n 항까지의 합을 S_n 이라 하자.
$2a = S_2 + S_3$, $r^2 = 64a^2$ 일 때, a_5 의 값은? [3점]

① 2 　　② 4 　　③ 6 　　④ 8 　　⑤ 10

9. 2 이상의 두 자연수 a, n 에 대하여 $\left(\sqrt[n]{a}\right)^3$ 의 값이 자연수가 되도록 하는 n 의 최댓값을 $f(a)$ 라 하자. $f(4)+f(27)$ 의 값은? [4점]

① 13 　　② 14 　　③ 15 　　④ 16 　　⑤ 17

10. $0 \le x < 2\pi$ 일 때, 방정식

$$3\cos^2 x + 5\sin x - 1 = 0$$

의 모든 해의 합은? [4점]

① π 　　② $\dfrac{3}{2}\pi$ 　　③ 2π 　　④ $\dfrac{5}{2}\pi$ 　　⑤ 3π

11. $a>1$ 인 실수 a 에 대하여 두 함수

$$f(x)=\frac{1}{2}\log_a (x-1) - 2, \quad g(x)=\log_{\frac{1}{a}} (x-2) + 1$$

이 있다. 직선 $y=-2$ 와 함수 $y=f(x)$ 의 그래프가 만나는 점을 A 라 하고, 직선 $x=10$ 과 두 함수 $y=f(x)$, $y=g(x)$ 의 그래프가 만나는 점을 각각 B, C 라 하자. 삼각형 ACB 의 넓이가 28 일 때, a^{10} 의 값은? [4점]

① 15 　　② 18 　　③ 21 　　④ 24 　　⑤ 27

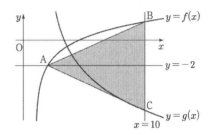

12. 다항함수 $f(x)$ 는 $\displaystyle\lim_{x\to\infty}\frac{f(x)}{x^2-3x-5}=2$ 를 만족시키고, 함수 $g(x)$ 는

$$g(x)=\begin{cases} \dfrac{1}{x-3} & (x \ne 3) \\[2mm] 1 & (x=3) \end{cases}$$

이다. 두 함수 $f(x)$, $g(x)$ 에 대하여 함수 $f(x)g(x)$ 가 실수 전체의 집합에서 연속일 때, $f(1)$ 의 값은? [4점]

① 8 　　② 9 　　③ 10 　　④ 11 　　⑤ 12

13. 첫째항이 1인 수열 $\{a_n\}$ 의 첫째항부터 제n항까지의 합을 S_n 이라 하자. 다음은 모든 자연수 n 에 대하여

$$(n+1)S_{n+1}=\log_2(n+2)+\sum_{k=1}^{n}S_k \cdots (*)$$

가 성립할 때, $\sum_{k=1}^{n}ka_k$ 를 구하는 과정이다.

주어진 식 $(*)$ 에 의하여

$$nS_n=\log_2(n+1)+\sum_{k=1}^{n-1}S_k \ (n\geq 2) \cdots \bigcirc$$

이다. $(*)$ 에서 $\bigcirc$ 을 빼서 정리하면

$$(n+1)S_{n+1}-nS_n$$

$$=\log_2(n+2)-\log_2(n+1)+\sum_{k=1}^{n}S_k-\sum_{k=1}^{n-1}S_k \ (n\geq 2)$$

이므로

$$(\boxed{\ (가)\ })\times a_{n+1}=\log_2\frac{n+2}{n+1} \ (n\geq 2)$$

이다.
$a_1=1=\log_2 2$ 이고,
$2S_2=\log_2 3+S_1=\log_2 3+a_1$ 이므로
모든 자연수 n 에 대하여

$$na_n=\boxed{\ (나)\ }$$

이다. 따라서

$$\sum_{k=1}^{n}ka_k=\boxed{\ (다)\ }$$

이다.

위의 (가), (나), (다)에 알맞은 식을 각각 $f(n)$, $g(n)$, $h(n)$ 이라 할 때, $f(8)-g(8)+h(8)$ 의 값은? [4점]

① 12 ② 13 ③ 14 ④ 15 ⑤ 16

14. 시각 $t=0$ 일 때 원점을 출발하여 수직선 위를 움직이는 점 P 의 시각 $t \ (t\geq 0)$ 에서의 속도 $v(t)$ 가

$$v(t)=3t^2-6t$$

일 때, <보기>에서 옳은 것만을 있는 대로 고른 것은? [4점]

<보 기>

ㄱ. 시각 $t=2$ 에서 점 P 의 움직이는 방향이 바뀐다.
ㄴ. 점 P 가 출발한 후 움직이는 방향이 바뀔 때 점 P 의 위치는 -4 이다.
ㄷ. 점 P 가 시각 $t=0$ 일 때부터 가속도가 12 가 될 때까지 움직인 거리는 8 이다.

---

① ㄱ ② ㄱ, ㄴ ③ ㄱ, ㄷ
④ ㄴ, ㄷ ⑤ ㄱ, ㄴ, ㄷ

15. 최고차항의 계수가 1인 사차함수 $f(x)$ 의 도함수 $f'(x)$ 에 대하여 방정식 $f'(x)=0$ 의 서로 다른 세 실근 α, 0, $\beta \ (\alpha<0<\beta)$ 가 이 순서대로 등차수열을 이룰 때, 함수 $f(x)$ 는 다음 조건을 만족시킨다.

(가) 방정식 $f(x)=9$ 는 서로 다른 세 실근을 가진다.
(나) $f(\alpha)=-16$

함수 $g(x)=|f'(x)|-f'(x)$ 에 대하여 $\displaystyle\int_{0}^{10}g(x)\,dx$ 의 값은?

[4점]

① 48 ② 50 ③ 52 ④ 54 ⑤ 56

함수의 극한 A 505
모의고사 (고3) 2021년 7월 16번

16. 두 상수 a, b에 대하여 $\lim\limits_{x \to -1} \dfrac{x^2+4x+a}{x+1}=b$일 때,

$a+b$의 값을 구하시오. [3점]

부정적분 A 504
모의고사 (고3) 2021년 7월 17번

17. 함수 $f(x)$에 대하여 $f'(x)=3x^2+6x-4$이고
$f(1)=5$일 때, $f(2)$의 값을 구하시오. [3점]

미분계수와 도함수 B 503
모의고사 (고3) 2021년 7월 18번

18. 함수 $f(x)=x^3+ax$에서 x의 값이 1에서 3까지 변할 때의
평균변화율이 $f'(a)$의 값과 같게 되도록 하는 양수 a에
대하여 $3a^2$의 값을 구하시오. [3점]

미분계수와 도함수 B 504
모의고사 (고3) 2021년 7월 19번

19. 두 다항함수 $f(x)$, $g(x)$가

$$\lim_{x \to 2} \frac{f(x)-4}{x^2-4}=2, \quad \lim_{x \to 2} \frac{g(x)+1}{x-2}=8$$

을 만족시킨다. 함수 $h(x)=f(x)\,g(x)$에 대하여 $h'(2)$의 값을
구하시오. [3점]

삼각함수의 활용 C 505
모의고사 (고3) 2021년 7월 20번

20. 그림과 같이 선분 AB를 지름으로 하는 원 위의 점 C에
대하여

$$\overline{BC}=12\sqrt{2}, \quad \cos(\angle\mathrm{CAB})=\frac{1}{3}$$

이다. 선분 AB를 5:4로 내분하는 점을 D라 할 때,
삼각형 CAD의 외접원의 넓이는 S이다.
$\dfrac{S}{\pi}$의 값을 구하시오. [4점]

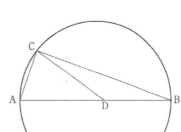

21. 공차가 d이고 모든 항이 자연수인 등차수열 $\{a_n\}$이 다음 조건을 만족시킨다.

> (가) $a_1 \le d$
> (나) 어떤 자연수 $k\,(k \ge 3)$에 대하여
> 세 항 a_2, a_k, a_{3k-1}이 이 순서대로 등비수열을 이룬다.

$90 \le a_{16} \le 100$일 때, a_{20}의 값을 구하시오. [4점]

22. 삼차함수 $f(x) = \dfrac{2\sqrt{3}}{3}x(x-3)(x+3)$에 대하여

$x \ge -3$에서 정의된 함수 $g(x)$는

$$g(x) = \begin{cases} f(x) & (-3 \le x < 3) \\[2mm] \dfrac{1}{k+1}f(x-6k) & (6k-3 \le x < 6k+3) \end{cases}$$

(단, k는 모든 자연수)

이다. 자연수 n에 대하여 직선 $y=n$과 함수 $y=g(x)$의 그래프가 만나는 점의 개수를 a_n이라 할 때,

$\displaystyle\sum_{n=1}^{12} a_n$의 값을 구하시오. [4점]

정답

1	⑤	2	④	3	②	4	③	5	③
6	④	7	④	8	②	9	③	10	⑤
11	④	12	①	13	①	14	⑤	15	②
16	5	17	17	18	13	19	24	20	27
21	117	22	64						

수학 영역 (확률과 통계)

5지 선다형

여러가지확률 A 501
모의고사 (고3) 2021년 7월 23번(확통)

23. 두 사건 A와 B는 서로 배반사건이고

$$P(A)=\frac{1}{12} \,,\; P(A\cup B)=\frac{11}{12}$$

일 때, $P(B)$의 값은? [2점]

① $\frac{1}{2}$ ② $\frac{7}{12}$ ③ $\frac{2}{3}$ ④ $\frac{3}{4}$ ⑤ $\frac{5}{6}$

이항정리 A 504
모의고사 (고3) 2021년 7월 24번(확통)

24. 다항식 $(2x+1)^7$의 전개식에서 x^2의 계수는? [3점]

① 76 ② 80 ③ 84 ④ 88 ⑤ 92

이산확률분포 A 501
모의고사 (고3) 2021년 7월 25번(확통)

25. 확률변수 X의 확률분포를 표로 나타내면 다음과 같다.

X	-1	0	1	합계
$P(X=x)$	a	$\frac{1}{2}a$	$\frac{3}{2}a$	1

$E(X)$의 값은? [3점]

① $\frac{1}{12}$ ② $\frac{1}{6}$ ③ $\frac{1}{4}$ ④ $\frac{1}{3}$ ⑤ $\frac{5}{12}$

여러가지확률 B 504
모의고사 (고3) 2021년 7월 26번(확통)

26. 한 개의 주사위를 세 번 던져서 나오는 눈의 수를 차례로 a, b, c라 할 때, $(a-2)^2+(b-3)^2+(c-4)^2=2$가 성립할 확률은? [3점]

① $\frac{1}{18}$ ② $\frac{1}{9}$ ③ $\frac{1}{6}$ ④ $\frac{2}{9}$ ⑤ $\frac{5}{18}$

여러가지순열 B 502
모의고사 (고3) 2021년 7월 27번(확통)

27. 3개의 문자 A, B, C를 포함한 서로 다른 6개의 문자를 모두 한 번씩 사용하여 일렬로 나열할 때, 두 문자 B와 C 사이에 문자 A를 포함하여 1개 이상의 문자가 있도록 나열하는 경우의 수는? [3점]

① 180 ② 200 ③ 220 ④ 240 ⑤ 260

연속확률분포 C 501
모의고사 (고3) 2021년 7월 28번(확통)

28. 확률변수 X는 정규분포 $N(m,\,2^2)$, 확률변수 Y는 정규분포 $N(m,\,\sigma^2)$을 따른다. 상수 a에 대하여 두 확률변수 X, Y가 다음 조건을 만족시킨다.

(가) $Y=3X-a$
(나) $P(X\le 4)=P(Y\ge a)$

$P(Y\ge 9)$의 값을 오른쪽 표준정규분포표를 이용하여 구한 것은? [4점]

z	$P(0\le Z\le z)$
0.5	0.1915
1.0	0.3413
1.5	0.4332
2.0	0.4772

① 0.0228 ② 0.0668
③ 0.1587 ④ 0.2417
⑤ 0.3085

조건부확률 C 501
모의고사 (고3) 2021년 7월 29번(확통)

29. 1, 2, 3, 4, 5의 숫자가 하나씩 적힌 카드가 각각
1장, 2장, 3장, 4장, 5장이 있다. 이 15장의 카드 중에서
임의로 2장의 카드를 동시에 선택하는 시행을 한다.
이 시행에서 선택한 2장의 카드에 적힌 두 수의 곱의 모든
양의 약수의 개수가 3 이하일 때, 그 두 수의 합이 짝수일

확률은 $\dfrac{q}{p}$ 이다. $p+q$의 값을 구하시오.

(단, p와 q는 서로소인 자연수이다.) [4점]

1

2	2

3	3	3

4	4	4	4

5	5	5	5	5

중복조합 D 502
모의고사 (고3) 2021년 7월 30번(확통)

30. 네 명의 학생 A, B, C, D에게 검은 공 4개, 흰 공 5개,
빨간 공 5개를 다음 규칙에 따라 남김없이 나누어 주는
경우의 수를 구하시오. (단, 같은 색 공끼리는 서로 구별하지
않는다.) [4점]

(가) 각 학생이 받는 공의 색의 종류의 수는 2이다.
(나) 학생 A는 흰 공과 검은 공을 받으며 흰 공보다
    검은 공을 더 많이 받는다.
(다) 학생 A가 받는 공의 개수는 홀수이며 학생 A가 받는
    공의 개수 이상의 공을 받는 학생은 없다.

확률과 통계 정답

23	⑤	24	③	25	②	26	①	27	④
28	⑤	29	25	30	51				

수학 영역 (미적분)

삼각함수의 덧셈정리 A 501
모의고사 (고3) 2021년 7월 23번(미적)

23. $0 < \theta < \dfrac{\pi}{2}$ 인 θ 에 대하여 $\sin\theta = \dfrac{\sqrt{5}}{5}$ 일 때, $\sec\theta$ 의 값은? [2점]

① $\dfrac{\sqrt{5}}{2}$ ② $\dfrac{3\sqrt{5}}{4}$ ③ $\sqrt{5}$ ④ $\dfrac{5\sqrt{5}}{4}$ ⑤ $\dfrac{3\sqrt{5}}{2}$

여러가지 적분법 B 501
모의고사 (고3) 2021년 7월 24번(미적)

24. $\displaystyle\int_{0}^{\frac{\pi}{4}} 2\cos 2x \sin^2 2x\, dx$ 의 값은? [3점]

① $\dfrac{1}{9}$ ② $\dfrac{1}{6}$ ③ $\dfrac{2}{9}$ ④ $\dfrac{5}{18}$ ⑤ $\dfrac{1}{3}$

수열의 극한 B 501
모의고사 (고3) 2021년 7월 25번(미적)

25. 자연수 r 에 대하여 $\displaystyle\lim_{n\to\infty} \dfrac{3^n + r^{n+1}}{3^n + 7 \times r^n} = 1$ 이 성립하도록 하는 모든 r 의 값의 합은? [3점]

① 7 ② 8 ③ 9 ④ 10 ⑤ 11

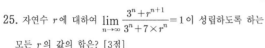

급수 B 503
모의고사 (고3) 2021년 7월 26번(미적)

26. 그림과 같이 한 변의 길이가 4인 정사각형 $OA_1B_1C_1$ 의 대각선 OB_1 을 $3:1$ 로 내분하는 점을 D_1 이라 하고, 네 선분 A_1B_1, B_1C_1, C_1D_1, D_1A_1 로 둘러싸인 ⌐ 모양의 도형에 색칠하여 얻은 그림을 R_1 이라 하자.

그림 R_1 에서 중심이 O 이고 두 직선 A_1D_1, C_1D_1 에 동시에 접하는 원과 선분 OB_1 이 만나는 점을 B_2 라 하자. 선분 OB_2 를 대각선으로 하는 정사각형 $OA_2B_2C_2$ 를 그리고 정사각형 $OA_2B_2C_2$ 에 그림 R_1 을 얻는 것과 같은 방법으로 ⌐ 모양의 도형을 그리고 색칠하여 얻은 그림을 R_2 라 하자. 이와 같은 과정을 계속하여 n 번째 얻은 그림 R_n 에 색칠되어 있는 부분의 넓이를 S_n 이라 할 때, $\displaystyle\lim_{n\to\infty} S_n$ 의 값은? [3점]

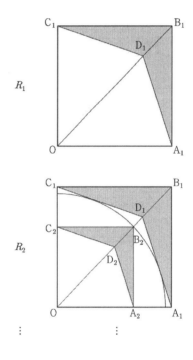

① $\dfrac{70}{11}$ ② $\dfrac{75}{11}$ ③ $\dfrac{80}{11}$ ④ $\dfrac{80}{9}$ ⑤ $\dfrac{85}{9}$

(미적)도함수의 활용 B 503
모의고사 (고3) 2021년 7월 27번(미적)

27. 곡선 $y=xe^{-2x}$ 의 변곡점을 A 라 하자. 곡선 $y=xe^{-2x}$ 위의 점 A 에서의 접선이 x 축과 만나는 점을 B 라 할 때, 삼각형 OAB 의 넓이는? (단, O 는 원점이다.) [3점]

① e^{-2}　② $3e^{-2}$　③ 1　④ e^2　⑤ $3e^2$

삼각함수의 미분 C 503
모의고사 (고3) 2021년 7월 28번(미적)

28. 그림과 같이 반지름의 길이가 5인 원에 내접하고, $\overline{AB}=\overline{AC}$ 인 삼각형 ABC 가 있다. $\angle BAC=\theta$ 라 하고, 점 B 를 지나고 직선 AB 에 수직인 직선이 원과 만나는 점 중 B 가 아닌 점을 D, 직선 BD 와 직선 AC 가 만나는 점을 E 라 하자. 삼각형 ABC 의 넓이를 $f(\theta)$, 삼각형 CDE 의 넓이를 $g(\theta)$ 라 할 때, $\displaystyle\lim_{\theta\to 0+}\frac{g(\theta)}{\theta^2\times f(\theta)}$ 의 값은? (단, $0<\theta<\frac{\pi}{2}$) [4점]

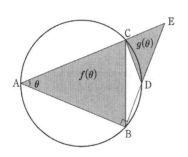

① $\frac{1}{8}$　② $\frac{1}{4}$　③ $\frac{3}{8}$　④ $\frac{1}{2}$　⑤ $\frac{5}{8}$

단답형

여러가지 미분법 D 501
모의고사 (고3) 2021년 7월 29번(미적)

29. 함수 $f(x)=x^3-x$ 와 실수 전체의 집합에서 미분가능한 역함수가 존재하는 삼차함수 $g(x)=ax^3+x^2+bx+1$ 이 있다. 함수 $g(x)$ 의 역함수 $g^{-1}(x)$ 에 대하여 함수 $h(x)$ 를

$$h(x)=\begin{cases}(f\circ g^{-1})(x) & (x<0 \text{ 또는 } x>1)\\ \dfrac{1}{\pi}\sin\pi x & (0\le x\le 1)\end{cases}$$

이라 하자. 함수 $h(x)$ 가 실수 전체의 집합에서 미분가능할 때, $g(a+b)$ 의 값을 구하시오. (단, a, b 는 상수이다.) [4점]

(미적)정적분 D 502
모의고사 (고3) 2021년 7월 30번(미적)

30. 두 자연수 a, b 에 대하여 이차함수 $f(x)=ax^2+b$ 가 있다. 함수 $g(x)$ 를

$$g(x)=\ln f(x)-\frac{1}{10}\{f(x)-1\}$$

이라 하자. 실수 t 에 대하여 직선 $y=|g(t)|$ 와 함수 $y=|g(x)|$ 의 그래프가 만나는 점의 개수를 $h(t)$ 라 하자. 두 함수 $g(x)$, $h(t)$ 가 다음 조건을 만족시킨다.

(가) 함수 $g(x)$ 는 $x=0$ 에서 극솟값을 갖는다.
(나) 함수 $h(t)$ 가 $t=k$ 에서 불연속인 k 의 값의 개수는 7 이다.

$\displaystyle\int_0^a e^x f(x)\,dx=me^a-19$ 일 때, 자연수 m 의 값을 구하시오. [4점]

미적분 정답

| 23 | ① | 24 | ⑤ | 25 | ④ | 26 | ③ | 27 | ① |
| 28 | ② | 29 | 15 | 30 | 586 | | | | |

수학 영역 (기하)

5지선다형

벡터의 연산 A 504
모의고사 (고3) 2021년 7월 23번(기하)

23. 두 벡터 $\vec{a}=(2, 4)$, $\vec{b}=(-1, k)$ 에 대하여

두 벡터 $\vec{a}$ 와 $\vec{b}$ 가 서로 평행하도록 하는 실수 k 의 값은?

[2점]

① -5 ② -4 ③ -3 ④ -2 ⑤ -1

이차곡선과 직선 A 501
모의고사 (고3) 2021년 7월 24번(기하)

24. 쌍곡선 $x^2-y^2=1$ 위의 점 $P(a, b)$ 에서의 접선의 기울기가
2일 때, ab 의 값은? (단, 점 P 는 제1사분면 위의 점이다.)

[3점]

① $\dfrac{1}{3}$ ② $\dfrac{2}{3}$ ③ 1 ④ $\dfrac{4}{3}$ ⑤ $\dfrac{5}{3}$

벡터의 성분과 내적 B 501
모의고사 (고3) 2021년 7월 25번(기하)

25. 점 $A(2, 6)$ 과 직선 $l : \dfrac{x-5}{2}=y-5$ 위의

한 점 P 에 대하여 벡터 $\overrightarrow{AP}$ 와 직선 l 의 방향벡터가
서로 수직일 때, $\left|\overrightarrow{OP}\right|$ 의 값은? (단, O 는 원점이다.) [3점]

① 3 ② $2\sqrt{3}$ ③ 4 ④ $2\sqrt{5}$ ⑤ 5

타원 B 502
모의고사 (고3) 2021년 7월 26번(기하)

26. 그림과 같이 두 점 $F(\sqrt{7}, 0)$, $F'(-\sqrt{7}, 0)$ 을 초점으로
하고 장축의 길이가 8인 타원이 있다.
$\overline{FF'}=\overline{PF'}$, $\overline{FP}=2\sqrt{3}$ 을 만족시키는 점 P 에 대하여
점 F' 을 지나고 선분 FP 에 수직인 직선이 타원과 만나는
점 중 제1사분면 위의 점을 Q 라 할 때, 선분 FQ 의 길이는?
(단, 점 P 는 제1사분면 위의 점이다.) [3점]

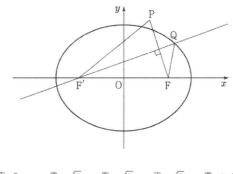

① 2 ② $\sqrt{5}$ ③ $\sqrt{6}$ ④ $\sqrt{7}$ ⑤ $2\sqrt{2}$

공간도형 B 501
모의고사 (고3) 2021년 7월 27번(기하)

27. 그림과 같이 평면 α 위에 있는 서로 다른 두 점 A, B 와
평면 α 위에 있지 않은 서로 다른 네 점 C, D, E, F 가
있다. 사각형 ABCD 는 한 변의 길이가 6인 정사각형이고
사각형 ABEF 는 $\overline{AF}=12$ 인 직사각형이다.
정사각형 ABCD 의 평면 α 위로의 정사영의 넓이는 18이고,
점 F 의 평면 α 위로의 정사영을 H 라 하면 $\overline{FH}=6$ 이다.
정사각형 ABCD 의 평면 ABEF 위로의 정사영의 넓이는?

(단, $0 < \angle DAF < \dfrac{\pi}{2}$) [3점]

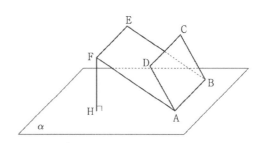

① $12\sqrt{3}$ ② $15\sqrt{2}$ ③ $18\sqrt{2}$ ④ $15\sqrt{3}$ ⑤ $18\sqrt{3}$

28. 그림과 같이 좌표평면에서 포물선 $y^2 = 4x$ 의 초점 F 를 지나고 x 축과 수직인 직선 l_1 이 이 포물선과 만나는 서로 다른 두 점을 각각 A, B 라 하고, 점 F 를 지나고 기울기가 $m\,(m > 0)$ 인 직선 l_2 가 이 포물선과 만나는 서로 다른 두 점을 각각 C, D 라 하자. 삼각형 FCA 의 넓이가 삼각형 FDB 의 넓이의 5 배일 때, m 의 값은? (단, 두 점 A, C 는 제1사분면 위의 점이고, 두 점 B, D 는 제4사분면 위의 점이다.) [4점]

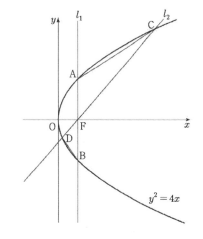

① $\dfrac{\sqrt{3}}{2}$ ② 1   ③ $\dfrac{\sqrt{5}}{2}$ ④ $\dfrac{\sqrt{6}}{2}$ ⑤ $\dfrac{\sqrt{7}}{2}$

단답형

29. 그림과 같이

$$\overline{AB} = 4, \quad \overline{CD} = 8, \quad \overline{BC} = \overline{BD} = 4\sqrt{5}$$

인 사면체 ABCD 에 대하여 직선 AB 와 평면 ACD 는 서로 수직이다. 두 선분 CD, DB 의 중점을 각각 M, N 이라 할 때, 선분 AM 위의 점 P 에 대하여 선분 DB 와 선분 PN 은 서로 수직이다. 두 평면 PDB 와 CDB 가 이루는 예각의 크기를 θ 라 할 때, $40\cos^2\theta$ 의 값을 구하시오. [4점]

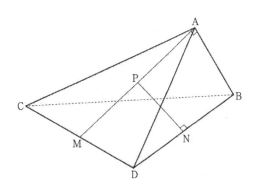

30. 평면 위에

$$\overrightarrow{OA} = 2 + 2\sqrt{3}, \quad \overrightarrow{AB} = 4, \quad \angle COA = \frac{\pi}{3}, \quad \angle A = \angle B = \frac{\pi}{2}$$

를 만족시키는 사다리꼴 OABC 가 있다. 선분 AB 를 지름으로 하는 원 위의 점 P 에 대하여 $\overrightarrow{OC} \cdot \overrightarrow{OP}$ 의 값이 최대가 되도록 하는 점 P 를 Q 라 할 때, 직선 OQ 가 원과 만나는 점 중 Q 가 아닌 점을 D 라 하자. 원 위의 점 R 에 대하여 $\overrightarrow{DQ} \cdot \overrightarrow{AR}$ 의 최댓값을 M 이라 할 때, M^2 의 값을 구하시오. [4점]

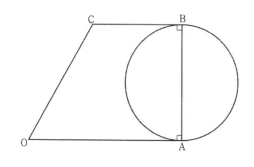

기하 정답

23	④	24	②	25	⑤	26	①	27	⑤
28	③	29	25	30	108				

모의고사 (고3) 2021년 3월
수학영역

지수 A 504
모의고사 (고3) 2021년 4월 1번

1. $\dfrac{1}{\sqrt[3]{3}} \times 3^{-\frac{7}{4}}$ 의 값은? [2점]

① $\dfrac{1}{9}$　② $\dfrac{1}{3}$　③ 1　④ 3　⑤ 9

미분계수와 도함수 A 505
모의고사 (고3) 2021년 3월 번

2. 함수 $f(x) = 2x^3 + 4x + 5$ 에 대하여 $f'(1)$ 의 값은? [2점]

① 6　② 7　③ 8　④ 9　⑤ 10

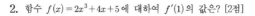

3. 등비수열 $\{a_n\}$ 에 대하여

등차수열과 등비수열 A 503
모의고사 (고3) 2021년 3월 2번

$$a_1 = 2, \quad a_2 a_4 = 36$$

일 때, $\dfrac{a_7}{a_3}$ 의 값은? [3점]

① 1　② $\sqrt{3}$　③ 3　④ $3\sqrt{3}$　⑤ 9

함수의 연속 A 501
모의고사 (고3) 2021년 4월 3번

4. 함수

$$f(x) = \begin{cases} 2x + a & (x \le -1) \\ x^2 - 5x - a & (x > -1) \end{cases}$$

이 실수 전체의 집합에서 연속일 때, 상수 a 의 값은? [3점]

① 1　② 2　③ 3　④ 4　⑤ 5

도함수의 활용 A 502
모의고사 (고3) 2021년 3월 6번

5. 함수 $f(x) = 2x^3 + 3x^2 - 12x + 1$ 의 극댓값과 극솟값을 각각 M, m 이라 할 때, $M + m$ 의 값은? [3점]

① 13　② 14　③ 15　④ 16　⑤ 17

삼각함수 B 502
모의고사 (고3) 2021년 3월 7번

6. $\dfrac{\pi}{2} < \theta < \pi$ 인 θ 에 대하여 $\dfrac{\sin\theta}{1-\sin\theta} - \dfrac{\sin\theta}{1+\sin\theta} = 4$ 일 때, $\cos\theta$ 의 값은? [3점]

① $-\dfrac{\sqrt{3}}{3}$　② $-\dfrac{1}{3}$　③ 0　④ $\dfrac{1}{3}$　⑤ $\dfrac{\sqrt{3}}{3}$

수열의 합 B 501
모의고사 (고3) 2021년 3월 8번

7. 수열 $\{a_n\}$은 $a_1 = -4$이고, 모든 자연수 n에 대하여

$$\sum_{k=1}^{n} \frac{a_{k+1} - a_k}{a_k a_{k+1}} = \frac{1}{n}$$

을 만족시킨다. a_{13}의 값은? [3점]

① -9 ② -7 ③ -5 ④ -3 ⑤ -1

함수의 극한 B 502
모의고사 (고3) 2021년 3월 9번

8. 삼차함수 $f(x)$가

$$\lim_{x \to 0} \frac{f(x)}{x} = \lim_{x \to 1} \frac{f(x)}{x-1} = 1$$

을 만족시킬 때, $f(2)$의 값은? [3점]

① 4 ② 6 ③ 8 ④ 10 ⑤ 12

정적분의 활용 B 504
모의고사 (고3) 2021년 3월 4번

9. 수직선 위를 움직이는 점 P의 시각 $t\,(t > 0)$에서의
속도 $v(t)$가

$$v(t) = -4t^3 + 12t^2$$

이다. 시각 $t = k$에서 점 P의 가속도가 12일 때, 시각 $t = 3k$에서
$t = 4k$까지 점 P가 움직인 거리는? (단, k는 상수이다.) [4점]

① 23 ② 25 ③ 27 ④ 29 ⑤ 31

삼각함수 B 503
모의고사 (고3) 2021년 3월 11번

10. 두 양수 a, b에 대하여 곡선 $y = a\sin b\pi x \left(0 \le x \le \dfrac{3}{b}\right)$이
직선 $y = a$와 만나는 서로 다른 두 점을 A, B라 하자.
삼각형 OAB의 넓이가 5이고 직선 OA의 기울기와
직선 OB의 기울기의 곱이 $\dfrac{5}{4}$일 때, $a + b$의 값은?
(단, O는 원점이다.) [4점]

① 1 ② 2 ③ 3 ④ 4 ⑤ 5

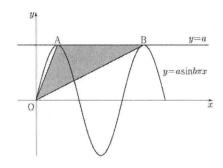

정적분 C 504
모의고사 (고3) 2021년 3월 10번

11. 다항함수 $f(x)$가 모든 실수 x에 대하여

$$xf(x) = 2x^3 + ax^2 + 3a + \int_1^x f(t)\,dt$$

를 만족시킨다. $f(1) = \displaystyle\int_0^1 f(t)\,dt$일 때, $a + f(3)$의 값은?
(단, a는 상수이다.) [4점]

① 5 ② 6 ③ 7 ④ 8 ⑤ 9

12. 반지름의 길이가 $2\sqrt{7}$ 인 원에 내접하고 $\angle A = \dfrac{\pi}{3}$ 인

삼각형 ABC가 있다. 점 A를 포함하지 않는 호 BC 위의 점 D에

대하여 $\sin(\angle BCD) = \dfrac{2\sqrt{7}}{7}$ 일 때, $\overline{BD} + \overline{CD}$ 의 값은? [4점]

① $\dfrac{19}{2}$ ② 10   ③ $\dfrac{21}{2}$ ④ 11   ⑤ $\dfrac{23}{2}$

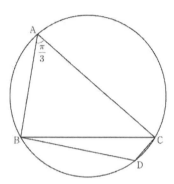

13. 첫째항이 -45 이고 공차가 d 인 등차수열 $\{a_n\}$ 이 다음 조건을
만족시키도록 하는 모든 자연수 d 의 값의 합은? [4점]

(가) $|a_m| = |a_{m+3}|$ 인 자연수 m 이 존재한다.

(나) 모든 자연수 n 에 대하여 $\displaystyle\sum_{k=1}^{n} a_k > -100$ 이다.

① 44   ② 48   ③ 52   ④ 56   ⑤ 60

14. 최고차항의 계수가 1 이고 $f'(0) = f'(2) = 0$ 인
삼차함수 $f(x)$ 와 양수 p 에 대하여 함수 $g(x)$ 를

$$g(x) = \begin{cases} f(x) - f(0) & (x \le 0) \\ f(x+p) - f(p) & (x > 0) \end{cases}$$

이라 하자. <보기>에서 옳은 것만을 있는 대로 고른 것은? [4점]

<보 기>
ㄱ. $p = 1$ 일 때, $g'(1) = 0$ 이다.

ㄴ. $g(x)$ 가 실수 전체의 집합에서 미분가능하도록 하는
   양수 p 의 개수는 1 이다.

ㄷ. $p \ge 2$ 일 때, $\displaystyle\int_{-1}^{1} g(x)\,dx \ge 0$ 이다.

① ㄱ   ② ㄱ, ㄴ   ③ ㄱ, ㄷ
④ ㄴ, ㄷ   ⑤ ㄱ, ㄴ, ㄷ

15. 수열 $\{a_n\}$ 은 $|a_1| \le 1$ 이고, 모든 자연수 n 에 대하여

$$a_{n+1} = \begin{cases} -2a_n - 2 & \left(-1 \le a_n < -\dfrac{1}{2}\right) \\ 2a_n & \left(-\dfrac{1}{2} \le a_n \le \dfrac{1}{2}\right) \\ -2a_n + 2 & \left(\dfrac{1}{2} < a_n \le 1\right) \end{cases}$$

을 만족시킨다. $a_5 + a_6 = 0$ 이고 $\displaystyle\sum_{k=1}^{5} a_k > 0$ 이 되도록 하는
모든 a_1 의 값의 합은? [4점]

① $\dfrac{9}{2}$ ② 5   ③ $\dfrac{11}{2}$ ④ 6   ⑤ $\dfrac{13}{2}$

16. $\log_2 100 - 2\log_2 5$의 값을 구하시오. [3점]

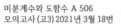

17. 함수 $f(x)$에 대하여 $f'(x) = 8x^3 - 12x^2 + 7$이고 $f(0) = 3$일 때, $f(1)$의 값을 구하시오. [3점]

18. 두 수열 $\{a_n\}$, $\{b_n\}$에 대하여

$$\sum_{k=1}^{10} (a_k + 2b_k) = 45, \quad \sum_{k=1}^{10} (a_k - b_k) = 3$$

일 때, $\displaystyle\sum_{k=1}^{10} \left(b_k - \frac{1}{2}\right)$의 값을 구하시오. [3점]

19. 함수 $f(x) = x^3 - 6x^2 + 5x$에서 x의 값이 0에서 4까지 변할 때의 평균변화율과 $f'(a)$의 값이 같게 되도록 하는 $0 < a < 4$인 모든 실수 a의 값의 곱은 $\dfrac{q}{p}$이다. $p+q$의 값을 구하시오. (단, p와 q는 서로소인 자연수이다.) [3점]

20. 함수 $f(x) = \dfrac{1}{2}x^3 - \dfrac{9}{2}x^2 + 10x$에 대하여 x에 대한 방정식

$$f(x) + |f(x) + x| = 6x + k$$

의 서로 다른 실근의 개수가 4가 되도록 하는 모든 정수 k의 값의 합을 구하시오. [4점]

21. $a > 1$인 실수 a에 대하여 직선 $y = -x + 4$가 두 곡선

$$y = a^{x-1}, \quad y = \log_a(x-1)$$

과 만나는 점을 각각 A, B라 하고, 곡선 $y = a^{x-1}$이 y축과 만나는 점을 C라 하자. $\overline{AB} = 2\sqrt{2}$ 일 때, 삼각형 ABC의 넓이는 S이다. $50 \times S$의 값을 구하시오. [4점]

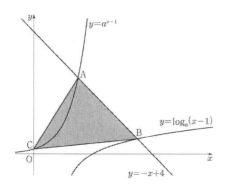

22. 최고차항의 계수가 1인 삼차함수 $f(x)$에 대하여 함수

$$g(x) = f(x-3) \times \lim_{h \to 0+} \frac{|f(x+h)| - |f(x-h)|}{h}$$

가 다음 조건을 만족시킬 때, $f(5)$의 값을 구하시오. [4점]

> (가) 함수 $g(x)$는 실수 전체의 집합에서 연속이다.
>
> (나) 방정식 $g(x) = 0$은 서로 다른 네 실근 α_1, α_2, α_3, α_4를 갖고 $\alpha_1 + \alpha_2 + \alpha_3 + \alpha_4 = 7$이다.

■ [공통: 수학 I · 수학 II]

01.①	02.⑤	03.⑤	04.④	05.③
06.①	07.④	08.②	09.③	10.③
11.④	12.②	13.②	14.⑤	15.①
16. 2	17. 8	18. 9	19. 11	
20. 21	21. 192	22. 108		

수학 영역(확률과 통계)

이산확률분포 A 502
모의고사 (고3) 2021년 4월 23번(확통)

23. 확률변수 X가 이항분포 $B\left(60, \frac{1}{4}\right)$을 따를 때, $E(X)$의 값은?

[2점]

① 5　　② 10　　③ 15　　④ 20　　⑤ 25

여러가지확률 A 502
모의고사 (고3) 2021년 3월 23번(확통)

24. 네 개의 수 1, 3, 5, 7 중에서 임의로 선택한 한 개의 수를 a라 하고, 네 개의 수 2, 4, 6, 8 중에서 임의로 선택한 한 개의 수를 b라 하자. $a \times b > 31$일 확률은? [3점]

① $\frac{1}{16}$　　② $\frac{1}{8}$　　③ $\frac{3}{16}$　　④ $\frac{1}{4}$　　⑤ $\frac{5}{16}$

이항정리 B 502
모의고사 (고3) 2021년 3월 26번(확통)

25. $\left(x^2 + \frac{a}{x}\right)^5$의 전개식에서 $\frac{1}{x^2}$의 계수와 x의 계수가 같을 때, 양수 a의 값은? [3점]

① 1　　② 2　　③ 3　　④ 4　　⑤ 5

조건부확률 C 502
모의고사 (고3) 2021년 4월 26번(확통)

26. 주머니 A에는 흰 공 2개, 검은 공 4개가 들어 있고, 주머니 B에는 흰 공 3개, 검은 공 3개가 들어 있다. 두 주머니 A, B와 한 개의 주사위를 사용하여 다음 시행을 한다.

> 주사위를 한 번 던져
> 나온 눈의 수가 5 이상이면
> 주머니 A에서 임의로 2개의 공을 동시에 꺼내고,
> 나온 눈의 수가 4 이하이면
> 주머니 B에서 임의로 2개의 공을 동시에 꺼낸다.

이 시행을 한 번 하여 주머니에서 꺼낸 2개의 공이 모두 흰색일 때, 나온 눈의 수가 5 이상일 확률은? [3점]

① $\frac{1}{7}$　　② $\frac{3}{14}$　　③ $\frac{2}{7}$　　④ $\frac{5}{14}$　　⑤ $\frac{3}{7}$

A　　　B

통계적 추정 C 501
모의고사 (고3) 2021년 3월 28번(확통)

27. 지역 A에 살고 있는 성인들의 1인 하루 물 사용량을 확률변수 X, 지역 B에 살고 있는 성인들의 1인 하루 물 사용량을 확률변수 Y라 하자. 두 확률변수 X, Y는 정규분포를 따르고 다음 조건을 만족시킨다.

> (가) 두 확률변수 X, Y의 평균은 각각 220과 240이다.
> (나) 확률변수 Y의 표준편차는 확률변수 X의 표준편차의 1.5배이다.

지역 A에 살고 있는 성인 중 임의추출한 n명의 1인 하루 물 사용량의 표본평균을 $\overline{X}$, 지역 B에 살고 있는 성인 중 임의추출한 $9n$명의 1인 하루 물 사용량의 표본평균을 $\overline{Y}$라 하자. $P(\overline{X} \le 215) = 0.1587$일 때, $P(\overline{Y} \ge 235)$의 값을 오른쪽 표준정규분포표를 이용하여 구한 것은? (단, 물 사용량의 단위는 L이다.) [3점]

z	$P(0 \le Z \le z)$
0.5	0.1915
1.0	0.3413
1.5	0.4332
2.0	0.4772

① 0.6915　　② 0.7745　　③ 0.8185
④ 0.8413　　⑤ 0.9772

중복조합 C 501
모의고사 (고3) 2021년 3월 29번(확통)

28. 집합 $X = \{1, 2, 3, 4, 5, 6\}$ 에 대하여 다음 조건을 만족시키는 함수 $f : X \to X$의 개수는? [4점]

> (가) $f(3) + f(4)$는 5의 배수이다.
>
> (나) $f(1) < f(3)$이고 $f(2) < f(3)$이다.
>
> (다) $f(4) < f(5)$이고 $f(4) < f(6)$이다.

① 384   ② 394   ③ 404   ④ 414   ⑤ 424

단답형

이산확률분포 C 501
모의고사 (고3) 2021년 3월 24번(확통)

29. 두 이산확률변수 X, Y의 확률분포를 표로 나타내면 각각 다음과 같다.

X	1	3	5	7	9	합계
$\mathrm{P}(X=x)$	a	b	c	b	a	1

Y	1	3	5	7	9	합계
$\mathrm{P}(Y=y)$	$a+\dfrac{1}{20}$	b	$c-\dfrac{1}{10}$	b	$a+\dfrac{1}{20}$	1

$\mathrm{V}(X) = \dfrac{31}{5}$ 일 때, $10 \times \mathrm{V}(Y)$의 값을 구하시오. [4점]

중복조합 D 503
모의고사 (고3) 2021년 3월 21번(확통)

30. 네 명의 학생 A, B, C, D에게 같은 종류의 사인펜 14개를 다음 규칙에 따라 남김없이 나누어 주는 경우의 수를 구하시오. [4점]

> (가) 각 학생은 1개 이상의 사인펜을 받는다.
>
> (나) 각 학생이 받는 사인펜의 개수는 9 이하이다.
>
> (다) 적어도 한 학생은 짝수 개의 사인펜을 받는다.

[선택: 확률과 통계]

23. ③   24. ③   25. ②   26. ①   27. ⑤
28. ④   29. 78   30. 218

수학 영역(미적분)

수열의 극한 A 504
모의고사 (고3) 2021년 4월 23번(미적)

23. $\lim\limits_{n\to\infty} \dfrac{2\times 3^{n+1}+5}{3^n+2^{n+1}}$ 의 값은? [2점]

① 2   ② 4   ③ 6   ④ 8   ⑤ 10

삼각함수의 덧셈정리 A 502
모의고사 (고3) 2021년 3월 23번(미적)

24. $2\cos\alpha = 3\sin\alpha$ 이고 $\tan(\alpha+\beta)=1$ 일 때, $\tan\beta$ 의 값은?

[3점]

① $\dfrac{1}{6}$ ② $\dfrac{1}{5}$ ③ $\dfrac{1}{4}$ ④ $\dfrac{1}{3}$ ⑤ $\dfrac{1}{2}$

여러가지 미분법 B 502
모의고사 (고3) 2021년 3월 26번(미적)

25. 매개변수 t 로 나타내어진 곡선

$$x = e^t - 4e^{-t}, \quad y = t+1$$

에서 $t = \ln 2$ 일 때, $\dfrac{dy}{dx}$ 의 값은? [3점]

① 1   ② $\dfrac{1}{2}$ ③ $\dfrac{1}{3}$ ④ $\dfrac{1}{4}$ ⑤ $\dfrac{1}{5}$

(미적)정적분의 활용 B 501
모의고사 (고3) 2021년 4월 26번(미적)

26. 그림과 같이 곡선 $y=\sqrt{\dfrac{3x+1}{x^2}}$ $(x>0)$과 x축 및

두 직선 $x=1$, $x=2$로 둘러싸인 부분을 밑면으로 하고 x축에 수직인 평면으로 자른 단면이 모두 정사각형인 입체도형의 부피는? [3점]

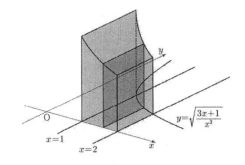

① $3\ln 2$ ② $\dfrac{1}{2}+3\ln 2$ ③ $1+3\ln 2$

④ $\dfrac{1}{2}+4\ln 2$ ⑤ $1+4\ln 2$

27. 그림과 같이 $\overline{AB_1}=1$, $\overline{B_1C_1}=2$인 직사각형 $AB_1C_1D_1$이 있다.

$\angle AD_1C_1$을 삼등분하는 두 직선이 선분 B_1C_1과 만나는 점 중 점 B_1에 가까운 점을 E_1, 점 C_1에 가까운 점을 F_1이라 하자.

$\overline{E_1F_1}=\overline{F_1G_1}$, $\angle E_1F_1G_1=\dfrac{\pi}{2}$이고 선분 AD_1과 선분 F_1G_1이 만나도록 점 G_1을 잡아 삼각형 $E_1F_1G_1$을 그린다.

선분 E_1D_1과 선분 F_1G_1이 만나는 점을 H_1이라 할 때, 두 삼각형 $G_1E_1H_1$, $H_1F_1D_1$로 만들어진 ⋀ 모양의 도형에 색칠하여 얻은 그림을 R_1이라 하자.

그림 R_1에 선분 AB_1 위의 점 B_2, 선분 E_1G_1 위의 점 C_2, 선분 AD_1 위의 점 D_2와 점 A를 꼭짓점으로 하고 $\overline{AB_2}:\overline{B_2C_2}=1:2$인 직사각형 $AB_2C_2D_2$를 그린다. 직사각형 $AB_2C_2D_2$에 그림 R_1을 얻은 것과 같은 방법으로 ⋀ 모양의 도형을 그리고 색칠하여 얻은 그림을 R_2라 하자.

이와 같은 과정을 계속하여 n번째 얻은 그림 R_n에 색칠되어 있는 부분의 넓이를 S_n이라 할 때, $\displaystyle\lim_{n\to\infty}S_n$의 값은? [3점]

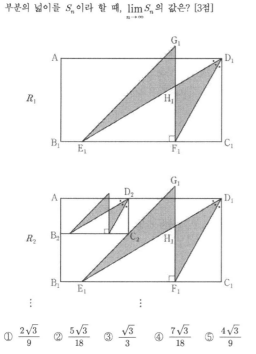

① $\dfrac{2\sqrt{3}}{9}$ ② $\dfrac{5\sqrt{3}}{18}$ ③ $\dfrac{\sqrt{3}}{3}$ ④ $\dfrac{7\sqrt{3}}{18}$ ⑤ $\dfrac{4\sqrt{3}}{9}$

28. 좌표평면에서 원점을 중심으로 하고 반지름의 길이가 2인 원 C와 두 점 $A(2,0)$, $B(0,-2)$가 있다. 원 C 위에 있고 x좌표가 음수인 점 P에 대하여 $\angle PAB=\theta$라 하자.

점 $Q(0, 2\cos\theta)$에서 직선 BP에 내린 수선의 발을 R라 하고, 두 점 P와 R 사이의 거리를 $f(\theta)$라 할 때, $\displaystyle\int_{\frac{\pi}{6}}^{\frac{\pi}{3}}f(\theta)\,d\theta$의 값은? [4점]

① $\dfrac{2\sqrt{3}-3}{2}$ ② $\sqrt{3}-1$ ③ $\dfrac{3\sqrt{3}-3}{2}$

④ $\dfrac{2\sqrt{3}-1}{2}$ ⑤ $\dfrac{4\sqrt{3}-3}{2}$

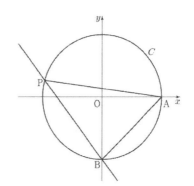

단답형

(미적)도함수의 활용 D 502
모의고사 (고3) 2021년 3월 24번(미적)

29. 이차함수 $f(x)$에 대하여 함수 $g(x) = \{f(x)+2\}e^{f(x)}$이 다음 조건을 만족시킨다.

> (가) $f(a)=6$인 a에 대하여 $g(x)$는 $x=a$에서 최댓값을 갖는다.
>
> (나) $g(x)$는 $x=b$, $x=b+6$에서 최솟값을 갖는다.

방정식 $f(x)=0$의 서로 다른 두 실근을 α, β라 할 때, $(\alpha-\beta)^2$의 값을 구하시오. (단, a, b는 실수이다.) [4점]

30. 최고차항의 계수가 9인 삼차함수 $f(x)$가 다음 조건을 만족시킨다.

> (가) $\displaystyle\lim_{x\to 0} \frac{\sin(\pi \times f(x))}{x} = 0$
>
> (나) $f(x)$의 극댓값과 극솟값의 곱은 5이다.

함수 $g(x)$는 $0 \le x < 1$일 때 $g(x)=f(x)$이고 모든 실수 x에 대하여 $g(x+1)=g(x)$이다.

$g(x)$가 실수 전체의 집합에서 연속일 때, $\displaystyle\int_0^5 xg(x)dx = \frac{q}{p}$이다.

$p+q$의 값을 구하시오. (단, p와 q는 서로소인 자연수이다.) [4점]

■ **[선택: 미적분]**
23. ③ 24. ② 25. ④ 26. ② 27. ③
28. ① 29. 24 30. 115

수학 영역(기하)

공간좌표 A 501
모의고사 (고3) 2021년 9월 23번(기하)

23. 좌표공간의 점 $A(3, 0, -2)$를 xy평면에 대하여 대칭이동한 점을 B라 하자. 점 $C(0, 4, 2)$에 대하여 선분 BC의 길이는? [2점]

① 1   ② 2   ③ 3   ④ 4   ⑤ 5

쌍곡선 A 502
모의고사 (고3) 2021년 9월 23번(기하)

24. 쌍곡선 $\dfrac{x^2}{a^2} - \dfrac{y^2}{16} = 1$의 점근선 중 하나의 기울기가 3일 때, 양수 a의 값은? [3점]

① $\dfrac{1}{3}$ ② $\dfrac{2}{3}$ ③ 1   ④ $\dfrac{4}{3}$ ⑤ $\dfrac{5}{3}$

벡터의 성분과 내적 B 502
모의고사 (고3) 2021년 9월 26번(기하)

25. 좌표평면에서 세 벡터

$$\vec{a} = (3, 0), \quad \vec{b} = (1, 2), \quad \vec{c} = (4, 2)$$

에 대하여 두 벡터 $\vec{p}, \vec{q}$ 가

$$\vec{p} \cdot \vec{a} = \vec{a} \cdot \vec{b}, \quad |\vec{q} - \vec{c}| = 1$$

을 만족시킬 때, $|\vec{p} - \vec{q}|$의 최솟값은? [3점]

① 1   ② 2   ③ 3   ④ 4   ⑤ 5

포물선 C 503
모의고사 (고3) 2021년 9월 26번(기하)

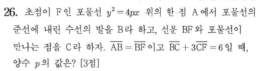

26. 초점이 F인 포물선 $y^2 = 4px$ 위의 한 점 A에서 포물선의 준선에 내린 수선의 발을 B라 하고, 선분 BF와 포물선이 만나는 점을 C라 하자. $\overline{AB} = \overline{BF}$이고 $\overline{BC} + 3\overline{CF} = 6$일 때, 양수 p의 값은? [3점]

① $\dfrac{7}{8}$ ② $\dfrac{8}{9}$ ③ $\dfrac{9}{10}$ ④ $\dfrac{10}{11}$ ⑤ $\dfrac{11}{12}$

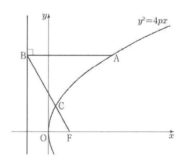

공간도형 B 502
모의고사 (고3) 2021년 9월 28번(기하)

27. 그림과 같이 $\overline{AD} = 3$, $\overline{DB} = 2$, $\overline{DC} = 2\sqrt{3}$ 이고

$\angle ADB = \angle ADC = \angle BDC = \dfrac{\pi}{2}$ 인 사면체 ABCD가 있다.

선분 BC 위를 움직이는 점 P에 대하여 $\overline{AP} + \overline{DP}$의 최솟값은? [3점]

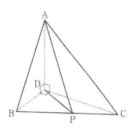

① $3\sqrt{3}$ ② $\dfrac{10\sqrt{3}}{3}$ ③ $\dfrac{11\sqrt{3}}{3}$

④ $4\sqrt{3}$ ⑤ $\dfrac{13\sqrt{3}}{3}$

28. 그림과 같이 두 점 $F(c, 0)$, $F'(-c, 0)(c > 0)$을 초점으로

하는 타원 $\dfrac{x^2}{16} + \dfrac{y^2}{12} = 1$ 위의 점 $P(2, 3)$에서 타원에 접하는

직선을 l이라 하자. 점 F를 지나고 l과 평행한 직선이 타원과

만나는 점 중 제2사분면 위에 있는 점을 Q라 하자.

두 직선 F'Q와 l이 만나는 점을 R, l과 x축이 만나는 점을

S라 할 때, 삼각형 SRF'의 둘레의 길이는? [4점]

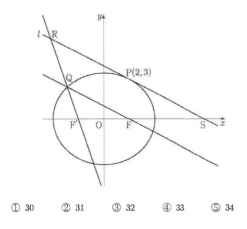

① 30 ② 31 ③ 32 ④ 33 ⑤ 34

단답형

29. 그림과 같이 한 변의 길이가 8인 정사각형 ABCD에 두 선분

AB, CD를 각각 지름으로 하는 두 반원이 붙어 있는 모양의

종이가 있다. 반원의 호 AB의 삼등분점 중 점 B에 가까운 점을

P라 하고, 반원의 호 CD를 이등분하는 점을 Q라 하자.

이 종이에서 두 선분 AB와 CD를 접는 선으로 하여 두 반원을

접어 올렸을 때 두 점 P, Q에서 평면 ABCD에 내린 수선의 발을

각각 G, H라 하면 두 점 G, H는 정사각형 ABCD의 내부에

놓여 있고, $\overline{PG} = \sqrt{3}$, $\overline{QH} = 2\sqrt{3}$ 이다. 두 평면 PCQ와 ABCD가

이루는 각의 크기가 θ일 때, $70 \times \cos^2\theta$ 의 값을 구하시오.

(단, 종이의 두께는 고려하지 않는다.) [4점]

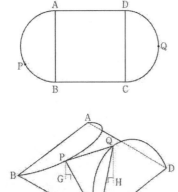

30. 좌표평면에서 세 점 $A(-3, 1)$, $B(0, 2)$, $C(1, 0)$에 대하여

두 점 P, Q가

$$|\overrightarrow{AP}| = 1, \quad |\overrightarrow{BQ}| = 2, \quad \overrightarrow{AP} \cdot \overrightarrow{OC} \geq \dfrac{\sqrt{2}}{2}$$

를 만족시킬 때, $\overrightarrow{AP} \cdot \overrightarrow{AQ}$의 값이 최소가 되도록 하는

두 점 P, Q를 각각 P_0, Q_0이라 하자.

선분 AP_0 위의 점 X에 대하여 $\overrightarrow{BX} \cdot \overrightarrow{BQ_0} \geq 1$일 때,

$\left|\overrightarrow{Q_0X}\right|^2$의 최댓값은 $\dfrac{q}{p}$이다. $p+q$의 값을 구하시오.

(단, O는 원점이고, p와 q는 서로소인 자연수이다.) [4점]

■ [선택: 기하]

23. ⑤ 24. ④ 25. ② 26. ③ 27. ①

28. ① 29. 40 30. 45

5지선다형

로그 A 504
모의고사 (고3) 2021년 10월 1번

1. $\log_3 x = 3$ 일 때, x의 값은? [2점]

① 1　　② 3　　③ 9　　④ 27　　⑤ 81

정적분 A 502
모의고사 (고3) 2021년 10월 3번

2. $\int_0^3 (x+1)^2 dx$ 의 값은? [2점]

① 12　　② 15　　③ 18　　④ 21　　⑤ 24

삼각함수 A 505
모의고사 (고3) 2021년 10월4번

3. 함수 $y = \tan\left(\pi x + \dfrac{\pi}{2}\right)$ 의 주기는? [3점]

① $\dfrac{1}{2}$　　② $\dfrac{\pi}{4}$　　③ 1　　④ $\dfrac{3}{2}$　　⑤ $\dfrac{\pi}{2}$

등차수열과 등비수열 A 504
모의고사 (고3) 2021년 10월 5번

4. 공차가 d인 등차수열 $\{a_n\}$의 첫째항부터 제n항까지의 합이 $n^2 - 5n$일 때, $a_1 + d$의 값은? [3점]

① -4　　② -2　　③ 0　　④ 2　　⑤ 4

함수의 연속 B 503
모의고사 (고3) 2021년 10월 6번

5. 함수 $y = f(x)$ 의 그래프가 그림과 같다.

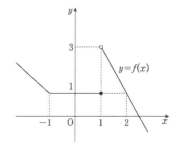

함수 $(x^2 + ax + b)f(x)$ 가 $x = 1$에서 연속일 때, $a + b$의 값은? (단, a, b는 실수이다.) [3점]

① -2　　② -1　　③ 0　　④ 1　　⑤ 2

지수함수의 활용 B 501
모의고사 (고3) 2021년 10월 8번

6. 곡선 $y = 6^{-x}$ 위의 두 점 $A(a, 6^{-a})$, $B(a+1, 6^{-a-1})$에 대하여 선분 AB는 한 변의 길이가 1인 정사각형의 대각선이다. 6^{-a}의 값은? [3점]

① $\dfrac{6}{5}$　　② $\dfrac{7}{5}$　　③ $\dfrac{8}{5}$　　④ $\dfrac{9}{5}$　　⑤ 2

7. 두 함수 $f(x)=|x+3|$, $g(x)=2x+a$에 대하여 함수 $f(x)g(x)$가 실수 전체의 집합에서 미분가능할 때, 상수 a의 값은? [3점]

① 2　　② 4　　③ 6　　④ 8　　⑤ 10

8. 2보다 큰 상수 k에 대하여 두 곡선 $y=|\log_2(-x+k)|$, $y=|\log_2 x|$가 만나는 세 점 P, Q, R의 x좌표를 각각 x_1, x_2, x_3이라 하자. $x_3-x_1=2\sqrt{3}$ 일 때, x_1+x_3의 값은? (단, $x_1<x_2<x_3$) [3점]

① $\dfrac{7}{2}$　　② $\dfrac{15}{4}$　　③ 4　　④ $\dfrac{17}{4}$　　⑤ $\dfrac{9}{2}$

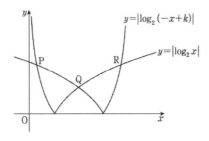

9. 수열 $\{a_n\}$이 모든 자연수 n에 대하여

$$a_n+a_{n+1}=2n$$

을 만족시킬 때, a_1+a_{22}의 값은? [4점]

① 18　　② 19　　③ 20　　④ 21　　⑤ 22

10. 최고차항의 계수가 1인 이차함수 $f(x)$와 3보다 작은 실수 a에 대하여 함수 $g(x)=|(x-a)f(x)|$가 $x=3$에서만 미분가능하지 않다. 함수 $g(x)$의 극댓값이 32일 때, $f(4)$의 값은? [4점]

① 7　　② 9　　③ 11　　④ 13　　⑤ 15

11. 닫힌구간 $[0, 2\pi]$에서 정의된 함수 $f(x)$는

$$f(x)=\begin{cases}\sin x & \left(0\le x\le \dfrac{k}{6}\pi\right)\\ 2\sin\left(\dfrac{k}{6}\pi\right)-\sin x & \left(\dfrac{k}{6}\pi<x\le 2\pi\right)\end{cases}$$

이다. 곡선 $y=f(x)$와 직선 $y=\sin\left(\dfrac{k}{6}\pi\right)$의 교점의 개수를 a_k라 할 때, $a_1+a_2+a_3+a_4+a_5$의 값은? [4점]

① 6　　② 7　　③ 8　　④ 9　　⑤ 10

12. 곡선 $y=x^2-4$ 위의 점 $P(t, t^2-4)$에서 원 $x^2+y^2=4$에 그은 두 접선의 접점을 각각 A, B라 하자. 삼각형 OAB의 넓이를 $S(t)$, 삼각형 PBA의 넓이를 $T(t)$라 할 때,

$$\lim_{t \to 2+} \frac{T(t)}{(t-2)S(t)} + \lim_{t \to \infty} \frac{T(t)}{(t^4-2)S(t)}$$

의 값은? (단, O는 원점이고, $t>2$이다.) [4점]

① 1   ② $\frac{5}{4}$ ③ $\frac{3}{2}$ ④ $\frac{7}{4}$ ⑤ 2

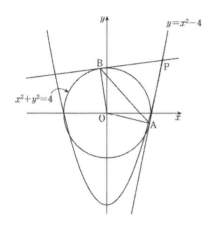

13. 실수 전체의 집합에서 정의된 함수 $f(x)$와 역함수가 존재하는 삼차함수 $g(x)=x^3+ax^2+bx+c$가 다음 조건을 만족시킨다.

모든 실수 x에 대하여 $2f(x)=g(x)-g(-x)$이다.

<보기>에서 옳은 것만을 있는 대로 고른 것은? (단, a, b, c는 상수이다.) [4점]

< 보 기 >

ㄱ. $a^2 \le 3b$

ㄴ. 방정식 $f'(x)=0$은 서로 다른 두 실근을 갖는다.

ㄷ. 방정식 $f'(x)=0$이 실근을 가지면 $g'(1)=1$이다.

① ㄱ   ② ㄱ, ㄴ   ③ ㄱ, ㄷ

④ ㄴ, ㄷ   ⑤ ㄱ, ㄴ, ㄷ

14. 모든 자연수 n에 대하여 직선 $l:x-2y+\sqrt{5}=0$ 위의 점 P_n과 x축 위의 점 Q_n이 다음 조건을 만족시킨다.

• 직선 P_nQ_n과 직선 l이 서로 수직이다.

• $\overline{P_nQ_n} = \overline{P_nP_{n+1}}$이고 점 P_{n+1}의 x좌표는 점 P_n의 x좌표보다 크다.

다음은 점 P_1이 원 $x^2+y^2=1$과 직선 l의 접점일 때, 2 이상의 모든 자연수 n에 대하여 삼각형 OQ_nP_n의 넓이를 구하는 과정이다. (단, O는 원점이다.)

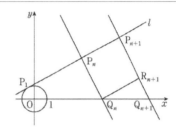

자연수 n에 대하여 점 Q_n을 지나고 직선 l과 평행한 직선이 선분 $P_{n+1}Q_{n+1}$과 만나는 점을 R_{n+1}이라 하면 사각형 $P_nQ_nR_{n+1}P_{n+1}$은 정사각형이다.

직선 l의 기울기가 $\frac{1}{2}$이므로

$$\overline{R_{n+1}Q_{n+1}} = \boxed{(가)} \times \overline{P_nP_{n+1}}$$

이고

$$\overline{P_{n+1}Q_{n+1}} = \left(1 + \boxed{(가)}\right) \times \overline{P_nQ_n}$$

이다. 이때, $\overline{P_1Q_1}=1$이므로 $\overline{P_nQ_n} = \boxed{(나)}$이다. 그러므로 2 이상의 자연수 n에 대하여

$$\overline{P_1P_n} = \sum_{k=1}^{n-1} \overline{P_kP_{k+1}} = \boxed{(다)}$$

이다. 따라서 2 이상의 자연수 n에 대하여 삼각형 OQ_nP_n의 넓이는

$$\frac{1}{2} \times \overline{P_nQ_n} \times \overline{P_1P_n} = \frac{1}{2} \times \boxed{(나)} \times \left(\boxed{(다)}\right)$$

이다.

위의 (가)에 알맞은 수를 p, (나)와 (다)에 알맞은 식을 각각 $f(n)$, $g(n)$이라 할 때, $f(6p)+g(8p)$의 값은? [4점]

① 3   ② 4   ③ 5   ④ 6   ⑤ 7

정적분 E 501
모의고사 (고3) 2021년 10월 16번

15. 최고차항의 계수가 4이고 $f(0)=f'(0)=0$을 만족시키는 삼차함수 $f(x)$에 대하여 함수 $g(x)$를

$$g(x) = \begin{cases} \displaystyle\int_0^x f(t)dt + 5 & (x < c) \\[3mm] \left| \displaystyle\int_0^x f(t)dt - \dfrac{13}{3} \right| & (x \geq c) \end{cases}$$

라 하자. 함수 $g(x)$가 실수 전체의 집합에서 연속이 되도록 하는 실수 c의 개수가 1일 때, $g(1)$의 최댓값은? [4점]

① 2　　② $\dfrac{8}{3}$　　③ $\dfrac{10}{3}$　　④ 4　　⑤ $\dfrac{14}{3}$

단답형　미분계수와 도함수 A 507
모의고사 (고3) 2021년 10월 16번

16. 함수 $f(x)=2x^2+ax+3$에 대하여 $x=2$에서의 미분계수가 18일 때, 상수 a의 값을 구하시오. [3점]

정적분의 활용 A 501
모의고사 (고3) 2021년 10월 19번

17. 수직선 위를 움직이는 점 P의 시각 $t\,(t \geq 0)$에서의 속도 $v(t)$가 $v(t)=12-4t$일 때, 시각 $t=0$에서 $t=4$까지 점 P가 움직인 거리를 구하시오. [3점]

지수함수 B 501
모의고사 (고3) 2021년 10월 10번

18. 그림과 같이 3 이상의 자연수 n에 대하여 두 곡선 $y=n^x$, $y=2^x$이 직선 $x=1$과 만나는 점을 각각 A, B라 하고, 두 곡선 $y=n^x$, $y=2^x$이 직선 $x=2$와 만나는 점을 각각 C, D라 하자. 사다리꼴 ABDC의 넓이가 18 이하가 되도록 하는 모든 자연수 n의 값의 합을 구하시오. [3점]

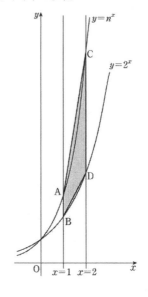

수학적 귀납법 B 504
모의고사 (고3) 2021년 10월 19번

19. 수열 $\{a_n\}$이 다음 조건을 만족시킨다.

> (가) $a_{n+2} = \begin{cases} a_n - 3 & (n=1,\,3) \\ a_n + 3 & (n=2,\,4) \end{cases}$
>
> (나) 모든 자연수 n에 대하여 $a_n = a_{n+6}$이 성립한다.

$\displaystyle\sum_{k=1}^{32} a_k = 112$일 때, $a_1 + a_2$의 값을 구하시오. [3점]

20. 최고차항의 계수가 1인 삼차함수 $f(x)$가 $f(0)=0$이고, 모든 실수 x에 대하여 $f(1-x)=-f(1+x)$를 만족시킨다. 두 곡선 $y=f(x)$와 $y=-6x^2$으로 둘러싸인 부분의 넓이를 S라 할 때, $4S$의 값을 구하시오. [4점]

21. $\overline{AB}=6$, $\overline{AC}=8$인 예각삼각형 ABC에서 ∠A의 이등분선과 삼각형 ABC의 외접원이 만나는 점을 D, 점 D에서 선분 AC에 내린 수선의 발을 E라 하자. 선분 AE의 길이를 k라 할 때, $12k$의 값을 구하시오. [4점]

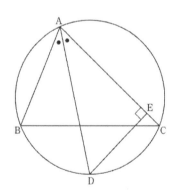

22. 양수 a에 대하여 최고차항의 계수가 1인 삼차함수 $f(x)$와 실수 전체의 집합에서 정의된 함수 $g(x)$가 다음 조건을 만족시킨다.

(가) 모든 실수 x에 대하여
$$|x(x-2)|g(x)=x(x-2)(|f(x)|-a)$$
이다.
(나) 함수 $g(x)$는 $x=0$과 $x=2$에서 미분가능하다.

$g(3a)$의 값을 구하시오. [4점]

수학 정답

1	④	2	④	3	③	4	②	5	②
6	①	7	③	8	③	9	⑤	10	①
11	④	12	②	13	①	14	⑤	15	⑤
16	10	17	20	18	18	19	7	20	2
21	84	22	108						

수학 영역(확률과 통계)

5 지 선 다 형

이산확률분포 A 503
모의고사 (고3) 2021년 10월 23번(확통)

23. 확률변수 X가 이항분포 $B\left(60, \frac{5}{12}\right)$를 따를 때, $E(X)$의 값은?

[2점]

① 10　　② 15　　③ 20　　④ 25　　⑤ 30

여러가지확률 B 505
모의고사 (고3) 2021년 10월 26번(확통)

26. 한 개의 주사위를 두 번 던져서 나오는 눈의 수를 차례로 a, b라 할 때, 두 수 a, b의 최대공약수가 홀수일 확률은?

[3점]

① $\frac{5}{12}$　　② $\frac{1}{2}$　　③ $\frac{7}{12}$　　④ $\frac{2}{3}$　　⑤ $\frac{3}{4}$

여러가지확률 A 503
모의고사 (고3) 2021년 10월 25번(확통)

24. 두 사건 A와 B는 서로 배반사건이고

$$P(A)=\frac{1}{3}, \; P(A^{C})P(B)=\frac{1}{6}$$

일 때, $P(A\cup B)$의 값은? (단, A^{C}은 A의 여사건이다.)

[3점]

① $\frac{1}{2}$　　② $\frac{7}{12}$　　③ $\frac{2}{3}$　　④ $\frac{3}{4}$　　⑤ $\frac{5}{6}$

연속확률분포 C 502
모의고사 (고3) 2021년 10월 29번(확통)

27. 확률변수 X는 정규분포 $N(8, 2^2)$, 확률변수 Y는 정규분포 $N(12, 2^2)$을 따르고, 확률변수 X와 Y의 확률밀도함수는 각각 $f(x)$와 $g(x)$이다.

두 함수 $y=f(x)$, $y=g(x)$의 그래프가 만나는 점의 x좌표를 a라 할 때, $P(8\le Y\le a)$의 값을 오른쪽 표준정규분포표를 이용하여 구한 것은? [3점]

z	$P(0\le Z\le z)$
0.5	0.1915
1.0	0.3413
1.5	0.4332
2.0	0.4772

① 0.1359　　② 0.1587　　③ 0.2417
④ 0.2857　　⑤ 0.3085

중복조합 B 503
모의고사 (고3) 2021년 10월 26번(확통)
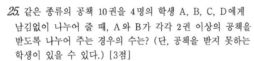

25. 같은 종류의 공책 10권을 4명의 학생 A, B, C, D에게 남김없이 나누어 줄 때, A와 B가 각각 2권 이상의 공책을 받도록 나누어 주는 경우의 수는? (단, 공책을 받지 못하는 학생이 있을 수 있다.) [3점]

① 76　　② 80　　③ 84　　④ 88　　⑤ 92

28. 집합 $X=\{x|x$는 8 이하의 자연수$\}$에 대하여 X에서 X로의 함수 f 중에서 임의로 하나를 선택한다. 선택한 함수 f가 4 이하의 모든 자연수 n에 대하여 $f(2n-1)<f(2n)$일 때, $f(1)=f(5)$일 확률은? [4점]

① $\dfrac{1}{7}$ ② $\dfrac{5}{28}$ ③ $\dfrac{3}{14}$ ④ $\dfrac{1}{4}$ ⑤ $\dfrac{2}{7}$

단답형

29. 숫자 1, 2, 3 중에서 모든 숫자가 한 개 이상씩 포함되도록 중복을 허락하여 6개를 선택한 후, 일렬로 나열하여 만들 수 있는 여섯 자리의 자연수 중 일의 자리의 수와 백의 자리의 수가 같은 자연수의 개수를 구하시오. [4점]

30. 주머니에 12개의 공이 들어 있다. 이 공들 각각에는 숫자 1, 2, 3, 4 중 하나씩이 적혀 있다. 이 주머니에서 임의로 한 개의 공을 꺼내어 공에 적혀 있는 수를 확인한 후 다시 넣는 시행을 한다. 이 시행을 4번 반복하여 확인한 4개의 수의 합을 확률변수 X라 할 때, 확률변수 X는 다음 조건을 만족시킨다.

> (가) $P(X=4)=16\times P(X=16)=\dfrac{1}{81}$
>
> (나) $E(X)=9$

$V(X)=\dfrac{q}{p}$일 때, $p+q$의 값을 구하시오. (단, p와 q는 서로소인 자연수이다.) [4점]

[확률과 통계]

23	④	24	②	25	③	26	⑤	27	①
28	②	29	150	30	23				

수학 영역(미적분)

5지선다형

(미적)정적분 A 501
모의고사 (고3) 2021년 72월 23번(미적)

23. $\int_2^4 \dfrac{6}{x^2}dx$ 의 값은? [2점]

① $\dfrac{3}{2}$ ② $\dfrac{7}{4}$ ③ 2 ④ $\dfrac{9}{4}$ ⑤ $\dfrac{5}{2}$

급수 A 501
모의고사 (고3) 2021년 10월 25번(미적)

24. 수열 $\{a_n\}$ 에 대하여 $\displaystyle\sum_{n=1}^{\infty} \dfrac{a_n - 4n}{n} = 1$ 일 때, $\displaystyle\lim_{n \to \infty} \dfrac{5n + a_n}{3n - 1}$ 의 값은? [3점]

① 1 ② 2 ③ 3 ④ 4 ⑤ 5

여러가지 미분법 B 503
모의고사 (고3) 2021년 10월 26번(미적)

25. 좌표평면 위를 움직이는 점 P의 시각 $t\,(t > 2)$ 에서의 위치 (x, y) 가

$$x = t\ln t, \quad y = \dfrac{4t}{\ln t}$$

이다. 시각 $t = e^2$ 에서 점 P의 속력은? [3점]

① $\sqrt{7}$ ② $2\sqrt{2}$ ③ 3 ④ $\sqrt{10}$ ⑤ $\sqrt{11}$

급수 C 503
모의고사 (고3) 2021년 72월 26번(미적)

26. 그림과 같이 길이가 2인 선분 A_1B를 지름으로 하는 반원 O_1이 있다. 호 BA_1 위에 점 C_1을 $\angle BA_1C_1 = \dfrac{\pi}{6}$ 가 되도록 잡고, 선분 A_2B를 지름으로 하는 반원 O_2가 선분 A_1C_1과 접하도록 선분 A_1B 위에 점 A_2를 잡는다. 반원 O_2와 선분 A_1C_1의 접점을 D_1이라 할 때, 두 선분 A_1A_2, A_1D_1과 호 D_1A_2로 둘러싸인 부분과 선분 C_1D_1과 두 호 BC_1, BD_1로 둘러싸인 부분인 ⟋⟍ 모양의 도형에 색칠하여 얻은 그림을 R_1이라 하자.

그림 R_1에서 호 BA_2 위에 점 C_2를 $\angle BA_2C_2 = \dfrac{\pi}{6}$ 가 되도록 잡고, 선분 A_3B를 지름으로 하는 반원 O_3이 선분 A_2C_2와 접하도록 선분 A_2B 위에 점 A_3을 잡는다. 반원 O_3과 선분 A_2C_2의 접점을 D_2라 할 때, 두 선분 A_2A_3, A_2D_2와 호 D_2A_3으로 둘러싸인 부분과 선분 C_2D_2와 두 호 BC_2, BD_2로 둘러싸인 부분인 ⟋⟍ 모양의 도형에 색칠하여 얻은 그림을 R_2라 하자.

이와 같은 과정을 계속하여 n번째 얻은 그림 R_n에 색칠되어 있는 부분의 넓이를 S_n이라 할 때, $\displaystyle\lim_{n \to \infty} S_n$의 값은? [3점]

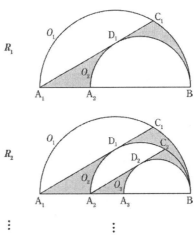

① $\dfrac{4\sqrt{3} - \pi}{10}$ ② $\dfrac{9\sqrt{3} - 2\pi}{20}$ ③ $\dfrac{8\sqrt{3} - \pi}{20}$

④ $\dfrac{5\sqrt{3} - \pi}{10}$ ⑤ $\dfrac{9\sqrt{3} - \pi}{20}$

27. 미분가능한 함수 $f(x)$가 다음 조건을 만족시킨다.

(가) $x_1 < x_2$인 임의의 두 실수 x_1, x_2에 대하여
$f(x_1) > f(x_2)$이다.

(나) 닫힌구간 $[-1, 3]$에서 함수 $f(x)$의 최댓값은 1이고
최솟값은 -2이다.

$\int_{-1}^{3} f(x)dx = 3$일 때, $\int_{-2}^{1} f^{-1}(x)dx$의 값은? [3점]

① 4 　　② 5 　　③ 6 　　④ 7 　　⑤ 8

28. 그림과 같이 $\overline{AB} = 1$, $\overline{BC} = 2$인 삼각형 ABC에 대하여 선분
AC의 중점을 M이라 하고, 점 M을 지나고 선분 AB에 평행한
직선이 선분 BC와 만나는 점을 D라 하자. ∠BAC의
이등분선이 두 직선 BC, DM과 만나는 점을 각각 E, F라 하자.
∠CBA $= \theta$일 때, 삼각형 ABE의 넓이를 $f(\theta)$, 삼각형 DFC의
넓이를 $g(\theta)$라 하자. $\lim\limits_{\theta \to 0+} \dfrac{g(\theta)}{\theta^2 \times f(\theta)}$의 값은? (단, $0 < \theta < \pi$)

[4점]

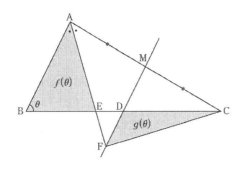

① $\dfrac{1}{8}$ 　　② $\dfrac{1}{4}$ 　　③ $\dfrac{1}{2}$ 　　④ 1 　　⑤ 2

29. 함수 $f(x) = \sin(ax)$ $(a \neq 0)$에 대하여 다음 조건을 만족시키는
모든 실수 a의 값의 합을 구하시오. [4점]

(가) $\int_0^{\frac{\pi}{a}} f(x)dx \geq \dfrac{1}{2}$

(나) $0 < t < 1$인 모든 실수 t에 대하여
$\int_0^{3\pi} |f(x) + t|dx = \int_0^{3\pi} |f(x) - t|dx$
이다.

30. 서로 다른 두 양수 a, b에 대하여 함수 $f(x)$를
$$f(x) = -\dfrac{ax^3 + bx}{x^2 + 1}$$
라 하자. 모든 실수 x에 대하여 $f'(x) \neq 0$이고, 두 함수
$g(x) = f(x) - f^{-1}(x)$, $h(x) = (g \circ f)(x)$가 다음 조건을
만족시킨다.

(가) $g(2) = h(0)$
(나) $g'(2) = -5h'(2)$

$4(b - a)$의 값을 구하시오. [4점]

[미적분]

23	①	24	③	25	④	26	②	27	⑤
28	③	29	14	30	10				

수학 영역(기하)

벡터의 연산 A 505
모의고사 (고3) 2021년 72월 23번(기하)

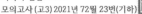

23. 두 벡터 $\vec{a}=(m-2,\,3)$과 $\vec{b}=(2m+1,\,9)$가 서로 평행할 때, 실수 m의 값은? [2점]

① 3　　② 5　　③ 7　　④ 9　　⑤ 11

공간좌표 A 502
모의고사 (고3) 2021년 10월 25번(기하)

24. 좌표공간의 두 점 A$(-1,\,1,\,-2)$, B$(2,\,4,\,1)$에 대하여 선분 AB가 xy평면과 만나는 점을 P라 할 때, 선분 AP의 길이는? [3점]

① $2\sqrt{3}$　　② $\sqrt{13}$　　③ $\sqrt{14}$　　④ $\sqrt{15}$　　⑤ 4

이차곡선과 직선 B 502
모의고사 (고3) 2021년 10월 26번(기하)

25. 양수 a에 대하여 기울기가 $\frac{1}{2}$인 직선이 타원 $\frac{x^2}{36}+\frac{y^2}{16}=1$과 포물선 $y^2=ax$에 동시에 접할 때, 포물선 $y^2=ax$의 초점의 x좌표는? [3점]

① 2　　② $\frac{5}{2}$　　③ 3　　④ $\frac{7}{2}$　　⑤ 4

벡터의 연산 B 504
모의고사 (고3) 2021년 72월 26번(기하)

26. 그림과 같이 변 AD가 변 BC와 평행하고 $\angle$CBA $=$ $\angle$DCB인 사다리꼴 ABCD가 있다.

$$|\overrightarrow{AD}|=2,\quad |\overrightarrow{BC}|=4,\quad |\overrightarrow{AB}+\overrightarrow{AC}|=2\sqrt{5}$$

일 때, $|\overrightarrow{BD}|$의 값은? [3점]

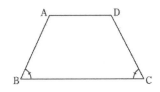

① $\sqrt{10}$　　② $\sqrt{11}$　　③ $2\sqrt{3}$　　④ $\sqrt{13}$　　⑤ $\sqrt{14}$

공간좌표 C 501
모의고사 (고3) 2021년 10월 29번(기하)

27. 좌표공간에 $\overline{OA}=7$인 점 A가 있다. 점 A를 중심으로 하고 반지름의 길이가 8인 구 S와 xy평면이 만나서 생기는 원의 넓이가 25π이다. 구 S와 z축이 만나는 두 점을 각각 B, C라 할 때, 선분 BC의 길이는? (단, O는 원점이다.) [3점]

① $2\sqrt{46}$　　② $8\sqrt{3}$　　③ $10\sqrt{2}$　　④ $4\sqrt{13}$　　⑤ $6\sqrt{6}$

벡터의 성분과 내적 C 501
모의고사 (고3) 2021년 10월 20번(기하)

28. 삼각형 ABC와 삼각형 ABC의 내부의 점 P가 다음 조건을 만족시킨다.

(가) $\overrightarrow{PA}\cdot\overrightarrow{PC}=0$, $\dfrac{|\overrightarrow{PA}|}{|\overrightarrow{PC}|}=3$
(나) $\overrightarrow{PB}\cdot\overrightarrow{PC}=-\dfrac{\sqrt{2}}{2}|\overrightarrow{PB}||\overrightarrow{PC}|=-2|\overrightarrow{PC}|^2$

직선 AP와 선분 BC의 교점을 D라 할 때, $\overrightarrow{AD}=k\overrightarrow{PD}$이다. 실수 k의 값은? [4점]

① $\frac{11}{2}$　　② 6　　③ $\frac{13}{2}$　　④ 7　　⑤ $\frac{15}{2}$

29. 그림과 같이 두 초점이 F, F′인 쌍곡선 $x^2 - \dfrac{y^2}{16} = 1$ 이 있다.

쌍곡선 위에 있고 제1사분면에 있는 점 P에 대하여 점 F에서 선분 PF′에 내린 수선의 발을 Q라 하고, ∠FQP의 이등분선이 선분 PF와 만나는 점을 R라 하자. $4\overline{PR} = 3\overline{RF}$ 일 때, 삼각형 PF′F의 넓이를 구하시오. (단, 점 F의 x좌표는 양수이고, ∠F′PF < 90°이다.) [4점]

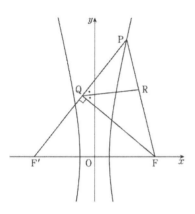

30. 한 변의 길이가 4인 정삼각형 ABC를 한 면으로 하는 사면체 ABCD의 꼭짓점 A에서 평면 BCD에 내린 수선의 발을 H라 할 때, 점 H는 삼각형 BCD의 내부에 놓여 있다. 직선 DH가 선분 BC와 만나는 점을 E라 할 때, 점 E가 다음 조건을 만족시킨다.

> (가) ∠AEH = ∠DAH
>
> (나) 점 E는 선분 CD를 지름으로 하는 원 위의 점이고 $\overline{DE} = 4$이다.

삼각형 AHD의 평면 ABD 위로의 정사영의 넓이는 $\dfrac{q}{p}$ 이다.
$p+q$의 값을 구하시오. (단, p와 q는 서로소인 자연수이다.)
[4점]

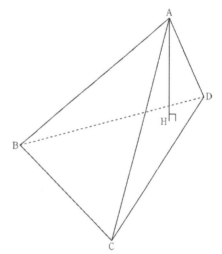

[기하]

23	③	24	①	25	②	26	④	27	⑤
28	①	29	32	30	7				

5지선다형

지수 A 505
2022년 수능 1번

1. $\left(2^{\sqrt{3}} \times 4\right)^{\sqrt{3}-2}$ 의 값은? [2점]

① $\dfrac{1}{4}$ ② $\dfrac{1}{2}$ ③ 1   ④ 2   ⑤ 4

미분계수와 도함수 A 508
2022년 수능 2번

2. 함수 $f(x) = x^3 + 3x^2 + x - 1$에 대하여 $f'(1)$의 값은? [2점]

① 6   ② 7   ③ 8   ④ 9   ⑤ 10

3. 등차수열 $\{a_n\}$에 대하여

등차수열과 등비수열 A 505
2022년 수능 3번

$$a_2 = 6, \quad a_4 + a_6 = 36$$

일 때, a_{10}의 값은? [3점]

① 30   ② 32   ③ 34   ④ 36   ⑤ 38

함수의 극한 A 506
2022년 수능 4번

4. 함수 $y = f(x)$의 그래프가 그림과 같다.

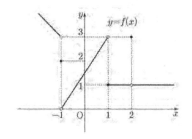

$$\lim_{x \to -1-} f(x) + \lim_{x \to 2} f(x)$$의 값은? [3점]

① 1   ② 2   ③ 3   ④ 4   ⑤ 5

수학적 귀납법 B 505
2022년 수능 5번

5. 첫째항이 1인 수열 $\{a_n\}$이 모든 자연수 n에 대하여

$$a_{n+1} = \begin{cases} 2a_n & (a_n < 7) \\ a_n - 7 & (a_n \geq 7) \end{cases}$$

일 때, $\displaystyle\sum_{k=1}^{8} a_k$의 값은? [3점]

① 30   ② 32   ③ 34   ④ 36   ⑤ 38

도함수의 활용 B 504
2022년 수능 6번

6. 방정식 $2x^3 - 3x^2 - 12x + k = 0$이 서로 다른 세 실근을 갖도록 하는 정수 k의 개수는? [3점]

① 20   ② 23   ③ 26   ④ 29   ⑤ 32

삼각함수 B 504
2022년 수능 7번

7. $\pi < \theta < \dfrac{3}{2}\pi$ 인 θ에 대하여 $\tan\theta - \dfrac{6}{\tan\theta} = 1$일 때, $\sin\theta + \cos\theta$의 값은? [3점]

① $-\dfrac{2\sqrt{10}}{5}$ ② $-\dfrac{\sqrt{10}}{5}$ ③ 0

④ $\dfrac{\sqrt{10}}{5}$ ⑤ $\dfrac{2\sqrt{10}}{5}$

정적분의 활용 B 504
2022년 수능 8번

8. 곡선 $y = x^2 - 5x$와 직선 $y = x$로 둘러싸인 부분의 넓이를 직선 $x = k$가 이등분할 때, 상수 k의 값은? [3점]

① 3 ② $\dfrac{13}{4}$ ③ $\dfrac{7}{2}$ ④ $\dfrac{15}{4}$ ⑤ 4

지수함수의 활용 B 502
2022년 수능 9번

9. 직선 $y = 2x + k$가 두 함수

$$y = \left(\dfrac{2}{3}\right)^{x+3} + 1, \quad y = \left(\dfrac{2}{3}\right)^{x+1} + \dfrac{8}{3}$$

의 그래프와 만나는 점을 각각 P, Q라 하자. $\overline{PQ} = \sqrt{5}$일 때, 상수 k의 값은? [4점]

① $\dfrac{31}{6}$ ② $\dfrac{16}{3}$ ③ $\dfrac{11}{2}$ ④ $\dfrac{17}{3}$ ⑤ $\dfrac{35}{6}$

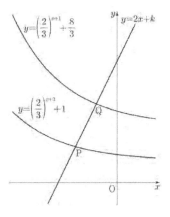

도함수의 활용 C 503
2022년 수능 10번

10. 삼차함수 $f(x)$에 대하여 곡선 $y = f(x)$ 위의 점 $(0, 0)$에서의 접선과 곡선 $y = xf(x)$ 위의 점 $(1, 2)$에서의 접선이 일치할 때, $f'(2)$의 값은? [4점]

① -18 ② -17 ③ -16 ④ -15 ⑤ -14

삼각함수 C 503
2022년 수능 11번

11. 양수 a에 대하여 집합 $\left\{x \,\middle|\, -\dfrac{a}{2} < x \le a, \; x \ne \dfrac{a}{2}\right\}$에서 정의된 함수

$$f(x) = \tan\dfrac{\pi x}{a}$$

가 있다. 그림과 같이 함수 $y = f(x)$의 그래프 위의 세 점 O, A, B를 지나는 직선이 있다. 점 A를 지나고 x축에 평행한 직선이 함수 $y = f(x)$의 그래프와 만나는 점 중 A가 아닌 점을 C라 하자. 삼각형 ABC가 정삼각형일 때, 삼각형 ABC의 넓이는? (단, O는 원점이다.) [4점]

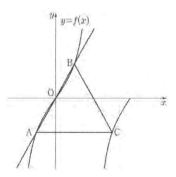

① $\dfrac{3\sqrt{3}}{2}$ ② $\dfrac{17\sqrt{3}}{12}$ ③ $\dfrac{4\sqrt{3}}{3}$

④ $\dfrac{5\sqrt{3}}{4}$ ⑤ $\dfrac{7\sqrt{3}}{6}$

12. 실수 전체의 집합에서 연속인 함수 $f(x)$가 모든 실수 x에 대하여

$$\{f(x)\}^3 - \{f(x)\}^2 - x^2 f(x) + x^2 = 0$$

을 만족시킨다. 함수 $f(x)$의 최댓값이 1이고 최솟값이 0일 때, $f\left(-\frac{4}{3}\right) + f(0) + f\left(\frac{1}{2}\right)$의 값은? [4점]

① $\frac{1}{2}$ ② 1 ③ $\frac{3}{2}$ ④ 2 ⑤ $\frac{5}{2}$

13. 두 상수 a, b $(1<a<b)$에 대하여 좌표평면 위의 두 점 $(a, \log_2 a)$, $(b, \log_2 b)$를 지나는 직선의 y절편과 두 점 $(a, \log_4 a)$, $(b, \log_4 b)$를 지나는 직선의 y절편이 같다. 함수 $f(x) = a^{bx} + b^{ax}$에 대하여 $f(1) = 40$일 때, $f(2)$의 값은? [4점]

① 760 ② 800 ③ 840 ④ 880 ⑤ 920

14. 수직선 위를 움직이는 점 P의 시각 t에서의 위치 $x(t)$가 두 상수 a, b에 대하여

$$x(t) = t(t-1)(at+b) \quad (a \neq 0)$$

이다. 점 P의 시각 t에서의 속도 $v(t)$가 $\int_0^1 |v(t)|\, dt = 2$를 만족시킬 때, <보기>에서 옳은 것만을 있는 대로 고른 것은? [4점]

<보 기>

ㄱ. $\int_0^1 v(t)\, dt = 0$

ㄴ. $|x(t_1)| > 1$인 t_1이 열린구간 $(0, 1)$에 존재한다.

ㄷ. $0 \leq t \leq 1$인 모든 t에 대하여 $|x(t)| < 1$이면 $x(t_2) = 0$인 t_2가 열린구간 $(0, 1)$에 존재한다.

① ㄱ ② ㄱ, ㄴ ③ ㄱ, ㄷ
④ ㄴ, ㄷ ⑤ ㄱ, ㄴ, ㄷ

15. 두 점 O_1, O_2를 각각 중심으로 하고 반지름의 길이가 $\overline{O_1 O_2}$인 두 원 C_1, C_2가 있다. 그림과 같이 원 C_1 위의 서로 다른 세 점 A, B, C와 원 C_2 위의 점 D가 주어져 있고, 세 점 A, O_1, O_2와 세 점 C, O_2, D가 각각 한 직선 위에 있다. 이때 $\angle BO_1 A = \theta_1$, $\angle O_2 O_1 C = \theta_2$, $\angle O_1 O_2 D = \theta_3$이라 하자.

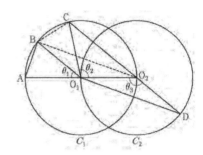

다음은 $\overline{AB} : \overline{O_1 D} = 1 : 2\sqrt{2}$ 이고 $\theta_3 = \theta_1 + \theta_2$일 때, 선분 AB와 선분 CD의 길이의 비를 구하는 과정이다.

$\angle CO_2 O_1 + \angle O_1 O_2 D = \pi$이므로 $\theta_3 = \dfrac{\pi}{2} + \dfrac{\theta_2}{2}$이고

$\theta_3 = \theta_1 + \theta_2$에서 $2\theta_1 + \theta_2 = \pi$이므로 $\angle CO_1 B = \theta_1$이다.

이때 $\angle O_2 O_1 B = \theta_1 + \theta_2 = \theta_3$이므로 삼각형 $O_1 O_2 B$와 삼각형 $O_2 O_1 D$는 합동이다.

$\overline{AB} = k$라 할 때

$\overline{BO_2} = \overline{O_1 D} = 2\sqrt{2}\, k$이므로 $\overline{AO_2} = \boxed{\text{(가)}}$이고,

$\angle BO_2 A = \dfrac{\theta_1}{2}$이므로 $\cos \dfrac{\theta_1}{2} = \boxed{\text{(나)}}$이다.

삼각형 $O_2 BC$에서

$\overline{BC} = k$, $\overline{BO_2} = 2\sqrt{2}\, k$, $\angle CO_2 B = \dfrac{\theta_1}{2}$이므로

코사인법칙에 의하여 $\overline{O_2 C} = \boxed{\text{(다)}}$이다.

$\overline{CD} = \overline{O_2 D} + \overline{O_2 C} = \overline{O_1 O_2} + \overline{O_2 C}$이므로

$\overline{AB} : \overline{CD} = k : \left(\dfrac{\boxed{\text{(가)}}}{2} + \boxed{\text{(다)}} \right)$이다.

위의 (가), (다)에 알맞은 식을 각각 $f(k)$, $g(k)$라 하고, (나)에 알맞은 수를 p라 할 때, $f(p) \times g(p)$의 값은? [4점]

① $\frac{169}{27}$ ② $\frac{56}{9}$ ③ $\frac{167}{27}$ ④ $\frac{166}{27}$ ⑤ $\frac{55}{9}$

로그 A 505
2022년 수능 16번

16. $\log_2 120 - \dfrac{1}{\log_{15} 2}$ 의 값을 구하시오. [3점]

부정적분 A 505
2022년 수능 17번

17. 함수 $f(x)$에 대하여 $f'(x) = 3x^2 + 2x$이고 $f(0) = 2$일 때, $f(1)$의 값을 구하시오. [3점]

수열의 합 B 502
2022년 수능 18번

18. 수열 $\{a_n\}$에 대하여

$$\sum_{k=1}^{10} a_k - \sum_{k=1}^{7} \frac{a_k}{2} = 56, \quad \sum_{k=1}^{10} 2a_k - \sum_{k=1}^{8} a_k = 100$$

일 때, a_8의 값을 구하시오. [3점]

미분계수와 도함수 B 507
2022년 수능 19번

19. 함수 $f(x) = x^3 + ax^2 - (a^2 - 8a)x + 3$이 실수 전체의 집합에서 증가하도록 하는 실수 a의 최댓값을 구하시오. [3점]

미분계수와 도함수 C 501
2022년 수능 20번

20. 실수 전체의 집합에서 미분가능한 함수 $f(x)$가 다음 조건을 만족시킨다.

> (가) 닫힌구간 $[0, 1]$에서 $f(x) = x$이다.
>
> (나) 어떤 상수 a, b에 대하여 구간 $[0, \infty)$에서 $f(x+1) - xf(x) = ax + b$이다.

$60 \times \displaystyle\int_1^2 f(x)\,dx$의 값을 구하시오. [4점]

21. 수열 $\{a_n\}$이 다음 조건을 만족시킨다.

> (가) $|a_1| = 2$
>
> (나) 모든 자연수 n에 대하여 $|a_{n+1}| = 2|a_n|$이다.
>
> (다) $\displaystyle\sum_{n=1}^{10} a_n = -14$

$a_1 + a_3 + a_5 + a_7 + a_9$의 값을 구하시오. [4점]

22. 최고차항의 계수가 $\dfrac{1}{2}$인 삼차함수 $f(x)$와 실수 t에 대하여 방정식 $f'(x) = 0$이 닫힌구간 $[t, t+2]$에서 갖는 실근의 개수를 $g(t)$라 할 때, 함수 $g(t)$는 다음 조건을 만족시킨다.

> (가) 모든 실수 a에 대하여 $\displaystyle\lim_{t \to a+} g(t) + \lim_{t \to a-} g(t) \le 2$이다.
>
> (나) $g(f(1)) = g(f(4)) = 2$, $g(f(0)) = 1$

$f(5)$의 값을 구하시오. [4점]

■ [공통: 수학 I · 수학 II]				
01.②	02.⑤	03.⑤	04.④	05.①
06.③	07.①	08.①	09.④	10.⑤
11.③	12.③	13.②	14.③	15.②
16. 3	17. 4	18. 12	19. 6	
20. 110	21. 678	22. 9		

수학 영역(확률과 통계)

이항정리 A 505
2022년 수능 23번(확통)

23. 다항식 $(x+2)^7$의 전개식에서 x^5의 계수는? [2점]

① 42 ② 56 ③ 70 ④ 84 ⑤ 98

이산확률분포 A 504
2022년 수능 24번(확통)

24. 확률변수 X가 이항분포 $\mathrm{B}\left(n, \dfrac{1}{3}\right)$을 따르고 $\mathrm{V}(2X)=40$일 때, n의 값은? [3점]

① 30 ② 35 ③ 40 ④ 45 ⑤ 50

중복조합 B 504
2022년 수능 25번(확통)

25. 다음 조건을 만족시키는 자연수 a, b, c, d, e의 모든 순서쌍 (a, b, c, d, e)의 개수는? [3점]

> (가) $a+b+c+d+e=12$
>
> (나) $|a^2-b^2|=5$

① 30 ② 32 ③ 34 ④ 36 ⑤ 38

여러가지확률 B 506
2022년 수능 26번(확통)

26. 1부터 10까지 자연수가 하나씩 적혀 있는 10장의 카드가 들어 있는 주머니가 있다. 이 주머니에서 임의로 카드 3장을 동시에 꺼낼 때, 꺼낸 카드에 적혀 있는 세 자연수 중에서 가장 작은 수가 4 이하이거나 7 이상일 확률은? [3점]

① $\dfrac{4}{5}$ ② $\dfrac{5}{6}$ ③ $\dfrac{13}{15}$ ④ $\dfrac{9}{10}$ ⑤ $\dfrac{14}{15}$

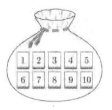

통계적 추정 B 501
2022년 수능 27번(확통)

27. 어느 자동차 회사에서 생산하는 전기 자동차의 1회 충전 주행 거리는 평균이 m이고 표준편차가 σ인 정규분포를 따른다고 한다.

이 자동차 회사에서 생산한 전기 자동차 100 대를 임의추출하여 얻은 1회 충전 주행 거리의 표본평균이 $\overline{x_1}$일 때, 모평균 m에 대한 신뢰도 95 %의 신뢰구간이 $a \le m \le b$이다.

이 자동차 회사에서 생산한 전기 자동차 400 대를 임의추출하여 얻은 1회 충전 주행 거리의 표본평균이 $\overline{x_2}$일 때, 모평균 m에 대한 신뢰도 99 %의 신뢰구간이 $c \le m \le d$이다.

$\overline{x_1}-\overline{x_2}=1.34$이고 $a=c$일 때, $b-a$의 값은? (단, 주행 거리의 단위는 km이고, Z가 표준정규분포를 따르는 확률변수일 때 $\mathrm{P}(|Z| \le 1.96)=0.95$, $\mathrm{P}(|Z| \le 2.58)=0.99$로 계산한다.) [3점]

① 5.88 ② 7.84 ③ 9.80
④ 11.76 ⑤ 13.72

28. 두 집합 $X = \{1, 2, 3, 4, 5\}$, $Y = \{1, 2, 3, 4\}$에 대하여 다음 조건을 만족시키는 X에서 Y로의 함수 f의 개수는? [4점]

> (가) 집합 X의 모든 원소 x에 대하여 $f(x) \geq \sqrt{x}$이다.
> (나) 함수 f의 치역의 원소의 개수는 3이다.

① 128   ② 138   ③ 148   ④ 158   ⑤ 168

단답형

29. 두 연속확률변수 X와 Y가 갖는 값의 범위는 $0 \leq X \leq 6$, $0 \leq Y \leq 6$이고, X와 Y의 확률밀도함수는 각각 $f(x)$, $g(x)$이다. 확률변수 X의 확률밀도함수 $f(x)$의 그래프는 그림과 같다.

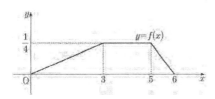

$0 \leq x \leq 6$인 모든 x에 대하여

$$f(x) + g(x) = k \quad (k\text{는 상수})$$

를 만족시킬 때, $\mathrm{P}(6k \leq Y \leq 15k) = \dfrac{q}{p}$이다. $p+q$의 값을 구하시오. (단, p와 q는 서로소인 자연수이다.) [4점]

---

30. 흰 공과 검은 공이 각각 10개 이상 들어 있는 바구니와 비어 있는 주머니가 있다. 한 개의 주사위를 사용하여 다음 시행을 한다.

> 주사위를 한 번 던져
> 나온 눈의 수가 5 이상이면
> 바구니에 있는 흰 공 2개를 주머니에 넣고,
> 나온 눈의 수가 4 이하이면
> 바구니에 있는 검은 공 1개를 주머니에 넣는다.

위의 시행을 5번 반복할 때, $n(1 \leq n \leq 5)$번째 시행 후 주머니에 들어 있는 흰 공과 검은 공의 개수를 각각 a_n, b_n이라 하자. $a_5 + b_5 \geq 7$일 때, $a_k = b_k$인 자연수 $k(1 \leq k \leq 5)$가 존재할 확률은 $\dfrac{q}{p}$이다. $p+q$의 값을 구하시오. (단, p와 q는 서로소인 자연수이다.) [4점]

[선택: 확률과 통계]
23. ④   24. ④   25. ①   26. ③   27. ②
28. ①   29. 31   30. 191

수학 영역(미적분)

수열의 극한 A 505
2022년 수능 23번(미적)

23. $\lim\limits_{n \to \infty} \dfrac{\dfrac{5}{n} + \dfrac{3}{n^2}}{\dfrac{1}{n} - \dfrac{2}{n^3}}$ 의 값은? [2점]

① 1   ② 2   ③ 3   ④ 4   ⑤ 5

여러가지 미분법 A 503
2022년 수능 24번(미적)

24. 실수 전체의 집합에서 미분가능한 함수 $f(x)$가 모든 실수 x에 대하여

$$f(x^3 + x) = e^x$$

을 만족시킬 때, $f'(2)$의 값은? [3점]

① e ② $\dfrac{e}{2}$ ③ $\dfrac{e}{3}$ ④ $\dfrac{e}{4}$ ⑤ $\dfrac{e}{5}$

급수 B 504
2022년 수능 25번(미적)

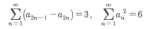

25. 등비수열 $\{a_n\}$에 대하여

$$\sum_{n=1}^{\infty} (a_{2n-1} - a_{2n}) = 3, \quad \sum_{n=1}^{\infty} a_n^2 = 6$$

일 때, $\sum_{n=1}^{\infty} a_n$의 값은? [3점]

① 1   ② 2   ③ 3   ④ 4   ⑤ 5

급수 B 505
2022년 수능 26번(미적)

26. $\lim\limits_{n \to \infty} \sum_{k=1}^{n} \dfrac{k^2 + 2kn}{k^3 + 3k^2 n + n^3}$ 의 값은? [3점]

① $\ln 5$ ② $\dfrac{\ln 5}{2}$ ③ $\dfrac{\ln 5}{3}$ ④ $\dfrac{\ln 5}{4}$ ⑤ $\dfrac{\ln 5}{5}$

(미적)정적분의 활용 C 502
2022년 수능 27번(미적)

27. 좌표평면 위를 움직이는 점 P의 시각 $t (t > 0)$에서의 위치가 곡선 $y = x^2$과 직선 $y = t^2 x - \dfrac{\ln t}{8}$가 만나는 서로 다른 두 점의 중점일 때, 시각 $t = 1$에서 $t = e$까지 점 P가 움직인 거리는? [3점]

① $\dfrac{e^4}{2} - \dfrac{3}{8}$ ② $\dfrac{e^4}{2} - \dfrac{5}{16}$ ③ $\dfrac{e^4}{2} - \dfrac{1}{4}$

④ $\dfrac{e^4}{2} - \dfrac{3}{16}$ ⑤ $\dfrac{e^4}{2} - \dfrac{1}{8}$

(미적)도함수의 활용 C 501
2022년 수능 28번(미적)

28. 함수 $f(x) = 6\pi(x-1)^2$에 대하여 함수 $g(x)$를

$$g(x) = 3f(x) + 4\cos f(x)$$

라 하자. $0 < x < 2$에서 함수 $g(x)$가 극소가 되는 x의 개수는? [4점]

① 6   ② 7   ③ 8   ④ 9   ⑤ 10

단답형

29. 그림과 같이 길이가 2인 선분 AB를 지름으로 하는 반원이 있다. 호 AB 위에 두 점 P, Q를 $\angle PAB = \theta$, $\angle QBA = 2\theta$가 되도록 잡고, 두 선분 AP, BQ의 교점을 R라 하자. 선분 AB 위의 점 S, 선분 BR 위의 점 T, 선분 AR 위의 점 U를 선분 UT가 선분 AB에 평행하고 삼각형 STU가 정삼각형이 되도록 잡는다. 두 선분 AR, QR와 호 AQ로 둘러싸인 부분의 넓이를 $f(\theta)$, 삼각형 STU의 넓이를 $g(\theta)$라 할 때,

$$\lim_{\theta \to 0+} \frac{g(\theta)}{\theta \times f(\theta)} = \frac{q}{p}\sqrt{3}$$ 이다. $p+q$의 값을 구하시오.

(단, $0 < \theta < \frac{\pi}{6}$이고, p와 q는 서로소인 자연수이다.) [4점]

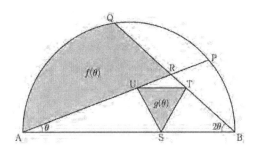

30. 실수 전체의 집합에서 증가하고 미분가능한 함수 $f(x)$가 다음 조건을 만족시킨다.

(가) $f(1) = 1$, $\int_{1}^{2} f(x)dx = \frac{5}{4}$

(나) 함수 $f(x)$의 역함수를 $g(x)$라 할 때, $x \geq 1$인 모든 실수 x에 대하여 $g(2x) = 2f(x)$이다.

$\int_{1}^{8} xf'(x)dx = \frac{q}{p}$일 때, $p+q$의 값을 구하시오.

(단, p와 q는 서로소인 자연수이다.) [4점]

[선택: 미적분]

23. ⑤ 24. ④ 25. ② 26. ③ 27. ①
28. ② 29. 11 30. 143

수학 영역(기하)

5지선다형

공간좌표 A 503
2022년 수능 23번(기하)

23. 좌표공간의 점 $A(2, 1, 3)$을 xy평면에 대하여 대칭이동한 점을 P라 하고, 점 A를 yz평면에 대하여 대칭이동한 점을 Q라 할 때, 선분 PQ의 길이는? [2점]

① $5\sqrt{2}$ ② $2\sqrt{13}$ ③ $3\sqrt{6}$

④ $2\sqrt{14}$ ⑤ $2\sqrt{15}$

쌍곡선 A 503
2022년 수능 24번(기하)

24. 한 초점의 좌표가 $(3\sqrt{2}, 0)$인 쌍곡선 $\dfrac{x^2}{a^2} - \dfrac{y^2}{6} = 1$의 주축의 길이는? (단, a는 양수이다.) [3점]

① $3\sqrt{3}$ ② $\dfrac{7\sqrt{3}}{2}$ ③ $4\sqrt{3}$

④ $\dfrac{9\sqrt{3}}{2}$ ⑤ $5\sqrt{3}$

벡터의 성분과 내적 B 503
2022년 수능 25번(기하)
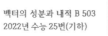

25. 좌표평면에서 두 직선

$$\frac{x+1}{2} = y - 3, \quad x - 2 = \frac{y-5}{3}$$

가 이루는 예각의 크기를 θ라 할 때, $\cos\theta$의 값은? [3점]

① $\dfrac{1}{2}$ ② $\dfrac{\sqrt{5}}{4}$ ③ $\dfrac{\sqrt{6}}{4}$ ④ $\dfrac{\sqrt{7}}{4}$ ⑤ $\dfrac{\sqrt{2}}{2}$

타원 B 503
2022년 수능 26번(기하)

26. 두 초점이 F, F′인 타원 $\dfrac{x^2}{64} + \dfrac{y^2}{16} = 1$ 위의 점 중 제1사분면에 있는 점 A가 있다. 두 직선 AF, AF′에 동시에 접하고 중심이 y축 위에 있는 원 중 중심의 y좌표가 음수인 것을 C라 하자. 원 C의 중심을 B라 할 때 사각형 AFBF′의 넓이가 72이다. 원 C의 반지름의 길이는? [3점]

① $\dfrac{17}{2}$ ② 9 ③ $\dfrac{19}{2}$ ④ 10 ⑤ $\dfrac{21}{2}$

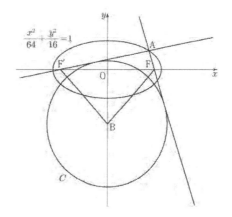

공간도형 C 502
2022년 수능 27번(기하)

27. 그림과 같이 한 모서리의 길이가 4인 정육면체 ABCD - EFGH가 있다. 선분 AD의 중점을 M이라 할 때, 삼각형 MEG의 넓이는? [3점]

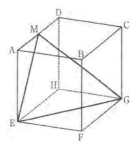

① $\dfrac{21}{2}$ ② 11 ③ $\dfrac{23}{2}$ ④ 12 ⑤ $\dfrac{25}{2}$

28. 두 양수 a, p에 대하여 포물선 $(y-a)^2 = 4px$의 초점을 F_1이라 하고, 포물선 $y^2 = -4x$의 초점을 F_2라 하자. 선분 F_1F_2가 두 포물선과 만나는 점을 각각 P, Q라 할 때, $\overline{F_1F_2} = 3$, $\overline{PQ} = 1$이다. $a^2 + p^2$의 값은? [4점]

① 6   ② $\dfrac{25}{4}$ ③ $\dfrac{13}{2}$ ④ $\dfrac{27}{4}$ ⑤ 7

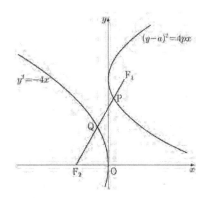

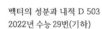

단답형

29. 좌표평면에서 $\overline{OA} = \sqrt{2}$, $\overline{OB} = 2\sqrt{2}$이고 $\cos(\angle AOB) = \dfrac{1}{4}$인 평행사변형 OACB에 대하여 점 P가 다음 조건을 만족시킨다.

(가)	$\overrightarrow{OP} = s\overrightarrow{OA} + t\overrightarrow{OB}$ $(0 \le s \le 1,\ 0 \le t \le 1)$
(나)	$\overrightarrow{OP} \cdot \overrightarrow{OB} + \overrightarrow{BP} \cdot \overrightarrow{BC} = 2$

점 O를 중심으로 하고 점 A를 지나는 원 위를 움직이는 점 X에 대하여 $|3\overrightarrow{OP} - \overrightarrow{OX}|$의 최댓값과 최솟값을 각각 M, m이라 하자. $M \times m = a\sqrt{6} + b$일 때, $a^2 + b^2$의 값을 구하시오. (단, a와 b는 유리수이다.) [4점]

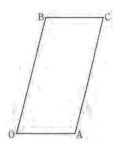

30. 좌표공간에 중심이 $C(2, \sqrt{5}, 5)$이고 점 $P(0, 0, 1)$을 지나는 구

$$S : (x-2)^2 + (y-\sqrt{5})^2 + (z-5)^2 = 25$$

가 있다. 구 S가 평면 OPC와 만나서 생기는 원 위를 움직이는 점 Q, 구 S 위를 움직이는 점 R에 대하여 두 점 Q, R의 xy평면 위로의 정사영을 각각 Q_1, R_1이라 하자. 삼각형 OQ_1R_1의 넓이가 최대가 되도록 하는 두 점 Q, R에 대하여 삼각형 OQ_1R_1의 평면 PQR 위로의 정사영의 넓이는 $\dfrac{q}{p}\sqrt{6}$이다. $p+q$의 값을 구하시오. (단, O는 원점이고 세 점 O, Q_1, R_1은 한 직선 위에 있지 않으며, p와 q는 서로소인 자연수이다.) [4점]

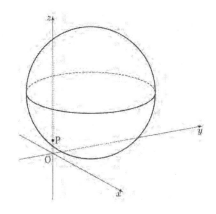

[선택: 기하]
23. ②   24. ③   25. ⑤   26. ②   27. ④
28. ⑤   29. 100   30. 23

5지선다형

지수 A 506
모의고사 (고3) 2027년 2월 1번

1. $(3\sqrt{3})^{\frac{1}{3}} \times 3^{\frac{3}{2}}$ 의 값은? [2점]

① 1   ② $\sqrt{3}$ ③ 3   ④ $3\sqrt{3}$ ⑤ 9

미분계수와 도함수 A 509
모의고사 (고3) 2022년 3월 7번

2. 함수 $f(x) = x^3 + 2x^2 + 3x + 4$ 에 대하여 $f'(-1)$ 의 값은? [2점]

① 1   ② 2   ③ 3   ④ 4   ⑤ 5

등차수열과 등비수열 A 506
모의고사 (고3) 2022년 3월 2번

3. 등차수열 $\{a_n\}$ 에 대하여

$$a_4 = 6, \quad 2a_7 = a_{19}$$

일 때, a_1 의 값은? [3점]

① 1   ② 2   ③ 3   ④ 4   ⑤ 5

함수의 극한 A 507
모의고사 (고3) 2027년 2월 3번

4. 함수 $y = f(x)$ 의 그래프가 그림과 같다.

$$\lim_{x \to -1+} f(x) + \lim_{x \to 1-} f(x)$$ 의 값은? [3점]

① -2   ② -1   ③ 0   ④ 1   ⑤ 2

삼각함수 A 506
모의고사 (고3) 2022년 3월 4번

5. $\frac{\pi}{2} < \theta < \pi$ 인 θ 에 대하여 $\cos\theta\tan\theta = \frac{1}{2}$ 일 때, $\cos\theta + \tan\theta$ 의 값은? [3점]

① $-\dfrac{5\sqrt{3}}{6}$ ② $-\dfrac{2\sqrt{3}}{3}$ ③ $-\dfrac{\sqrt{3}}{2}$

④ $-\dfrac{\sqrt{3}}{3}$ ⑤ $-\dfrac{\sqrt{3}}{6}$

미분계수와 도함수 B 508
모의고사 (고3) 2022년 3월 5번

6. 함수 $f(x) = 2x^2 - 3x + 5$ 에서 x 의 값이 a 에서 $a+1$ 까지 변할 때의 평균변화율이 7이다. $\displaystyle\lim_{h \to 0} \frac{f(a+2h) - f(a)}{h}$ 의 값은? (단, a 는 상수이다.) [3점]

① 6   ② 8   ③ 10   ④ 12   ⑤ 14

7. 그림과 같이 곡선 $y=x^2-4x+6$ 위의 점 A(3, 3)에서의 접선을 l이라 할 때, 곡선 $y=x^2-4x+6$과 직선 l 및 y축으로 둘러싸인 부분의 넓이는? [3점]

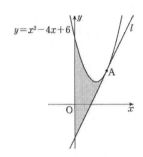

① $\dfrac{26}{3}$ ② 9 ③ $\dfrac{28}{3}$ ④ $\dfrac{29}{3}$ ⑤ 10

8. 그림과 같이 양의 상수 a에 대하여 곡선
$$y=2\cos ax \left(0 \le x \le \frac{2\pi}{a}\right)$$와 직선 $y=1$이 만나는 두 점을 각각 A, B라 하자. $\overline{AB}=\dfrac{8}{3}$일 때, a의 값은? [3점]

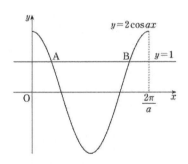

① $\dfrac{\pi}{3}$ ② $\dfrac{5\pi}{12}$ ③ $\dfrac{\pi}{2}$ ④ $\dfrac{7\pi}{12}$ ⑤ $\dfrac{2\pi}{3}$

9. 수직선 위를 움직이는 점 P의 시각 $t\,(t \ge 0)$에서의 속도 $v(t)$가
$$v(t)=3t^2+at$$
이다. 시각 $t=0$에서의 점 P의 위치와 시각 $t=6$에서의 점 P의 위치가 서로 같을 때, 점 P가 시각 $t=0$에서 $t=6$까지 움직인 거리는? (단, a는 상수이다.) [4점]

① 64 ② 66 ③ 68 ④ 70 ⑤ 72

10. 두 함수
$$f(x)=x^2+2x+k, \quad g(x)=2x^3-9x^2+12x-2$$
에 대하여 함수 $(g \circ f)(x)$의 최솟값이 2가 되도록 하는 실수 k의 최솟값은? [4점]

① 1 ② $\dfrac{9}{8}$ ③ $\dfrac{5}{4}$ ④ $\dfrac{11}{8}$ ⑤ $\dfrac{3}{2}$

11. 그림과 같이 두 상수 a, k에 대하여 직선 $x=k$가 두 곡선 $y=2^{x-1}+1$, $y=\log_2(x-a)$와 만나는 점을 각각 A, B라 하고, 점 B를 지나고 기울기가 -1인 직선이 곡선 $y=2^{x-1}+1$과 만나는 점을 C라 하자. $\overline{AB}=8$, $\overline{BC}=2\sqrt{2}$ 일 때, 곡선 $y=\log_2(x-a)$가 x축과 만나는 점 D에 대하여 사각형 ACDB의 넓이는? (단, $0<a<k$) [4점]

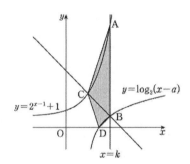

① 14 ② 13 ③ 12 ④ 11 ⑤ 10

12. $a>2$인 상수 a에 대하여 함수 $f(x)$를
$$f(x)=\begin{cases} x^2-4x+3 & (x \le 2) \\ -x^2+ax & (x>2) \end{cases}$$
라 하자. 최고차항의 계수가 1인 삼차함수 $g(x)$에 대하여 실수 전체의 집합에서 연속인 함수 $h(x)$가 다음 조건을 만족시킬 때, $h(1)+h(3)$의 값은? [4점]

(가) $x \ne 1$, $x \ne a$일 때, $h(x)=\dfrac{g(x)}{f(x)}$ 이다.
(나) $h(1)=h(a)$

① $-\dfrac{15}{6}$ ② $-\dfrac{7}{3}$ ③ $-\dfrac{13}{6}$ ④ -2 ⑤ $-\dfrac{11}{6}$

등차수열과 등비수열 C 502
모의고사 (고3) 2022년 3월 12번

13. 첫째항이 양수인 등차수열 $\{a_n\}$의 첫째항부터 제 n항까지의 합을 S_n이라 하자.

$$|S_3| = |S_6| = |S_{11}| - 3$$

을 만족시키는 모든 수열 $\{a_n\}$의 첫째항의 합은? [4점]

① $\dfrac{31}{5}$ ② $\dfrac{33}{5}$ ③ 7 ④ $\dfrac{37}{5}$ ⑤ $\dfrac{39}{5}$

도함수의 활용 E 504
모의고사 (고3) 2022년 3월 13번

14. 두 함수

$$f(x) = x^3 - kx + 6, \quad g(x) = 2x^2 - 2$$

에 대하여 <보기>에서 옳은 것만을 있는 대로 고른 것은?

[4점]

─────── < 보 기 > ───────

ㄱ. $k = 0$일 때, 방정식 $f(x) + g(x) = 0$은 오직 하나의 실근을 갖는다.

ㄴ. 방정식 $f(x) - g(x) = 0$의 서로 다른 실근의 개수가 2가 되도록 하는 실수 k의 값은 4뿐이다.

ㄷ. 방정식 $|f(x)| = g(x)$의 서로 다른 실근의 개수가 5가 되도록 하는 실수 k가 존재한다.

① ㄱ ② ㄱ, ㄴ ③ ㄱ, ㄷ
④ ㄴ, ㄷ ⑤ ㄱ, ㄴ, ㄷ

삼각함수의 활용 C 506
모의고사 (고3) 2022년 3월 14번

15. 그림과 같이 원에 내접하는 사각형 ABCD에 대하여

$$\overline{AB} = \overline{BC} = 2, \quad \overline{AD} = 3, \quad \angle BAD = \frac{\pi}{3}$$

이다. 두 직선 AD, BC의 교점을 E라 하자.

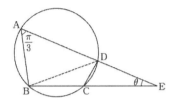

다음은 $\angle AEB = \theta$일 때, $\sin\theta$의 값을 구하는 과정이다.

───────────────────────
삼각형 ABD와 삼각형 BCD에서 코사인법칙을 이용하면
$$\overline{CD} = \boxed{\text{(가)}}$$
이다. 삼각형 EAB와 삼각형 ECD에서
$$\angle AEB는 공통, \quad \angle EAB = \angle ECD$$
이므로 삼각형 EAB와 삼각형 ECD는 닮음이다.
이를 이용하면
$$\overline{ED} = \boxed{\text{(나)}}$$
이다. 삼각형 ECD에서 사인법칙을 이용하면
$$\sin\theta = \boxed{\text{(다)}}$$
이다.
───────────────────────

위의 (가), (나), (다)에 알맞은 수를 각각 p, q, r라 할 때, $(p+q) \times r$의 값은? [4점]

① $\dfrac{\sqrt{3}}{2}$ ② $\dfrac{4\sqrt{3}}{7}$ ③ $\dfrac{9\sqrt{3}}{14}$ ④ $\dfrac{5\sqrt{3}}{7}$ ⑤ $\dfrac{11\sqrt{3}}{14}$

로그 A 506
모의고사 (고3) 2022년 3월 16번

16. $\dfrac{\log_5 72}{\log_5 2} - 4\log_2 \dfrac{\sqrt{6}}{2}$ 의 값을 구하시오. [3점]

정적분 B 501
모의고사 (고3) 2022년 3월 16번

17. $\displaystyle\int_{-3}^{2}(2x^3+6|x|)\,dx - \int_{-3}^{-2}(2x^3-6x)\,dx$ 의 값을 구하시오.

[3점]

수열의 합 B 503
모의고사 (고3) 2022년 3월 18번

18. 부등식 $\displaystyle\sum_{k=1}^{5}2^{k-1} < \sum_{k=1}^{n}(2k-1) < \sum_{k=1}^{5}\left(2\times 3^{k-1}\right)$ 을 만족시키는
모든 자연수 n의 값의 합을 구하시오. [3점]

도함수의 활용 B 505
모의고사 (고3) 2022년 3월 19번

19. 모든 실수 x에 대하여 부등식

$$3x^4 - 4x^3 - 12x^2 + k \geq 0$$

이 항상 성립하도록 하는 실수 k의 최솟값을 구하시오. [3점]

수학적 귀납법 C 502
모의고사 (고3) 2022년 3월 70번

20. 수열 $\{a_n\}$은 $1 < a_1 < 2$이고, 모든 자연수 n에 대하여

$$a_{n+1} = \begin{cases} -2a_n & (a_n < 0) \\ a_n - 2 & (a_n \geq 0) \end{cases}$$

을 만족시킨다. $a_7 = -1$일 때, $40 \times a_1$의 값을 구하시오. [4점]

21. 상수 k에 대하여 다음 조건을 만족시키는 좌표평면의 점 A(a, b)가 오직 하나 존재한다.

(가) 점 A는 곡선 $y = \log_2(x+2) + k$ 위의 점이다.

(나) 점 A를 직선 $y = x$에 대하여 대칭이동한 점은 곡선 $y = 4^{x+k} + 2$ 위에 있다.

$a \times b$의 값을 구하시오. (단, $a \neq b$) [4점]

22. 실수 전체의 집합에서 연속인 함수 $f(x)$와 최고차항의 계수가 1이고 상수항이 0인 삼차함수 $g(x)$가 있다. 양의 상수 a에 대하여 두 함수 $f(x)$, $g(x)$가 다음 조건을 만족시킨다.

(가) 모든 실수 x에 대하여 $x|g(x)| = \int_{2a}^{x}(a-t)f(t)dt$ 이다.

(나) 방정식 $g(f(x)) = 0$의 서로 다른 실근의 개수는 4 이다.

$\int_{-2a}^{2a} f(x)dx$의 값을 구하시오. [4점]

수학 정답

1	⑤	2	②	3	④	4	④	5	①
6	③	7	②	8	③	9	①	10	⑤
11	⑤	12	③	13	①	14	②	15	④
16	5	17	24	18	105	19	32	20	70
21	12	22	4						

수학 영역(확률과 통계)

5 지 선 다 형

중복조합 A 505
모의고사 (고3) 2027년 2월 23번(확통)

23. $_3\Pi_4$ 의 값은? [2점]

① 63   ② 69   ③ 75   ④ 81   ⑤ 87

여러가지순열 A 509
모의고사 (고3) 2022년 3월 23번(확통)

24. 6개의 숫자 1, 1, 2, 2, 2, 3을 일렬로 나열하여 만들 수 있는 여섯 자리의 자연수 중 홀수의 개수는? [3점]

① 20   ② 30   ③ 40   ④ 50   ⑤ 60

여러가지순열 B 512
모의고사 (고3) 2022년 3월 24번(확통)

25. A 학교 학생 5명, B 학교 학생 2명이 일정한 간격을 두고 원 모양의 탁자에 모두 둘러앉을 때, B 학교 학생끼리는 이웃하지 않도록 앉는 경우의 수는? (단, 회전하여 일치하는 것은 같은 것으로 본다.) [3점]

① 320   ② 360   ③ 400   ④ 440   ⑤ 480

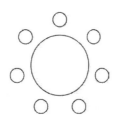

여러가지순열 B 513
모의고사 (고3) 2027년 2월 26번(확통)

26. 그림과 같이 직사각형 모양으로 연결된 도로망이 있다. 이 도로망을 따라 A 지점에서 출발하여 P 지점을 지나 B 지점까지 최단 거리로 가는 경우의 수는? (단, 한 번 지난 도로를 다시 지날 수 있다.) [3점]

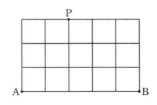

① 200   ② 210   ③ 220   ④ 230   ⑤ 240

중복조합 B 509
모의고사 (고3) 2022년 3월 26번(확통)

27. 그림과 같이 같은 종류의 책 8권과 이 책을 각 칸에 최대 5권, 5권, 8권을 꽂을 수 있는 3개의 칸으로 이루어진 책장이 있다. 이 책 8권을 책장에 남김없이 나누어 꽂는 경우의 수는? (단, 비어 있는 칸이 있을 수 있다.) [3점]

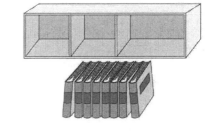

① 31   ② 32   ③ 33   ④ 34   ⑤ 35

28. 세 명의 학생 A, B, C에게 서로 다른 종류의 사탕 5개를 다음 규칙에 따라 남김없이 나누어 주는 경우의 수는? (단, 사탕을 받지 못하는 학생이 있을 수 있다.) [4점]

> (가) 학생 A는 적어도 하나의 사탕을 받는다.
> (나) 학생 B가 받는 사탕의 개수는 2 이하이다.

① 167   ② 170   ③ 173   ④ 176   ⑤ 179

단 답 형

29. 두 집합 $X=\{1, 2, 3, 4, 5\}$, $Y=\{-1, 0, 1, 2, 3\}$에 대하여 다음 조건을 만족시키는 함수 $f : X \to Y$의 개수를 구하시오.
[4점]

> (가) $f(1) \leq f(2) \leq f(3) \leq f(4) \leq f(5)$
> (나) $f(a)+f(b)=0$을 만족시키는 집합 X의 서로 다른 두 원소 a, b가 존재한다.

30. 흰색 원판 4개와 검은색 원판 4개에 각각 A, B, C, D의 문자가 하나씩 적혀 있다. 이 8개의 원판 중에서 4개를 택하여 다음 규칙에 따라 원기둥 모양으로 쌓는 경우의 수를 구하시오. (단, 원판의 크기는 모두 같고, 원판의 두 밑면은 서로 구별하지 않는다.) [4점]

> (가) 선택된 4개의 원판 중 같은 문자가 적힌 원판이 있으면 같은 문자가 적힌 원판끼리는 검은색 원판이 흰색 원판보다 아래쪽에 놓이도록 쌓는다.
> (나) 선택된 4개의 원판 중 같은 문자가 적힌 원판이 없으면 D가 적힌 원판이 맨 아래에 놓이도록 쌓는다.

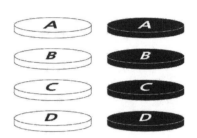

[확률과 통계]

23	④	24	②	25	⑤	26	①	27	③
28	④	29	65	30	708				

수학 영역(미적분)

5 지 선 다 형

수열의 극한 A 516
모의고사 (고3) 2027년 2월 23번(미적)

23. $\lim\limits_{n\to\infty} \dfrac{2^{n+1}+3^{n-1}}{(-2)^n+3^n}$ 의 값은? [2점]

① $\dfrac{1}{9}$ ② $\dfrac{1}{3}$ ③ 1 ④ 3 ⑤ 9

수열의 극한 A 517
모의고사 (고3) 2022년 3월 23번(미적)

24. 수열 $\{a_n\}$ 이 $\lim\limits_{n\to\infty}(3a_n-5n)=2$ 를 만족시킬 때,

$\lim\limits_{n\to\infty} \dfrac{(2n+1)a_n}{4n^2}$ 의 값은? [3점]

① $\dfrac{1}{6}$ ② $\dfrac{1}{3}$ ③ $\dfrac{1}{2}$ ④ $\dfrac{2}{3}$ ⑤ $\dfrac{5}{6}$

수열의 극한 B 507
모의고사 (고3) 2022년 3월 24번(미적)

25. $\lim\limits_{n\to\infty}\left(\sqrt{an^2+n}-\sqrt{an^2-an}\right)=\dfrac{5}{4}$ 를 만족시키는 모든 양수

a 의 값의 합은? [3점]

① $\dfrac{7}{2}$ ② $\dfrac{15}{4}$ ③ 4 ④ $\dfrac{17}{4}$ ⑤ $\dfrac{9}{2}$

급수 B 514
모의고사 (고3) 2027년 2월 26번(미적)

26. 첫째항이 1인 두 수열 $\{a_n\}$, $\{b_n\}$ 이 모든 자연수 n 에 대하여

$$a_{n+1}-a_n=3, \quad \sum_{k=1}^{n}\dfrac{1}{b_k}=n^2$$

을 만족시킬 때, $\lim\limits_{n\to\infty}a_nb_n$ 의 값은? [3점]

① $\dfrac{7}{6}$ ② $\dfrac{4}{3}$ ③ $\dfrac{3}{2}$ ④ $\dfrac{5}{3}$ ⑤ $\dfrac{11}{6}$

수열의 극한 B 508
모의고사 (고3) 2022년 3월 26번(미적)

27. 수열 $\{a_n\}$ 이 모든 자연수 n 에 대하여

$$a_n^2 < 4na_n + n - 4n^2$$

을 만족시킬 때, $\lim\limits_{n\to\infty} \dfrac{a_n+3n}{2n+4}$ 의 값은? [3점]

① $\dfrac{5}{2}$ ② 3 ③ $\dfrac{7}{2}$ ④ 4 ⑤ $\dfrac{9}{2}$

수열의 극한 C 505
모의고사 (고3) 2022년 3월 28번(미적)

28. 자연수 n 에 대하여 좌표평면 위의 점 A_n 을 다음 규칙에 따라 정한다.

> (가) A_1 은 원점이다.
> (나) n 이 홀수이면 A_{n+1} 은 점 A_n 을 x 축의 방향으로 a 만큼 평행이동한 점이다.
> (다) n 이 짝수이면 A_{n+1} 은 점 A_n 을 y 축의 방향으로 $a+1$ 만큼 평행이동한 점이다.

$\lim\limits_{n\to\infty} \dfrac{\overline{A_1A_{2n}}}{n}=\dfrac{\sqrt{34}}{2}$ 일 때, 양수 a 의 값은? [4점]

① $\dfrac{3}{2}$ ② $\dfrac{7}{4}$ ③ 2 ④ $\dfrac{9}{4}$ ⑤ $\dfrac{5}{2}$

수열의 극한 C 506
모의고사 (고3) 2022년 3월 29번(미적)

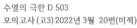

29. 실수 t에 대하여 직선 $y = tx - 2$가 함수

$$f(x) = \lim_{n \to \infty} \frac{2x^{2n+1} - 1}{x^{2n} + 1}$$

의 그래프와 만나는 점의 개수를 $g(t)$라 하자. 함수 $g(t)$가 $t = a$에서 불연속인 모든 a의 값을 작은 수부터 크기순으로 나열한 것을 $a_1,\ a_2,\ \cdots,\ a_m\ (m$은 자연수)라 할 때, $m \times a_m$의 값을 구하시오. [4점]

수열의 극한 D 503
모의고사 (고3) 2022년 3월 20번(미적)

30. 그림과 같이 자연수 n에 대하여 곡선

$$T_n : y = \frac{\sqrt{3}}{n+1} x^2\ (x \geq 0)$$

위에 있고 원점 O와의 거리가 $2n+2$인 점을 P_n이라 하고, 점 P_n에서 x축에 내린 수선의 발을 H_n이라 하자.
중심이 P_n이고 점 H_n을 지나는 원을 C_n이라 할 때, 곡선 T_n과 원 C_n의 교점 중 원점에 가까운 점을 Q_n, 원점에서 원 C_n에 그은 두 접선의 접점 중 H_n이 아닌 점을 R_n이라 하자.
점 R_n을 포함하지 않는 호 Q_nH_n과 선분 P_nH_n, 곡선 T_n으로 둘러싸인 부분의 넓이를 $f(n)$, 점 H_n을 포함하지 않는 호 R_nQ_n과 선분 OR_n, 곡선 T_n으로 둘러싸인 부분의 넓이를 $g(n)$이라 할 때, $\displaystyle\lim_{n \to \infty} \frac{f(n) - g(n)}{n^2} = \frac{\pi}{2} + k$이다. $60k^2$의 값을 구하시오. (단, k는 상수이다.) [4점]

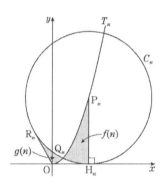

[미적분]

23	②	24	⑤	25	④	26	③	27	①
28	①	29	28	30	80				

수학 영역(기하)

5 지 선 다 형

포물선 A 504
모의고사 (고3) 2027년 2월 72번(기하)

23. 초점이 F인 포물선 $y^2 = 8x$ 위의 점 P와 y축 사이의 거리가 3일 때, 선분 PF의 길이는? [2점]

① 4 　　② 5 　　③ 6 　　④ 7 　　⑤ 8

타원 A 504
모의고사 (고3) 2022년 3월 23번(기하)

24. 두 초점의 좌표가 (0, 3), (0, −3)인 타원이 y축과 점 (0, 7)에서 만날 때, 이 타원의 단축의 길이는? [3점]

① $4\sqrt{6}$ 　② $4\sqrt{7}$ 　③ $8\sqrt{2}$ 　④ 12 　⑤ $4\sqrt{10}$

쌍곡선 B 506
모의고사 (고3) 2022년 3월 24번(기하)

25. 쌍곡선 $4x^2 - 8x - y^2 - 6y - 9 = 0$의 점근선 중 기울기가 양수인 직선과 x축, y축으로 둘러싸인 부분의 넓이는? [3점]

① $\dfrac{19}{4}$ 　② $\dfrac{21}{4}$ 　③ $\dfrac{23}{4}$ 　④ $\dfrac{25}{4}$ 　⑤ $\dfrac{27}{4}$

타원 B 506
모의고사 (고3) 2027년 2월 26번(기하)

26. 그림과 같이 두 초점이 F, F′인 타원 $\dfrac{x^2}{25} + \dfrac{y^2}{9} = 1$ 위의 점 중 제1사분면에 있는 점 P에 대하여 세 선분 PF, PF′, FF′의 길이가 이 순서대로 등차수열을 이룰 때, 점 P의 x좌표는? (단, 점 F의 x좌표는 양수이다.) [3점]

① 1 　② $\dfrac{9}{8}$ 　③ $\dfrac{5}{4}$ 　④ $\dfrac{11}{8}$ 　⑤ $\dfrac{3}{2}$

포물선 C 511
모의고사 (고3) 2022년 3월 26번(기하)

27. 초점이 F인 포물선 $y^2 = 4px \ (p > 0)$ 위의 점 중 제1사분면에 있는 점 P에서 준선에 내린 수선의 발 H에 대하여 선분 FH가 포물선과 만나는 점을 Q라 하자. 점 Q가 다음 조건을 만족시킬 때, 상수 p의 값은? [3점]

(가) 점 Q는 선분 FH를 1:2로 내분한다.

(나) 삼각형 PQF의 넓이는 $\dfrac{8\sqrt{3}}{3}$ 이다.

① $\sqrt{2}$ 　② $\sqrt{3}$ 　③ 2 　④ $\sqrt{5}$ 　⑤ $\sqrt{6}$

28. 그림과 같이 타원 $\dfrac{x^2}{a^2}+\dfrac{y^2}{b^2}=1$의 두 초점 F, F′에 대하여

선분 FF′을 지름으로 하는 원을 C라 하자. 원 C가 타원과
제1사분면에서 만나는 점을 P라 하고, 원 C가 y축과 만나는
점 중 y좌표가 양수인 점을 Q라 하자. 두 직선 F′P, QF가

이루는 예각의 크기를 θ라 하자. $\cos\theta=\dfrac{3}{5}$일 때, $\dfrac{b^2}{a^2}$의 값은?

(단, a, b는 $a>b>0$인 상수이고, 점 F의 x좌표는 양수이다.)

[4점]

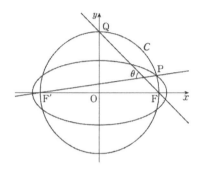

① $\dfrac{11}{64}$ ② $\dfrac{3}{16}$ ③ $\dfrac{13}{64}$ ④ $\dfrac{7}{32}$ ⑤ $\dfrac{15}{64}$

29. 두 점 F, F′을 초점으로 하는 쌍곡선 $\dfrac{x^2}{4}-\dfrac{y^2}{32}=1$ 위의 점

A가 다음 조건을 만족시킨다.

(가) $\overline{\mathrm{AF}}<\overline{\mathrm{AF}'}$
(나) 선분 AF의 수직이등분선은 점 F′을 지난다.

선분 AF의 중점 M에 대하여 직선 MF′과 쌍곡선의 교점 중
점 A에 가까운 점을 B라 할 때, 삼각형 BFM의 둘레의 길이는
k이다. k^2의 값을 구하시오. [4점]

30. 그림과 같이 꼭짓점이 A_1이고 초점이 F_1인 포물선 P_1과
꼭짓점이 A_2이고 초점이 F_2인 포물선 P_2가 있다. 두 포물선의
준선은 모두 직선 F_1F_2와 평행하고, 두 선분 A_1A_2, F_1F_2의
중점은 서로 일치한다.
두 포물선 P_1, P_2가 서로 다른 두 점에서 만날 때 두 점
중에서 점 A_2에 가까운 점을 B라 하자. 포물선 P_1이 선분
F_1F_2와 만나는 점을 C라 할 때, 두 점 B, C가 다음 조건을
만족시킨다.

(가) $\overline{A_1C}=5\sqrt{5}$

(나) $\overline{F_1B}-\overline{F_2B}=\dfrac{48}{5}$

삼각형 BF_2F_1의 넓이가 S일 때, $10S$의 값을 구하시오.
(단, $\angle F_1F_2B<90°$) [4점]

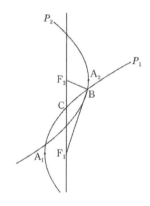

[기하]

23	②	24	⑤	25	④	26	③	27	①
28	④	29	128	30	384				

5지선다형

지수 A 510
모의고사 (고3) 2022년 4월 7번

1. $\left(27 \times \sqrt{8}\right)^{\frac{2}{3}}$ 의 값은? [2점]

① 9 ② 12 ③ 15 ④ 18 ⑤ 21

미분계수와 도함수 A 515
모의고사 (고3) 2022년 4월 2번

2. 함수 $f(x) = x^3 + 7x - 4$ 에 대하여 $f'(1)$의 값은? [2점]

① 6 ② 7 ③ 8 ④ 9 ⑤ 10

함수의 극한 A 512
모의고사 (고3) 2022년 4월 3번

3. $\lim\limits_{x \to 3} \dfrac{\sqrt{2x-5}-1}{x-3}$ 의 값은? [3점]

① 1 ② 2 ③ 3 ④ 4 ⑤ 5

등차수열과 등비수열 A 510
모의고사 (고3) 2022년 4월 4번

4. 등비수열 $\{a_n\}$에 대하여 $a_2 = 1$, $a_5 = 2(a_3)^2$일 때, a_6의 값은?

[3점]

① 8 ② 10 ③ 12 ④ 14 ⑤ 16

로그함수의 활용 A 502
모의고사 (고3) 2022년 4월 5번

5. 부등식 $\log_2 x \leq 4 - \log_2(x-6)$을 만족시키는 모든 정수 x의 값의 합은? [3점]

① 15 ② 19 ③ 23 ④ 27 ⑤ 31

삼각함수 A 512
모의고사 (고3) 2022년 4월 6번

6. $\sin\theta + \cos\theta = \dfrac{1}{2}$일 때, $(2\sin\theta + \cos\theta)(\sin\theta + 2\cos\theta)$의 값은?

[3점]

① $\dfrac{1}{8}$ ② $\dfrac{1}{4}$ ③ $\dfrac{3}{8}$ ④ $\dfrac{1}{2}$ ⑤ $\dfrac{5}{8}$

7. $f(3) = 2$, $f'(3) = 1$인 다항함수 $f(x)$와 최고차항의 계수가 1인 이차함수 $g(x)$가

$$\lim_{x \to 3} \frac{f(x) - g(x)}{x - 3} = 1$$

을 만족시킬 때, $g(1)$의 값은? [3점]

① 3   ② 4   ③ 5   ④ 6   ⑤ 7

8. 공비가 $\sqrt{3}$인 등비수열 $\{a_n\}$과 공비가 $-\sqrt{3}$인 등비수열 $\{b_n\}$에 대하여

$$a_1 = b_1, \quad \sum_{n=1}^{8} a_n + \sum_{n=1}^{8} b_n = 160$$

일 때, $a_3 + b_3$의 값은? [3점]

① 9   ② 12   ③ 15   ④ 18   ⑤ 21

9. 그림과 같이 두 곡선 $y = 2^{-x+a}$, $y = 2^x - 1$이 만나는 점을 A, 곡선 $y = 2^{-x+a}$이 y축과 만나는 점을 B라 하자. 점 A에서 y축에 내린 수선의 발을 H라 할 때, $\overline{OB} = 3 \times \overline{OH}$이다. 상수 a의 값은? (단, O는 원점이다.) [4점]

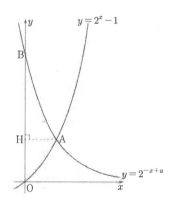

① 2   ② $\log_2 5$ ③ $\log_2 6$ ④ $\log_2 7$ ⑤ 3

10. 수직선 위를 움직이는 점 P의 시각 $t(t \geq 0)$에서의 속도 $v(t)$가

$$v(t) = 3(t-2)(t-a) \ (a > 2인 \ 상수)$$

이다. 점 P의 시각 $t = 0$에서의 위치는 0이고, $t > 0$에서 점 P의 위치가 0이 되는 순간은 한 번뿐이다. $v(8)$의 값은? [4점]

① 27   ② 36   ③ 45   ④ 54   ⑤ 63

11. 자연수 k에 대하여 $0 \leq x < 2\pi$일 때, x에 대한 방정식

$$\sin kx = \frac{1}{3}$$의 서로 다른 실근의 개수가 8이다.

$0 \leq x < 2\pi$일 때, x에 대한 방정식 $\sin kx = \frac{1}{3}$의 모든 해의 합은? [4점]

① 5π ② 6π ③ 7π ④ 8π ⑤ 9π

12. 수열 $\{a_n\}$이 다음 조건을 만족시킨다.

> (가) $1 \leq n \leq 4$인 모든 자연수 n에 대하여 $a_n + a_{n+4} = 15$이다.
> (나) $n \geq 5$인 모든 자연수 n에 대하여 $a_{n+1} - a_n = n$이다.

$\sum_{n=1}^{4} a_n = 6$일 때, a_5의 값은? [4점]

① 1   ② 3   ③ 5   ④ 7   ⑤ 9

13. 다항함수 $f(x)$가

$$\lim_{x \to 2} \frac{1}{x-2} \int_1^x (x-t)f(t)dt = 3$$

을 만족시킬 때, $\int_1^2 (4x+1)f(x)dx$의 값은? [4점]

① 15　　② 18　　③ 21　　④ 24　　⑤ 27

14. 정수 k와 함수

$$f(x) = \begin{cases} x+1 & (x < 0) \\ x-1 & (0 \le x < 1) \\ 0 & (1 \le x \le 3) \\ -x+4 & (x > 3) \end{cases}$$

에 대하여 함수 $g(x)$를 $g(x) = |f(x-k)|$라 할 때,
<보기>에서 옳은 것만을 있는 대로 고른 것은? [4점]

───────〈 보 기 〉───────

ㄱ. $k = -3$일 때, $\lim_{x \to 0^-} g(x) = g(0)$이다.

ㄴ. 함수 $f(x) + g(x)$가 $x = 0$에서 연속이 되도록 하는
　　정수 k가 존재한다.

ㄷ. 함수 $f(x)g(x)$가 $x = 0$에서 미분가능하도록 하는
　　모든 정수 k의 값의 합은 -5이다.

① ㄱ　　　　② ㄷ　　　　③ ㄱ, ㄴ
④ ㄱ, ㄷ　　　⑤ ㄱ, ㄴ, ㄷ

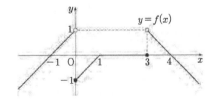

15. 그림과 같이 반지름의 길이가 $R(5 < R < 5\sqrt{5})$인 원에
내접하는 사각형 ABCD가 다음 조건을 만족시킨다.

┌─────────────────────────────┐
│ ○ $\overline{AB} = \overline{AD}$이고 $\overline{AC} = 10$이다.
│ ○ 사각형 ABCD의 넓이는 40이다.
└─────────────────────────────┘

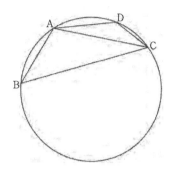

다음은 선분 BD의 길이와 R의 비를 구하는 과정이다.

┌─────────────────────────────┐
│ $\overline{AB} = \overline{AD} = k$라 할 때
│ 두 삼각형 ABC, ACD에서 각각 코사인법칙에 의하여
│ $$\cos(\angle ACB) = \frac{1}{20}\left(\overline{BC} + \frac{\boxed{(가)}}{\overline{BC}}\right),$$
│ $$\cos(\angle DCA) = \frac{1}{20}\left(\overline{CD} + \frac{\boxed{(가)}}{\overline{CD}}\right)$$
│ 이다.
│ 이때 두 호 AB, AD에 대한 원주각의 크기가 같으므로
│ $\cos(\angle ACB) = \cos(\angle DCA)$이다.
│ 사각형 ABCD의 넓이는
│ 두 삼각형 ABD, BCD의 넓이의 합과 같으므로
│ $$\frac{1}{2}k^2 \sin(\angle BAD) + \frac{1}{2} \times \overline{BC} \times \overline{CD} \times \sin(\pi - \angle BAD) = 40$$
│ 에서 $\sin(\angle BAD) = \boxed{(나)}$이다.
│ 따라서 삼각형 ABD에서 사인법칙에 의하여
│ $\overline{BD} : R = \boxed{(다)} : 1$이다.
└─────────────────────────────┘

위의 (가)에 알맞은 식을 $f(k)$라 하고, (나), (다)에 알맞은 수를
각각 p, q라 할 때, $\dfrac{f(10p)}{q}$의 값은? [4점]

① $\dfrac{25}{2}$　　② 15　　③ $\dfrac{35}{2}$　　④ 20　　⑤ $\dfrac{45}{2}$

로그 A 511
모의고사 (고3) 2022년 4월 16번

16. $\log_2 9 \times \log_3 16$의 값을 구하시오. [3점]

정적분의 활용 A 503
모의고사 (고3) 2022년 4월 18번

17. 곡선 $y=-x^2+4x-4$와 x축 및 y축으로 둘러싸인 부분의 넓이를 S라 할 때, $12S$의 값을 구하시오. [3점]

부정적분 B 503
모의고사 (고3) 2022년 4월 19번

18. 다항함수 $f(x)$의 한 부정적분 $F(x)$가 모든 실수 x에 대하여

$$F(x)=(x+2)f(x)-x^3+12x$$

를 만족시킨다. $F(0)=30$일 때, $f(2)$의 값을 구하시오. [3점]

도함수의 활용 B 509
모의고사 (고3) 2022년 4월 19번

19. 모든 실수 x에 대하여 부등식

$$x^4-4x^3+16x+a \geq 0$$

이 항상 성립하도록 하는 실수 a의 최솟값을 구하시오. [3점]

함수의 연속 D 504
모의고사 (고3) 2022년 4월 21번

20. 최고차항의 계수가 1인 삼차함수 $f(x)$가 모든 실수 x에 대하여 $f(-x)=-f(x)$를 만족시킨다. 양수 t에 대하여 좌표평면 위의 네 점 $(t, 0)$, $(0, 2t)$, $(-t, 0)$, $(0, -2t)$를 꼭짓점으로 하는 마름모가 곡선 $y=f(x)$와 만나는 점의 개수를 $g(t)$라 할 때, 함수 $g(t)$는 $t=\alpha$, $t=8$에서 불연속이다. $\alpha^2 \times f(4)$의 값을 구하시오. (단, α는 $0<\alpha<8$인 상수이다.) [4점]

21. 공차가 자연수 d이고 모든 항이 정수인 등차수열 $\{a_n\}$이 다음 조건을 만족시키도록 하는 모든 d의 값의 합을 구하시오. [4점]

> (가) 모든 자연수 n에 대하여 $a_n \neq 0$이다.
>
> (나) $a_{2m} = -a_m$이고 $\displaystyle\sum_{k=m}^{2m} |a_k| = 128$인 자연수 m이 존재한다.

22. 양수 a와 최고차항의 계수가 1인 삼차함수 $f(x)$에 대하여 함수

$$g(x) = \int_0^x \{f'(t+a) \times f'(t-a)\} dt$$

가 다음 조건을 만족시킨다.

> 함수 $g(x)$는 $x = \dfrac{1}{2}$과 $x = \dfrac{13}{2}$에서만 극값을 갖는다.

$f(0) = -\dfrac{1}{2}$일 때, $a \times f(1)$의 값을 구하시오. [4점]

1	④	2	⑤	3	①	4	⑤	5	①
6	①	7	④	8	②	9	③	10	②
11	③	12	③	13	⑤	14	④	15	⑤
16	8	17	32	18	9	19	11	20	240
21	170	22	30						

수학 영역(확률과 통계)

5지선다형

중복조합 A 502
모의고사 (고3) 2022년 4월 23번(확통)

23. $_nH_2 = {}_9C_2$일 때, 자연수 n의 값은? [2점]

① 2   ② 4   ③ 6   ④ 8   ⑤ 10

이항정리 A 506
모의고사 (고3) 2022년 4월 24번(확통)

24. 3 이상의 자연수 n에 대하여 다항식 $(x+2)^n$의 전개식에서 x^2의 계수와 x^3의 계수가 같을 때, n의 값은? [3점]

① 7   ② 8   ③ 9   ④ 10   ⑤ 11

여러가지순열 B 505
모의고사 (고3) 2022년 4월 25번(확통)

25. 두 집합 $X = \{1, 2, 3, 4, 5\}$, $Y = \{1, 2, 3\}$에 대하여 다음 조건을 만족시키는 함수 $f : X \to Y$의 개수는? [3점]

집합 X의 모든 원소 x에 대하여 $x \times f(x) \le 10$이다.

① 102   ② 105   ③ 108   ④ 111   ⑤ 114

여러가지순열 B 506
모의고사 (고3) 2022년 4월 26번(확통)

26. 학생 A를 포함한 4명의 1학년 학생과 학생 B를 포함한 4명의 2학년 학생이 있다. 이 8명의 학생이 일정한 간격을 두고 원 모양의 탁자에 다음 조건을 만족시키도록 모두 둘러앉는 경우의 수는? (단, 회전하여 일치하는 것은 같은 것으로 본다.) [3점]

(가) 1학년 학생끼리는 이웃하지 않는다.
(나) A와 B는 이웃한다.

① 48   ② 54   ③ 60   ④ 66   ⑤ 72

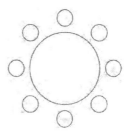

여러가지순열 C 506
모의고사 (고3) 2022년 4월 28번(확통)

27. 그림과 같이 A, B, B, C, D, D의 문자가 각각 하나씩 적힌 6개의 공과 1, 2, 3, 4, 5, 6의 숫자가 각각 하나씩 적힌 6개의 빈 상자가 있다.

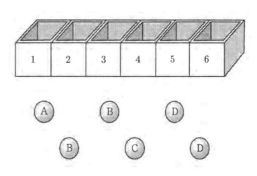

각 상자에 한 개의 공만 들어가도록 6개의 공을 나누어 넣을 때, 다음 조건을 만족시키는 경우의 수는? (단, 같은 문자가 적힌 공끼리는 서로 구별하지 않는다.) [3점]

(가) 숫자 1이 적힌 상자에 넣는 공은 문자 A 또는 문자 B가 적힌 공이다.
(나) 문자 B가 적힌 공을 넣는 상자에 적힌 수 중 적어도 하나는 문자 C가 적힌 공을 넣는 상자에 적힌 수보다 작다.

① 80   ② 85   ③ 90   ④ 95   ⑤ 100

28. 다음 조건을 만족시키는 음이 아닌 정수 a, b, c, d, e의 모든
순서쌍 (a, b, c, d, e)의 개수는? [4점]

> (가) $a+b+c+d+e=10$
> (나) $|a-b+c-d+e| \leq 2$

① 359   ② 363   ③ 367   ④ 371   ⑤ 375

29. 숫자 0, 1, 2 중에서 중복을 허락하여 5개를 선택한 후 일렬로
나열하여 다섯 자리의 자연수를 만들려고 한다. 숫자 0과 1을
각각 1개 이상씩 선택하여 만들 수 있는 모든 자연수의 개수를
구하시오. [4점]

30. 집합 $X=\{1, 2, 3, 4, 5\}$에 대하여 다음 조건을 만족시키는
함수 $f : X \to X$의 개수를 구하시오. [4점]

> (가) $f(1)+f(2)+f(3)+f(4)+f(5)$는 짝수이다.
> (나) 함수 f의 치역의 원소의 개수는 3이다.

[확률과 통계]

23	④	24	②	25	③	26	⑤	27	①
28	④	29	115	30	720				

수학 영역(미적분)

5지 선다 형

지수함수와 로그함수의 미분 A 503
모의고사 (고3) 2022년 4월 23번(미적)

23. 함수 $f(x)=(x+a)e^x$에 대하여 $f'(2)=8e^2$일 때, 상수 a의 값은? [2점]

① 1   ② 2   ③ 3   ④ 4   ⑤ 5

삼각함수의 덧셈정리 A 503
모의고사 (고3) 2022년 4월 24번(미적)

24. $\sec\theta=\dfrac{\sqrt{10}}{3}$일 때, $\sin^2\theta$의 값은? [3점]

① $\dfrac{1}{10}$ ② $\dfrac{3}{20}$ ③ $\dfrac{1}{5}$ ④ $\dfrac{1}{4}$ ⑤ $\dfrac{3}{10}$

지수함수와 로그함수의 미분 B 502
모의고사 (고3) 2022년 4월 25번(미적)

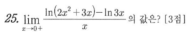

25. $\displaystyle\lim_{x\to 0+}\dfrac{\ln(2x^2+3x)-\ln 3x}{x}$ 의 값은? [3점]

① $\dfrac{1}{3}$ ② $\dfrac{1}{2}$ ③ $\dfrac{2}{3}$ ④ $\dfrac{5}{6}$ ⑤ 1

수열의 극한 C 502
모의고사 (고3) 2022년 4월 26번(미적)

26. 함수

$$f(x)=\lim_{n\to\infty}\frac{3\times\left(\dfrac{x}{2}\right)^{2n+1}-1}{\left(\dfrac{x}{2}\right)^{2n}+1}$$

에 대하여 $f(k)=k$를 만족시키는 모든 실수 k의 값의 합은? [3점]

① -6 ② -5 ③ -4 ④ -3 ⑤ -2

급수 B 509
모의고사 (고3) 2022년 4월 28번(미적)

27. 자연수 n에 대하여 곡선 $y=x^2-2nx-2n$이 직선 $y=x+1$과 만나는 두 점을 각각 P_n, Q_n이라 하자. 선분 P_nQ_n을 대각선으로 하는 정사각형의 넓이를 a_n이라 할 때, $\displaystyle\sum_{n=1}^{\infty}\dfrac{1}{a_n}$의 값은? [3점]

① $\dfrac{1}{10}$ ② $\dfrac{2}{15}$ ③ $\dfrac{1}{6}$ ④ $\dfrac{1}{5}$ ⑤ $\dfrac{7}{30}$

급수 B 510
모의고사 (고3) 2022년 4월 29번(미적)

28. 그림과 같이 $\overline{A_1B_1}=2$, $\overline{B_1C_1}=2\sqrt{3}$ 인 직사각형 $A_1B_1C_1D_1$이 있다. 선분 A_1D_1을 $1:2$로 내분하는 점을 E_1이라 하고 선분 B_1C_1을 지름으로 하는 반원의 호 B_1C_1이 두 선분 B_1E_1, B_1D_1과 만나는 점 중 점 B_1이 아닌 점을 각각 F_1, G_1이라 하자. 세 선분 F_1E_1, E_1D_1, D_1G_1과 호 F_1G_1로 둘러싸인 ⌒ 모양의 도형에 색칠하여 얻은 그림을 R_1이라 하자.

그림 R_1에 선분 B_1G_1 위의 점 A_2, 호 G_1C_1 위의 점 D_2와 선분 B_1C_1 위의 두 점 B_2, C_2를 꼭짓점으로 하고 $\overline{A_2B_2}:\overline{B_2C_2}=1:\sqrt{3}$ 인 직사각형 $A_2B_2C_2D_2$를 그린다. 직사각형 $A_2B_2C_2D_2$에 그림 R_1을 얻은 것과 같은 방법으로 ⌒ 모양의 도형을 그리고 색칠하여 얻은 그림을 R_2라 하자. 이와 같은 과정을 계속하여 n번째 얻은 그림 R_n에 색칠되어 있는 부분의 넓이를 S_n이라 할 때, $\lim\limits_{n\to\infty} S_n$의 값은? [4점]

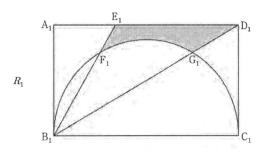

R_1

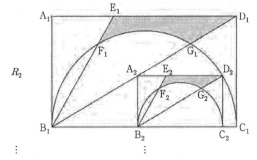

R_2

① $\dfrac{169}{864}(8\sqrt{3}-3\pi)$ ② $\dfrac{169}{798}(8\sqrt{3}-3\pi)$

③ $\dfrac{169}{720}(8\sqrt{3}-3\pi)$ ④ $\dfrac{169}{864}(16\sqrt{3}-3\pi)$

⑤ $\dfrac{169}{798}(16\sqrt{3}-3\pi)$

단답형

삼각함수의 덧셈정리 D 501
모의고사 (고3) 2022년 4월 20번(미적)

29. 그림과 같이 좌표평면 위의 제2사분면에 있는 점 A를 지나고 기울기가 각각 m_1, $m_2(0<m_1<m_2<1)$인 두 직선을 l_1, l_2라 하고, 직선 l_1을 y축에 대하여 대칭이동한 직선을 l_3이라 하자. 직선 l_3이 두 직선 l_1, l_2와 만나는 점을 각각 B, C라 하면 삼각형 ABC가 다음 조건을 만족시킨다.

(가) $\overline{AB}=12$, $\overline{AC}=9$

(나) 삼각형 ABC의 외접원의 반지름의 길이는 $\dfrac{15}{2}$이다.

$78\times m_1\times m_2$의 값을 구하시오. [4점]

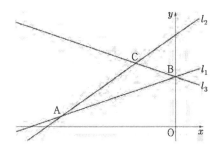

삼각함수의 미분 D 503
모의고사 (고3) 2022년 4월 31번(미적)

30. 함수 $f(x)=a\cos x+x\sin x+b$와 $-\pi<\alpha<0<\beta<\pi$인 두 실수 α, β가 다음 조건을 만족시킨다.

(가) $f'(\alpha)=f'(\beta)=0$

(나) $\dfrac{\tan\beta-\tan\alpha}{\beta-\alpha}+\dfrac{1}{\beta}=0$

$\lim\limits_{x\to 0}\dfrac{f(x)}{x^2}=c$일 때, $f\left(\dfrac{\beta-\alpha}{3}\right)+c=p+q\pi$이다. 두 유리수 p, q에 대하여 $120\times(p+q)$의 값을 구하시오. (단, a, b, c는 상수이고, $a<1$이다.) [4점]

 [미적분]

23	⑤	24	①	25	③	26	④	27	②
28	②	29	18	30	135				

수학 영역(기하)

5지선다형

벡터의 연산 A 508
모의고사 (고3) 2022년 4월 23번(기하)

23. 그림과 같이 한 변의 길이가 1인 정육각형 ABCDEF에서
$|\overrightarrow{\text{AD}} + 2\overrightarrow{\text{DE}}|$의 값은? [2점]

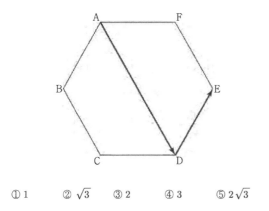

① 1 　② $\sqrt{3}$ 　③ 2 　④ 3 　⑤ $2\sqrt{3}$

쌍곡선 A 505
모의고사 (고3) 2022년 4월 24번(기하)

24. 그림과 같이 두 초점이 $F(c, 0)$, $F'(-c, 0)$ $(c > 0)$인

쌍곡선 $\dfrac{x^2}{9} - \dfrac{y^2}{16} = 1$이 있다. 쌍곡선 위의 점 중 제1사분면에

있는 점 P에 대하여 $\overline{\text{FP}} = \overline{\text{FF}'}$일 때, 삼각형 $\text{PF}'\text{F}$의
둘레의 길이는? [3점]

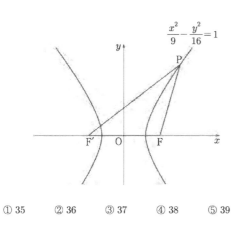

① 35 　② 36 　③ 37 　④ 38 　⑤ 39

타원 B 504
모의고사 (고3) 2022년 4월 25번(기하)

25. 그림과 같이 두 점 $F(c, 0)$, $F'(-c, 0)$ $(c > 0)$을 초점으로 하는
타원과 꼭짓점이 원점 O이고 점 F를 초점으로 하는 포물선이
있다. 타원과 포물선이 만나는 점 중 제1사분면 위의 점을 P라
하고, 점 P에서 직선 $x = -c$에 내린 수선의 발을 Q라 하자.
$\overline{\text{FP}} = 8$이고 삼각형 FPQ의 넓이가 24일 때, 타원의 장축의
길이는? [3점]

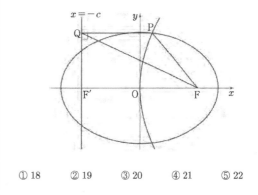

① 18 　② 19 　③ 20 　④ 21 　⑤ 22

이차곡선과 직선 B 503
모의고사 (고3) 2022년 4월 26번(기하)

26. y축 위의 점 A에서 타원 $C: \dfrac{x^2}{8} + y^2 = 1$에 그은 두 접선을

l_1, l_2라 하고, 두 직선 l_1, l_2가 타원 C와 만나는 점을 각각
P, Q라 하자. 두 직선 l_1, l_2가 서로 수직일 때,
선분 PQ의 길이는? (단, 점 A의 y좌표는 1보다 크다.) [3점]

① 4 　② $\dfrac{13}{3}$ 　③ $\dfrac{14}{3}$ 　④ 5 　⑤ $\dfrac{16}{3}$

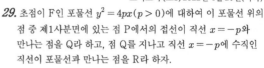

27. 쌍곡선 $\dfrac{x^2}{2} - \dfrac{y^2}{2} = 1$의 꼭짓점 중 x좌표가 양수인 점을 A라

하자. 이 쌍곡선 위의 점 P에 대하여 $|\overrightarrow{OA} + \overrightarrow{OP}| = k$를

만족시키는 점 P의 개수가 3일 때, 상수 k의 값은?

(단, O는 원점이다.) [3점]

① 1　　② $\sqrt{2}$　　③ 2　　④ $2\sqrt{2}$　　⑤ 4

28. 그림과 같이 두 점 F$(c, 0)$, F$'(-c, 0)$을 초점으로 하는
타원이 있다. 타원 위의 점 중 제1사분면에 있는 점 P에 대하여
직선 PF가 타원과 만나는 점 중 점 P가 아닌 점을 Q라 하자.
$\overline{OQ} = \overline{OF}$, $\overline{FQ} : \overline{F'Q} = 1:4$이고 삼각형 PF'Q의 내접원의
반지름의 길이가 2일 때, 양수 c의 값은? (단, O는 원점이다.)

[4점]

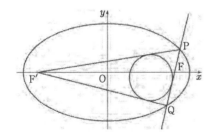

① $\dfrac{17}{3}$　　② $\dfrac{7\sqrt{17}}{5}$　　③ $\dfrac{3\sqrt{17}}{2}$

④ $\dfrac{51}{8}$　　⑤ $\dfrac{8\sqrt{17}}{5}$

단답형

29. 초점이 F인 포물선 $y^2 = 4px(p>0)$에 대하여 이 포물선 위의
점 중 제1사분면에 있는 점 P에서의 접선이 직선 $x = -p$와
만나는 점을 Q라 하고, 점 Q를 지나고 직선 $x = -p$에 수직인
직선이 포물선과 만나는 점을 R라 하자.

$\angle$PRQ $= \dfrac{\pi}{2}$일 때, 사각형 PQRF의 둘레의 길이가 140이

되도록 하는 상수 p의 값을 구하시오. [4점]

30. 그림과 같이 두 점 F$(c, 0)$, F$'(-c, 0)(c>0)$을 초점으로

하는 쌍곡선 $\dfrac{x^2}{10} - \dfrac{y^2}{a^2} = 1$이 있다. 쌍곡선 위의 점 중

제2사분면에 있는 점 P에 대하여 삼각형 F'FP는 넓이가 15이고

$\angle$F'PF $= \dfrac{\pi}{2}$인 직각삼각형이다. 직선 PF'과 평행하고 쌍곡선에

접하는 두 직선을 각각 l_1, l_2라 하자. 두 직선 l_1, l_2가 x축과

만나는 점을 각각 Q$_1$, Q$_2$라 할 때, $\overline{Q_1 Q_2} = \dfrac{q}{p}\sqrt{3}$이다.

$p+q$의 값을 구하시오. (단, p와 q는 서로소인 자연수이고,
a는 양수이다.) [4점]

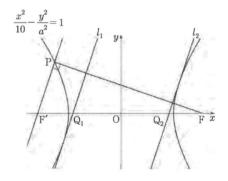

[기하]

23	③	24	②	25	①	26	⑤	27	④
28	③	29	21	30	13				

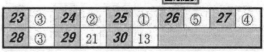

모의고사 (고3) 2022년 6월
수학영역

지수 A 511
모의고사 (고3) 2022년 6월 1번

1. $(-\sqrt{2})^4 \times 8^{-\frac{2}{3}}$ 의 값은? [2점]

① 1　　② 2　　③ 3　　④ 4　　⑤ 5

미분계수와 도함수 A 516
모의고사 (고3) 2022년 6월 2번

2. 함수 $f(x) = x^3 + 9$ 에 대하여 $\lim\limits_{h \to 0} \dfrac{f(2+h) - f(2)}{h}$ 의 값은? [2점]

① 11　　② 12　　③ 13　　④ 14　　⑤ 15

삼각함수 A 513
모의고사 (고3) 2022년 6월 3번

3. $\dfrac{\pi}{2} < \theta < \pi$ 인 θ 에 대하여 $\cos^2\theta = \dfrac{4}{9}$ 일 때, $\sin^2\theta + \cos\theta$ 의 값은? [3점]

① $-\dfrac{4}{9}$　　② $-\dfrac{1}{3}$　　③ $-\dfrac{2}{9}$　　④ $-\dfrac{1}{9}$　　⑤ 0

함수의 극한 A 513
모의고사 (고3) 2022년 6월 4번

4. 함수 $y = f(x)$ 의 그래프가 그림과 같다.

$\lim\limits_{x \to 0-} f(x) + \lim\limits_{x \to 1+} f(x)$ 의 값은? [3점]

① -2　　② -1　　③ 0　　④ 1　　⑤ 2

등차수열과 등비수열 A 511
모의고사 (고3) 2022년 6월 5번

5. 모든 항이 양수인 등비수열 $\{a_n\}$ 에 대하여

$$a_1 = \frac{1}{4}, \quad a_2 + a_3 = \frac{3}{2}$$

일 때, $a_6 + a_7$ 의 값은? [3점]

① 16　　② 20　　③ 24　　④ 28　　⑤ 32

함수의 연속 B 505
모의고사 (고3) 2022년 6월 6번

6. 두 양수 a, b 에 대하여 함수 $f(x)$ 가

$$f(x) = \begin{cases} x + a & (x < -1) \\ x & (-1 \le x < 3) \\ bx - 2 & (x \ge 3) \end{cases}$$

이다. 함수 $|f(x)|$ 가 실수 전체의 집합에서 연속일 때, $a + b$ 의 값은? [3점]

① $\dfrac{7}{3}$　　② $\dfrac{8}{3}$　　③ 3　　④ $\dfrac{10}{3}$　　⑤ $\dfrac{11}{3}$

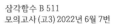

7. 닫힌구간 $[0, \pi]$에서 정의된 함수 $f(x) = -\sin 2x$가 $x = a$에서 최댓값을 갖고 $x = b$에서 최솟값을 갖는다. 곡선 $y = f(x)$ 위의 두 점 $(a, f(a))$, $(b, f(b))$를 지나는 직선의 기울기는? [3점]

① $\dfrac{1}{\pi}$ ② $\dfrac{2}{\pi}$ ③ $\dfrac{3}{\pi}$ ④ $\dfrac{4}{\pi}$ ⑤ $\dfrac{5}{\pi}$

8. 실수 전체의 집합에서 미분가능하고 다음 조건을 만족시키는 모든 함수 $f(x)$에 대하여 $f(5)$의 최솟값은? [3점]

(가) $f(1) = 3$

(나) $1 < x < 5$인 모든 실수 x에 대하여 $f'(x) \geq 5$이다.

① 21 ② 22 ③ 23 ④ 24 ⑤ 25

9. 두 함수

$$f(x) = x^3 - x + 6, \quad g(x) = x^2 + a$$

가 있다. $x \geq 0$인 모든 실수 x에 대하여 부등식

$$f(x) \geq g(x)$$

가 성립할 때, 실수 a의 최댓값은? [4점]

① 1 ② 2 ③ 3 ④ 4 ⑤ 5

10. 그림과 같이 $\overline{AB} = 3$, $\overline{BC} = 2$, $\overline{AC} > 3$이고 $\cos(\angle BAC) = \dfrac{7}{8}$인 삼각형 ABC가 있다. 선분 AC의 중점을 M, 삼각형 ABC의 외접원이 직선 BM과 만나는 점 중 B가 아닌 점을 D라 할 때, 선분 MD의 길이는? [4점]

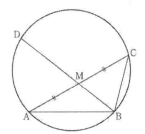

① $\dfrac{3\sqrt{10}}{5}$ ② $\dfrac{7\sqrt{10}}{10}$ ③ $\dfrac{4\sqrt{10}}{5}$

④ $\dfrac{9\sqrt{10}}{10}$ ⑤ $\sqrt{10}$

11. 시각 $t = 0$일 때 동시에 원점을 출발하여 수직선 위를 움직이는 두 점 P, Q의 시각 $t(t \geq 0)$에서의 속도가 각각

$$v_1(t) = 2 - t, \quad v_2(t) = 3t$$

이다. 출발한 시각부터 점 P가 원점으로 돌아올 때까지 점 Q가 움직인 거리는? [4점]

① 16 ② 18 ③ 20 ④ 22 ⑤ 24

12. 공차가 3인 등차수열 $\{a_n\}$이 다음 조건을 만족시킬 때, a_{10}의 값은? [4점]

(가) $a_5 \times a_7 < 0$

(나) $\displaystyle\sum_{k=1}^{6} |a_{k+6}| = 6 + \sum_{k=1}^{6} |a_{2k}|$

① $\dfrac{21}{2}$ ② 11 ③ $\dfrac{23}{2}$ ④ 12 ⑤ $\dfrac{25}{2}$

13. 두 곡선 $y=16^x$, $y=2^x$ 과 한 점 $A(64, 2^{64})$ 이 있다.

점 A 를 지나며 x 축과 평행한 직선이 곡선 $y=16^x$ 과 만나는 점을 P_1 이라 하고, 점 P_1 을 지나며 y 축과 평행한 직선이 곡선 $y=2^x$ 과 만나는 점을 Q_1 이라 하자.

점 Q_1 을 지나며 x 축과 평행한 직선이 곡선 $y=16^x$ 과 만나는 점을 P_2 라 하고, 점 P_2 를 지나며 y 축과 평행한 직선이 곡선 $y=2^x$ 과 만나는 점을 Q_2 라 하자.

이와 같은 과정을 계속하여 n 번째 얻은 두 점을 각각 P_n, Q_n 이라 하고 점 Q_n 의 x 좌표를 x_n 이라 할 때, $x_n < \dfrac{1}{k}$ 을 만족시키는 n 의 최솟값이 6 이 되도록 하는 자연수 k 의 개수는? [4점]

① 48   ② 51   ③ 54   ④ 57   ⑤ 60

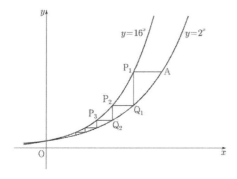

14. 실수 전체의 집합에서 연속인 함수 $f(x)$ 와 최고차항의 계수가 1 인 삼차함수 $g(x)$ 가

$$g(x)=\begin{cases} -\displaystyle\int_0^x f(t)\,dt & (x<0) \\ \displaystyle\int_0^x f(t)\,dt & (x\geq 0) \end{cases}$$

을 만족시킬 때, <보기>에서 옳은 것만을 있는 대로 고른 것은? [4점]

<보 기>

ㄱ. $f(0)=0$

ㄴ. 함수 $f(x)$ 는 극댓값을 갖는다.

ㄷ. $2<f(1)<4$ 일 때, 방정식 $f(x)=x$ 의 서로 다른 실근의 개수는 3 이다.

① ㄱ   ② ㄷ   ③ ㄱ, ㄴ
④ ㄱ, ㄷ   ⑤ ㄱ, ㄴ, ㄷ

15. 자연수 k 에 대하여 다음 조건을 만족시키는 수열 $\{a_n\}$ 이 있다.

$a_1=0$ 이고, 모든 자연수 n 에 대하여

$$a_{n+1}=\begin{cases} a_n+\dfrac{1}{k+1} & (a_n\leq 0) \\ a_n-\dfrac{1}{k} & (a_n>0) \end{cases}$$

이다.

$a_{22}=0$ 이 되도록 하는 모든 k 의 값의 합은? [4점]

① 12   ② 14   ③ 16   ④ 18   ⑤ 20

로그함수의 활용 A 503
모의고사 (고3) 2022년 6월 16번

16. 방정식 $\log_2(x+2)+\log_2(x-2)=5$ 를 만족시키는 실수 x 의 값을 구하시오. [3점]

미분계수와 도함수 A 517
모의고사 (고3) 2022년 6월 17번

17. 함수 $f(x)$ 에 대하여 $f'(x)=8x^3+6x^2$ 이고 $f(0)=-1$ 일 때, $f(-2)$ 의 값을 구하시오. [3점]

수열의 합 A 505
모의고사 (고3) 2022년 6월 18번

18. $\displaystyle\sum_{k=1}^{10}(4k+a)=250$ 일 때, 상수 a 의 값을 구하시오. [3점]

도함수의 활용 B 511
모의고사 (고3) 2022년 6월 19번

19. 함수 $f(x)=x^4+ax^2+b$ 는 $x=1$ 에서 극소이다. 함수 $f(x)$ 의 극댓값이 4일 때, $a+b$ 의 값을 구하시오. (단, a 와 b 는 상수이다.) [3점]

정적분의 활용 D 504
모의고사 (고3) 2022년 6월 20번

20. 최고차항의 계수가 2인 이차함수 $f(x)$ 에 대하여 함수 $g(x)=\displaystyle\int_x^{x+1}|f(t)|dt$ 는 $x=1$ 과 $x=4$ 에서 극소이다. $f(0)$ 의 값을 구하시오. [4점]

21. 자연수 n에 대하여 $4\log_{64}\left(\dfrac{3}{4n+16}\right)$의 값이 정수가 되도록

하는 1000 이하의 모든 n의 값의 합을 구하시오. [4점]

22. 두 양수 a, $b\,(b>3)$과 최고차항의 계수가 1인 이차함수
$f(x)$에 대하여 함수

$$g(x)=\begin{cases} (x+3)f(x) & (x<0) \\ (x+a)f(x-b) & (x\geq 0) \end{cases}$$

이 실수 전체의 집합에서 연속이고 다음 조건을 만족시킬 때,
$g(4)$의 값을 구하시오. [4점]

> $\displaystyle\lim_{x\to-3}\dfrac{\sqrt{|g(x)|+\{g(t)\}^2}-|g(t)|}{(x+3)^2}$ 의 값이 존재하지 않는
>
> 실수 t의 값은 -3과 6뿐이다.

■ **[공통: 수학 I · 수학 II]**

01.①	02.②	03.④	04.②	05.③
06.⑤	07.④	08.③	09.⑤	10.③
11.⑤	12.③	13.①	14.④	15.②
16.6	17.15	18.3	19.2	
20.13	21.426	22.19		

수학 영역(확률과 통계)

5지선다형

여러가지순열 A 503
모의고사 (고3) 2022년 6월 23번(확통)

23. 5개의 문자 a, a, a, b, c를 모두 일렬로 나열하는 경우의 수는? [2점]

① 16   ② 20   ③ 24   ④ 28   ⑤ 32

여러가지확률 A 505
모의고사 (고3) 2022년 6월 24번(확통)

24. 주머니 A에는 1부터 3까지의 자연수가 하나씩 적혀 있는 3장의 카드가 들어 있고, 주머니 B에는 1부터 5까지의 자연수가 하나씩 적혀 있는 5장의 카드가 들어 있다.
두 주머니 A, B에서 각각 카드를 임의로 한 장씩 꺼낼 때, 꺼낸 두 장의 카드에 적힌 수의 차가 1일 확률은? [3점]

① $\dfrac{1}{3}$ ② $\dfrac{2}{5}$ ③ $\dfrac{7}{15}$ ④ $\dfrac{8}{15}$ ⑤ $\dfrac{3}{5}$

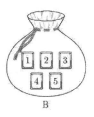

A   B

독립시행의 확률 B 503
모의고사 (고3) 2022년 6월 25번(확통)

25. 수직선의 원점에 점 P가 있다. 한 개의 주사위를 사용하여 다음 시행을 한다.

> 주사위를 한 번 던져 나온 눈의 수가
> 6의 약수이면 점 P를 양의 방향으로 1만큼 이동시키고,
> 6의 약수가 아니면 점 P를 이동시키지 않는다.

이 시행을 4번 반복할 때, 4번째 시행 후 점 P의 좌표가 2 이상일 확률은? [3점]

① $\dfrac{13}{18}$ ② $\dfrac{7}{9}$ ③ $\dfrac{5}{6}$ ④ $\dfrac{8}{9}$ ⑤ $\dfrac{17}{18}$

이항정리 B 504
모의고사 (고3) 2022년 6월 26번(확통)

26. 다항식 $(x^2+1)^4(x^3+1)^n$의 전개식에서 x^5의 계수가 12일 때, x^6의 계수는? (단, n은 자연수이다.) [3점]

① 6   ② 7   ③ 8   ④ 9   ⑤ 10

여러가지순열 B 507
모의고사 (고3) 2022년 6월 27번(확통)

27. 네 문자 a, b, X, Y 중에서 중복을 허락하여 6개를 택해 일렬로 나열하려고 한다. 다음 조건이 성립하도록 나열하는 경우의 수는? [3점]

> (가) 양 끝 모두에 대문자가 나온다.
> (나) a는 한 번만 나온다.

① 384   ② 408   ③ 432   ④ 456   ⑤ 480

28. 숫자 1, 2, 3, 4, 5 중에서 서로 다른 4개를 택해 일렬로 나열하여 만들 수 있는 모든 네 자리의 자연수 중에서 임의로 하나의 수를 택할 때, 택한 수가 5의 배수 또는 3500 이상일 확률은? [4점]

① $\dfrac{9}{20}$ ② $\dfrac{1}{2}$ ③ $\dfrac{11}{20}$ ④ $\dfrac{3}{5}$ ⑤ $\dfrac{13}{20}$

단답형

29. 집합 $X = \{1, 2, 3, 4, 5\}$ 에 대하여 다음 조건을 만족시키는 함수 $f : X \to X$ 의 개수를 구하시오. [4점]

(가) $f(f(1)) = 4$
(나) $f(1) \leq f(3) \leq f(5)$

30. 주머니에 1부터 12까지의 자연수가 각각 하나씩 적혀 있는 12개의 공이 들어 있다. 이 주머니에서 임의로 3개의 공을 동시에 꺼내어 공에 적혀 있는 수를 작은 수부터 크기 순서대로 a, b, c 라 하자. $b - a \geq 5$일 때, $c - a \geq 10$일 확률은 $\dfrac{q}{p}$이다. $p + q$의 값을 구하시오. (단, p와 q는 서로소인 자연수이다.)

[4점]

■ [선택: 확률과 통계]
23. ②   24. ①   25. ④   26. ②
27. ③   28. ④   29. 115   30. 9

수학 영역(미적분)

5지선다형

수열의 극한 A 507
모의고사 (고3) 2022년 6월 23번(미적)

23. $\lim_{n \to \infty} \dfrac{1}{\sqrt{n^2+3n}-\sqrt{n^2+n}}$ 의 값은? [2점]

① 1   ② $\dfrac{3}{2}$ ③ 2   ④ $\dfrac{5}{2}$ ⑤ 3

여러가지 미분법 A 505
모의고사 (고3) 2022년 6월 24번(미적)

24. 곡선 $x^2 - y\ln x + x = e$ 위의 점 (e, e^2)에서의 접선의 기울기는? [3점]

① $e+1$ ② $e+2$ ③ $e+3$ ④ $2e+1$ ⑤ $2e+2$

여러가지 미분법 B 505
모의고사 (고3) 2022년 6월 25번(미적)

25. 함수 $f(x) = x^3 + 2x + 3$의 역함수를 $g(x)$라 할 때, $g'(3)$의 값은? [3점]

① 1   ② $\dfrac{1}{2}$ ③ $\dfrac{1}{3}$ ④ $\dfrac{1}{4}$ ⑤ $\dfrac{1}{5}$

급수 B 511
모의고사 (고3) 2022년 6월 26번(미적)

26. 그림과 같이 $\overline{A_1B_1} = 2$, $\overline{B_1A_2} = 3$이고 $\angle A_1B_1A_2 = \dfrac{\pi}{3}$ 인 삼각형 $A_1A_2B_1$과 이 삼각형의 외접원 O_1이 있다.
점 A_2를 지나고 직선 A_1B_1에 평행한 직선이 원 O_1과 만나는 점 중 A_2가 아닌 점을 B_2라 하자. 두 선분 A_1B_2, B_1A_2가 만나는 점을 C_1이라 할 때, 두 삼각형 $A_1A_2C_1$, $B_1C_1B_2$로 만들어진 ▷◁ 모양의 도형에 색칠하여 얻은 그림을 R_1이라 하자.
그림 R_1에서 점 B_2를 지나고 직선 B_1A_2에 평행한 직선이 직선 A_1A_2와 만나는 점을 A_3이라 할 때, 삼각형 $A_2A_3B_2$의 외접원을 O_2라 하자. 그림 R_1을 얻은 것과 같은 방법으로 두 점 B_3, C_2를 잡아 원 O_2에 ▷◁ 모양의 도형을 그리고 색칠하여 얻은 그림을 R_2라 하자.
이와 같은 과정을 계속하여 n번째 얻은 그림 R_n에 색칠되어 있는 부분의 넓이를 S_n이라 할 때, $\lim_{n \to \infty} S_n$의 값은? [3점]

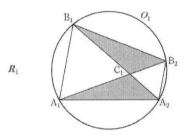

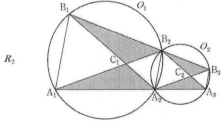

$\vdots$

① $\dfrac{11\sqrt{3}}{9}$ ② $\dfrac{4\sqrt{3}}{3}$ ③ $\dfrac{13\sqrt{3}}{9}$

④ $\dfrac{14\sqrt{3}}{9}$ ⑤ $\dfrac{5\sqrt{3}}{3}$

급수 C 505
모의고사 (고3) 2022년 6월 27번(미적)

27. 첫째항이 4인 등차수열 $\{a_n\}$에 대하여 급수

$$\sum_{n=1}^{\infty}\left(\frac{a_n}{n} - \frac{3n+7}{n+2}\right)$$

이 실수 S에 수렴할 때, S의 값은? [3점]

① $\frac{1}{2}$ ② 1 ③ $\frac{3}{2}$ ④ 2 ⑤ $\frac{5}{2}$

(미적)도함수의 활용 D 506
모의고사 (고3) 2022년 6월 28번(미적)

28. 최고차항의 계수가 $\frac{1}{2}$인 삼차함수 $f(x)$에 대하여 함수 $g(x)$가

$$g(x)=\begin{cases} \ln|f(x)| & (f(x)\neq 0) \\ 1 & (f(x)=0) \end{cases}$$

이고 다음 조건을 만족시킬 때, 함수 $g(x)$의 극솟값은? [4점]

(가) 함수 $g(x)$는 $x\neq 1$인 모든 실수 x에서 연속이다.

(나) 함수 $g(x)$는 $x=2$에서 극대이고,
함수 $|g(x)|$는 $x=2$에서 극소이다.

(다) 방정식 $g(x)=0$의 서로 다른 실근의 개수는 3이다.

① $\ln\frac{13}{27}$ ② $\ln\frac{16}{27}$ ③ $\ln\frac{19}{27}$ ④ $\ln\frac{22}{27}$ ⑤ $\ln\frac{25}{27}$

단답형

삼각함수의 미분 C 506
모의고사 (고3) 2022년 6월 29번(미적)

29. 그림과 같이 반지름의 길이가 1이고 중심각의 크기가 $\frac{\pi}{2}$인 부채꼴 OAB가 있다. 호 AB 위의 점 P에서 선분 OA에 내린 수선의 발을 H라 하고, ∠OAP를 이등분하는 직선과 세 선분 HP, OP, OB의 교점을 각각 Q, R, S라 하자. ∠APH $=\theta$일 때, 삼각형 AQH의 넓이를 $f(\theta)$, 삼각형 PSR의 넓이를 $g(\theta)$라 하자.

$$\lim_{\theta\to 0+}\frac{\theta^3\times g(\theta)}{f(\theta)}=k$$ 일 때, $100k$의 값을 구하시오. (단, $0<\theta<\frac{\pi}{4}$) [4점]

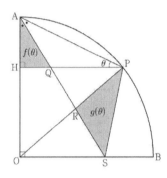

(미적)도함수의 활용 D 507
모의고사 (고3) 2022년 6월 30번(미적)

30. 양수 a에 대하여 함수 $f(x)$는

$$f(x)=\frac{x^2-ax}{e^x}$$

이다. 실수 t에 대하여 x에 대한 방정식

$$f(x)=f'(t)(x-t)+f(t)$$

의 서로 다른 실근의 개수를 $g(t)$라 하자.

$g(5)+\lim\limits_{t\to 5}g(t)=5$일 때, $\lim\limits_{t\to k-}g(t)\neq\lim\limits_{t\to k+}g(t)$를 만족시키는 모든 실수 k의 값의 합은 $\frac{q}{p}$이다. $p+q$의 값을 구하시오. (단, p와 q는 서로소인 자연수이다.) [4점]

■ [선택: 미적분]

23. ① 24. ① 25. ② 26. ②
27. ③ 28. ⑤ 29. 50 30. 16

수학 영역(기하)

5지선다형 벡터의 연산 A 509
모의고사 (고3) 2022년 6월 23번(기하)

23. 서로 평행하지 않은 두 벡터 $\vec{a}$, $\vec{b}$에 대하여 두 벡터

$$\vec{a}+2\vec{b}, \quad 3\vec{a}+k\vec{b}$$

가 서로 평행하도록 하는 실수 k의 값은? (단, $\vec{a}\neq\vec{0}$, $\vec{b}\neq\vec{0}$)
[2점]

① 2   ② 4   ③ 6   ④ 8   ⑤ 10

쌍곡선 A 506
모의고사 (고3) 2022년 6월 24번(기하)

24. 쌍곡선 $\dfrac{x^2}{a^2}-\dfrac{y^2}{b^2}=1$의 주축의 길이가 6이고 한 점근선의

방정식이 $y=2x$일 때, 두 초점 사이의 거리는?
(단, a와 b는 양수이다.) [3점]

① $4\sqrt{5}$ ② $6\sqrt{5}$ ③ $8\sqrt{5}$ ④ $10\sqrt{5}$ ⑤ $12\sqrt{5}$

벡터의 연산 B 506
모의고사 (고3) 2022년 6월 25번(기하)

25. 좌표평면에서 두 직선

$$\frac{x-3}{4}=\frac{y-5}{3}, \quad x-1=\frac{2-y}{3}$$

가 이루는 예각의 크기를 θ라 할 때, $\cos\theta$의 값은? [3점]

① $\dfrac{\sqrt{11}}{11}$ ② $\dfrac{\sqrt{10}}{10}$ ③ $\dfrac{1}{3}$ ④ $\dfrac{\sqrt{2}}{4}$ ⑤ $\dfrac{\sqrt{7}}{7}$

이차곡선과 직선 B 504
모의고사 (고3) 2022년 6월 26번(기하)

26. 좌표평면에서 타원 $\dfrac{x^2}{3}+y^2=1$과 직선 $y=x-1$이 만나는

두 점을 A, C라 하자. 선분 AC가 사각형 ABCD의 대각선이
되도록 타원 위에 두 점 B, D를 잡을 때, 사각형 ABCD의
넓이의 최댓값은? [3점]

① 2   ② $\dfrac{9}{4}$ ③ $\dfrac{5}{2}$ ④ $\dfrac{11}{4}$ ⑤ 3

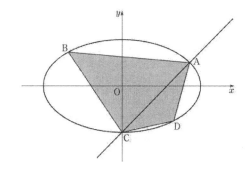

벡터의 성분과 내적 B 504
모의고사 (고3) 2022년 6월 27번(기하)

27. $\overline{AD}=2$, $\overline{AB}=\overline{CD}=\sqrt{2}$, $\angle ABC=\angle BCD=45°$인

사다리꼴 ABCD가 있다. 두 대각선 AC와 BD의 교점을 E,
점 A에서 선분 BC에 내린 수선의 발을 H, 선분 AH와
선분 BD의 교점을 F라 할 때, $\overrightarrow{AF}\cdot\overrightarrow{CE}$의 값은? [3점]

① $-\dfrac{1}{9}$ ② $-\dfrac{2}{9}$ ③ $-\dfrac{1}{3}$ ④ $-\dfrac{4}{9}$ ⑤ $-\dfrac{5}{9}$

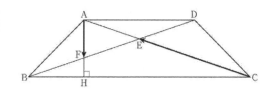

28. 좌표평면에서 직선 $y = 2x - 3$ 위를 움직이는 점 P가 있다.

두 점 $A(c, 0)$, $B(-c, 0)$ $(c > 0)$에 대하여 $\overline{PB} - \overline{PA}$ 의 값이

최대가 되도록 하는 점 P의 좌표가 $(3, 3)$일 때, 상수 c의 값은?

[4점]

① $\dfrac{3\sqrt{6}}{2}$　　② $\dfrac{3\sqrt{7}}{2}$　　③ $3\sqrt{2}$

④ $\dfrac{9}{2}$　　⑤ $\dfrac{3\sqrt{10}}{2}$

단답형

29. 초점이 F인 포물선 $y^2 = 8x$ 위의 점 중 제1사분면에 있는

점 P를 지나고 x축과 평행한 직선이 포물선 $y^2 = 8x$의 준선과

만나는 점을 F′이라 하자. 점 F′을 초점, 점 P를 꼭짓점으로 하는

포물선이 포물선 $y^2 = 8x$와 만나는 점 중 P가 아닌 점을 Q라

하자. 사각형 PF′QF의 둘레의 길이가 12일 때, 삼각형 PF′Q의

넓이는 $\dfrac{q}{p}\sqrt{2}$ 이다. $p + q$의 값을 구하시오. (단, 점 P의 x좌표는

2보다 작고, p와 q는 서로소인 자연수이다.) [4점]

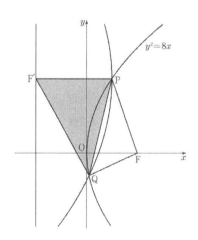

30. 좌표평면에서 한 변의 길이가 4인 정육각형 ABCDEF의

변 위를 움직이는 점 P가 있고, 점 C를 중심으로 하고

반지름의 길이가 1인 원 위를 움직이는 점 Q가 있다.

두 점 P, Q와 실수 k에 대하여 점 X가 다음 조건을

만족시킬 때, $|\overrightarrow{CX}|$의 값이 최소가 되도록 하는 k의 값을 α,

$|\overrightarrow{CX}|$의 값이 최대가 되도록 하는 k의 값을 β라 하자.

> (가) $\overrightarrow{CX} = \dfrac{1}{2}\overrightarrow{CP} + \overrightarrow{CQ}$
>
> (나) $\overrightarrow{XA} + \overrightarrow{XC} + 2\overrightarrow{XD} = k\overrightarrow{CD}$

$\alpha^2 + \beta^2$의 값을 구하시오. [4점]

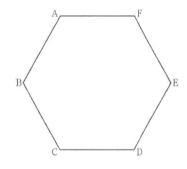

■ **[선택: 기하]**

23. ③　24. ②　25. ②　26. ⑤

27. ④　28. ①　29. 23　30. 8

5지선다형

지수 A 512
모의고사 (고3) 2022년 7월 1번

1. $3^{2\sqrt{2}} \times 9^{1-\sqrt{2}}$ 의 값은? [2점]

① $\dfrac{1}{9}$ ② $\dfrac{1}{3}$ ③ 1 ④ 3 ⑤ 9

등차수열과 등비수열 A 512
모의고사 (고3) 2022년 7월 7번

2. 등비수열 $\{a_n\}$ 에 대하여 $a_2 = \dfrac{1}{2}$, $a_3 = 1$ 일 때, a_5 의 값은?

[2점]

① 2 ② 4 ③ 6 ④ 8 ⑤ 10

미분계수와 도함수 A 518
모의고사 (고3) 2022년 7월 2번

3. 함수 $f(x) = x^3 + 2x + 7$ 에 대하여 $f'(1)$ 의 값은? [3점]

① 5 ② 6 ③ 7 ④ 8 ⑤ 9

함수의 극한 A 514
모의고사 (고3) 2022년 7월 3번

4. 함수 $y = f(x)$ 의 그래프가 그림과 같다.

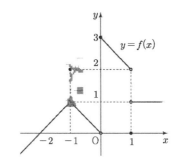

$\displaystyle\lim_{x \to -1} f(x) + \lim_{x \to 1+} f(x)$ 의 값은? [3점]

① 1 ② 2 ③ 3 ④ 4 ⑤ 5

함수의 연속 A 502
모의고사 (고3) 2022년 7월 4번

5. 함수

$$f(x) = \begin{cases} x-1 & (x<2) \\ x^2 - ax + 3 & (x \geq 2) \end{cases}$$

가 실수 전체의 집합에서 연속일 때, 상수 a 의 값은? [3점]

① 1 ② 2 ③ 3 ④ 4 ⑤ 5

삼각함수 A 514
모의고사 (고3) 2022년 7월 6번

6. $0 < \theta < \dfrac{\pi}{2}$ 인 θ 에 대하여 $\sin\theta = \dfrac{4}{5}$ 일 때,

$$\sin\left(\dfrac{\pi}{2} - \theta\right) - \cos(\pi + \theta)$$ 의 값은? [3점]

① $\dfrac{9}{10}$　② 1　③ $\dfrac{11}{10}$　④ $\dfrac{6}{5}$　⑤ $\dfrac{13}{10}$

수학적 귀납법 B 507
모의고사 (고3) 2022년 7월 5번

7. 첫째항이 $\dfrac{1}{2}$ 인 수열 $\{a_n\}$ 이 모든 자연수 n 에 대하여

$$a_{n+1} = \begin{cases} a_n + 1 & (a_n < 0) \\ -2a_n + 1 & (a_n \geq 0) \end{cases}$$

일 때, $a_{10} + a_{20}$ 의 값은? [3점]

① -2　② -1　③ 0　④ 1　⑤ 2

함수의 극한 B 504
모의고사 (고3) 2022년 7월 6번

8. 다항함수 $f(x)$ 가

$$\lim_{x \to \infty} \dfrac{f(x)}{x^2} = 2, \quad \lim_{x \to 1} \dfrac{f(x)}{x-1} = 3$$

을 만족시킬 때, $f(3)$ 의 값은? [3점]

① 11　② 12　③ 13　④ 14　⑤ 15

정적분 B 503
모의고사 (고3) 2022년 7월 9번

9. 최고차항의 계수가 1인 삼차함수 $f(x)$ 가

$$\int_0^1 f'(x)dx = \int_0^2 f'(x)dx = 0$$

을 만족시킬 때, $f'(1)$ 의 값은? [4점]

① -4　② -3　③ -2　④ -1　⑤ 0

삼각함수 B 512
모의고사 (고3) 2022년 7월 18번

10. 곡선 $y = \sin\dfrac{\pi}{2}x \,(0 \leq x \leq 5)$ 가 직선 $y = k \,(0 < k < 1)$ 과 만나는 서로 다른 세 점을 y축에서 가까운 순서대로 A, B, C 라 하자. 세 점 A, B, C 의 x좌표의 합이 $\dfrac{25}{4}$ 일 때, 선분 AB 의 길이는? [4점]

① $\dfrac{5}{4}$　② $\dfrac{11}{8}$　③ $\dfrac{3}{2}$　④ $\dfrac{13}{8}$　⑤ $\dfrac{7}{4}$

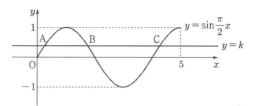

로그함수 C 502
모의고사 (고3) 2022년 7월 19번

11. 기울기가 $\dfrac{1}{2}$ 인 직선 l 이 곡선 $y = \log_2 2x$ 와 서로 다른 두 점에서 만날 때, 만나는 두 점 중 x좌표가 큰 점을 A 라 하고, 직선 l 이 곡선 $y = \log_2 4x$ 와 만나는 두 점 중 x좌표가 큰 점을 B 라 하자. $\overline{AB} = 2\sqrt{5}$ 일 때, 점 A 에서 x축에 내린 수선의 발 C 에 대하여 삼각형 ACB 의 넓이는? [4점]

① 5　② $\dfrac{21}{4}$　③ $\dfrac{11}{2}$　④ $\dfrac{23}{4}$　⑤ 6

12. 첫째항이 2인 수열 $\{a_n\}$ 의 첫째항부터 제 n 항까지의 합을 S_n 이라 하자. 다음은 모든 자연수 n 에 대하여

$$\sum_{k=1}^{n}\frac{3S_k}{k+2}=S_n$$

이 성립할 때, a_{10} 의 값을 구하는 과정이다.

$n \geq 2$ 인 모든 자연수 n 에 대하여

$$a_n = S_n - S_{n-1}$$
$$= \sum_{k=1}^{n}\frac{3S_k}{k+2} - \sum_{k=1}^{n-1}\frac{3S_k}{k+2} = \frac{3S_n}{n+2}$$

이므로 $3S_n = (n+2) \times a_n \ (n \geq 2)$

이다.

$S_1 = a_1$ 에서 $3S_1 = 3a_1$ 이므로

$3S_n = (n+2) \times a_n \ (n \geq 1)$

이다.

$$3a_n = 3(S_n - S_{n-1})$$
$$= (n+2) \times a_n - (\boxed{\text{(가)}}) \times a_{n-1} \ (n \geq 2)$$

$$\frac{a_n}{a_{n-1}} = \boxed{\text{(나)}} \ (n \geq 2)$$

따라서

$$a_{10} = a_1 \times \frac{a_2}{a_1} \times \frac{a_3}{a_2} \times \frac{a_4}{a_3} \times \cdots \times \frac{a_9}{a_8} \times \frac{a_{10}}{a_9}$$
$$= \boxed{\text{(다)}}$$

위의 (가), (나)에 알맞은 식을 각각 $f(n)$, $g(n)$ 이라 하고, (다)에 알맞은 수를 p 라 할 때, $\dfrac{f(p)}{g(p)}$ 의 값은? [4점]

① 109 ② 112 ③ 115 ④ 118 ⑤ 121

13. 최고차항의 계수가 1 이고 $f(0) = \dfrac{1}{2}$ 인 삼차함수 $f(x)$ 에 대하여 함수 $g(x)$ 를

$$g(x) = \begin{cases} f(x) & (x < -2) \\ \\ f(x)+8 & (x \geq -2) \end{cases}$$

라 하자. 방정식 $g(x) = f(-2)$ 의 실근이 2뿐일 때, 함수 $f(x)$ 의 극댓값은? [4점]

① 3 ② $\dfrac{7}{2}$ ③ 4 ④ $\dfrac{9}{2}$ ⑤ 5

14. 길이가 14인 선분 AB 를 지름으로 하는 반원의 호 AB 위에 점 C 를 $\overline{BC} = 6$ 이 되도록 잡는다. 점 D 가 호 AC 위의 점일 때, <보기>에서 옳은 것만을 있는 대로 고른 것은? (단, 점 D 는 점 A 와 점 C 가 아닌 점이다.) [4점]

<보 기>

ㄱ. $\sin(\angle \text{CBA}) = \dfrac{2\sqrt{10}}{7}$

ㄴ. $\overline{\text{CD}} = 7$ 일 때, $\overline{\text{AD}} = -3 + 2\sqrt{30}$

ㄷ. 사각형 ABCD 의 넓이의 최댓값은 $20\sqrt{10}$ 이다.

---

① ㄱ ② ㄱ, ㄴ ③ ㄱ, ㄷ
④ ㄴ, ㄷ ⑤ ㄱ, ㄴ, ㄷ

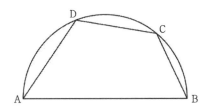

15. 최고차항의 계수가 1인 이차함수 $f(x)$에 대하여 함수

$$g(x)=\begin{cases} f(x+2) & (x<0) \\ \displaystyle\int_0^x tf(t)dt & (x\geq 0) \end{cases}$$

이 실수 전체의 집합에서 미분가능하다. 실수 a에 대하여 함수 $h(x)$를

$$h(x)=|g(x)-g(a)|$$

라 할 때, 함수 $h(x)$가 $x=k$에서 미분가능하지 않은 실수 k의 개수가 1이 되도록 하는 모든 a의 값의 곱은? [4점]

① $-\dfrac{4\sqrt{3}}{3}$　　② $-\dfrac{7\sqrt{3}}{6}$　　③ $-\sqrt{3}$

④ $-\dfrac{5\sqrt{3}}{6}$　　⑤ $-\dfrac{2\sqrt{3}}{3}$

16. $\log_3 7 \times \log_7 9$의 값을 구하시오. [3점]

17. 함수 $f(x)$에 대하여 $f'(x)=6x^2-2x-1$이고 $f(1)=3$일 때, $f(2)$의 값을 구하시오. [3점]

18. 시각 $t=0$일 때 원점을 출발하여 수직선 위를 움직이는 점 P의 시각 $t\,(t\geq 0)$에서의 속도 $v(t)$가

$$v(t)=3t^2+6t-a$$

이다. 시각 $t=3$에서의 점 P의 위치가 6일 때, 상수 a의 값을 구하시오. [3점]

19. $n \geq 2$ 인 자연수 n 에 대하여 $2n^2 - 9n$ 의 n 제곱근 중에서 실수인 것의 개수를 $f(n)$ 이라 할 때, $f(3) + f(4) + f(5) + f(6)$ 의 값을 구하시오. [3점]

20. 최고차항의 계수가 3인 이차함수 $f(x)$ 에 대하여 함수

$$g(x) = x^2 \int_0^x f(t)dt - \int_0^x t^2 f(t)dt$$

가 다음 조건을 만족시킨다.

(가) 함수 $g(x)$ 는 극값을 갖지 않는다.
(나) 방정식 $g'(x) = 0$ 의 모든 실근은 0, 3 이다.

$\int_0^3 |f(x)| dx$ 의 값을 구하시오. [4점]

21. 수열 $\{a_n\}$ 이 모든 자연수 n 에 대하여 다음 조건을 만족시킨다.

(가) $\displaystyle\sum_{k=1}^{2n} a_k = 17n$
(나) $|a_{n+1} - a_n| = 2n - 1$

$a_2 = 9$ 일 때, $\displaystyle\sum_{n=1}^{10} a_{2n}$ 의 값을 구하시오. [4점]

22. 삼차함수 $f(x)$ 에 대하여 곡선 $y = f(x)$ 위의 점 $(0, 0)$ 에서의 접선의 방정식을 $y = g(x)$ 라 할 때, 함수 $h(x)$ 를

$$h(x) = |f(x)| + g(x)$$

라 하자. 함수 $h(x)$ 가 다음 조건을 만족시킨다.

(가) 곡선 $y = h(x)$ 위의 점 $(k, 0)$ $(k \neq 0)$ 에서의 접선의 방정식은 $y = 0$ 이다.
(나) 방정식 $h(x) = 0$ 의 실근 중에서 가장 큰 값은 12 이다.

$h(3) = -\dfrac{9}{2}$ 일 때, $k \times \{h(6) - h(11)\}$ 의 값을 구하시오. (단, k 는 상수이다.) [4점]

정답

1	⑤	2	②	3	①	4	②	5	③
6	④	7	②	8	④	9	④	10	③
11	⑤	12	①	13	③	14	⑤	15	①
16	2	17	13	18	16	19	4	20	8
21	180	22	121						

수학 영역(확률과 통계)

이항정리 A 507
모의고사 (고3) 2022년 7월 23번(확통)

23. 다항식 $(4x+1)^6$의 전개식에서 x의 계수는? [2점]

① 20　　② 24　　③ 28　　④ 32　　⑤ 36

이산확률분포 A 508
모의고사 (고3) 2022년 7월 23번(확통)

24. 확률변수 X가 이항분포 $\mathrm{B}\left(n, \dfrac{1}{3}\right)$을 따르고 $\mathrm{E}(3X-1)=17$일 때, $\mathrm{V}(X)$의 값은? [3점]

① 2　　② $\dfrac{8}{3}$　　③ $\dfrac{10}{3}$　　④ 4　　⑤ $\dfrac{14}{3}$

여러가지확률 A 506
모의고사 (고3) 2022년 7월 24번(확통)

25. 흰 공 4개, 검은 공 4개가 들어 있는 주머니가 있다. 이 주머니에서 임의로 4개의 공을 동시에 꺼낼 때, 꺼낸 공 중 검은 공이 2개 이상일 확률은? [3점]

① $\dfrac{7}{10}$　　② $\dfrac{51}{70}$　　③ $\dfrac{53}{70}$　　④ $\dfrac{11}{14}$　　⑤ $\dfrac{57}{70}$

여러가지순열 B 508
모의고사 (고3) 2022년 7월 26번(확통)

26. 세 문자 a, b, c 중에서 모든 문자가 한 개 이상씩 포함되도록 중복을 허락하여 5개를 택해 일렬로 나열하는 경우의 수는? [3점]

① 135　　② 140　　③ 145　　④ 150　　⑤ 155

여러가지확률 B 510
모의고사 (고3) 2022년 7월 25번(확통)

27. 주머니 A에는 숫자 1, 1, 2, 2, 3, 3이 하나씩 적혀 있는 6장의 카드가 들어 있고, 주머니 B에는 3, 3, 4, 4, 5, 5가 하나씩 적혀 있는 6장의 카드가 들어 있다. 두 주머니 A, B와 3개의 동전을 사용하여 다음 시행을 한다.

> 3개의 동전을 동시에 던져
> 앞면이 나오는 동전의 개수가 3이면
> 주머니 A에서 임의로 2장의 카드를 동시에 꺼내고,
> 앞면이 나오는 동전의 개수가 2 이하이면
> 주머니 B에서 임의로 2장의 카드를 동시에 꺼낸다.

이 시행을 한 번 하여 주머니에서 꺼낸 2장의 카드에 적혀 있는 두 수의 합이 소수일 확률은? [3점]

① $\dfrac{5}{24}$　　② $\dfrac{7}{30}$　　③ $\dfrac{31}{120}$　　④ $\dfrac{17}{60}$　　⑤ $\dfrac{37}{120}$

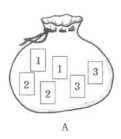
A

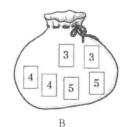
B

28. 두 집합 $X=\{1,\,2,\,3,\,4,\,5,\,6\}$, $Y=\{1,\,2,\,3,\,4,\,5\}$ 에 대하여 다음 조건을 만족시키는 X에서 Y로의 함수 f의 개수는? [4점]

(가) $\sqrt{f(1)\times f(2)\times f(3)}$ 의 값은 자연수이다.

(나) 집합 X의 임의의 두 원소 x_1, x_2에 대하여
$x_1<x_2$이면 $f(x_1)\leq f(x_2)$이다.

---

① 84　　② 87　　③ 90　　④ 93　　⑤ 96

단답형

29. 두 연속확률변수 X와 Y가 갖는 값의 범위는 각각
$0\leq X\leq a$, $0\leq Y\leq a$이고, X와 Y의 확률밀도함수를
각각 $f(x)$, $g(x)$라 하자. $0\leq x\leq a$인 모든 실수 x에
대하여 두 함수 $f(x)$, $g(x)$는

$$f(x)=b,\ g(x)=\mathrm{P}(0\leq X\leq x)$$

이다. $\mathrm{P}(0\leq Y\leq c)=\dfrac{1}{2}$ 일 때, $(a+b)\times c^2$의 값을 구하시오.
(단, a, b, c는 상수이다.) [4점]

30. 각 면에 숫자 1, 1, 2, 2, 2, 2가 하나씩 적혀 있는
정육면체 모양의 상자가 있다. 이 상자를 6번 던질 때,
$n\,(1\leq n\leq 6)$번째에 바닥에 닿은 면에 적혀 있는 수를
a_n이라 하자. $a_1+a_2+a_3>a_4+a_5+a_6$일 때,
$a_1=a_4=1$일 확률은 $\dfrac{q}{p}$이다. $p+q$의 값을 구하시오.
(단, p와 q는 서로소인 자연수이다.) [4점]

확률과 통계 정답

23	②	24	④	25	③	26	④	27	⑤
28	②	29	5	30	133				

수학 영역(미적분)

5지 선 다 형

수열의 극한 A 508
모의고사 (고3) 2022년 7월 23번(미적)

23. $\lim\limits_{n\to\infty}\left(\sqrt{n^4+5n^2+5}-n^2\right)$ 의 값은? [2점]

① $\dfrac{7}{4}$ ② 2 ③ $\dfrac{9}{4}$ ④ $\dfrac{5}{2}$ ⑤ $\dfrac{11}{4}$

(미적)정적분 B 505
모의고사 (고3) 2022년 7월 23번(미적)

24. $\displaystyle\int_1^e\left(\dfrac{3}{x}+\dfrac{2}{x^2}\right)\ln x\,dx-\int_1^e\dfrac{2}{x^2}\ln x\,dx$ 의 값은? [3점]

① $\dfrac{1}{2}$ ② 1 ③ $\dfrac{3}{2}$ ④ 2 ⑤ $\dfrac{5}{2}$

여러가지 미분법 B 506
모의고사 (고3) 2022년 7월 24번(미적)

25. 매개변수 $t\,(t>0)$ 으로 나타내어진 곡선

$$x=t^2\ln t+3t,\ y=6te^{t-1}$$

에서 $t=1$ 일 때, $\dfrac{dy}{dx}$ 의 값은? [3점]

① 1 ② 2 ③ 3 ④ 4 ⑤ 5

여러가지 미분법 B 507
모의고사 (고3) 2022년 7월 26번(미적)

26. 양의 실수 전체의 집합에서 정의된 미분가능한 두 함수 $f(x)$, $g(x)$ 에 대하여 $f(x)$ 가 함수 $g(x)$ 의 역함수이고, $\lim\limits_{x\to2}\dfrac{f(x)-2}{x-2}=\dfrac{1}{3}$ 이다. 함수 $h(x)=\dfrac{g(x)}{f(x)}$ 라 할 때, $h'(2)$ 의 값은? [3점]

① $\dfrac{7}{6}$ ② $\dfrac{4}{3}$ ③ $\dfrac{3}{2}$ ④ $\dfrac{5}{3}$ ⑤ $\dfrac{11}{6}$

급수 C 506
모의고사 (고3) 2022년 7월 25번(미적)

27. 그림과 같이 $\overline{A_1B_1}=1$, $\overline{B_1C_1}=2$ 인 직사각형 $A_1B_1C_1D_1$ 이 있다. 선분 A_1D_1 의 중점 E_1 에 대하여 두 선분 B_1D_1, C_1E_1 이 만나는 점을 F_1 이라 하자. $\overline{G_1E_1}=\overline{G_1F_1}$ 이 되도록 선분 B_1D_1 위에 점 G_1 을 잡아 삼각형 $G_1F_1E_1$ 을 그린다. 두 삼각형 $C_1D_1F_1$, $G_1F_1E_1$ 로 만들어진 ⋈ 모양의 도형에 색칠하여 얻은 그림을 R_1 이라 하자.

그림 R_1 에서 선분 B_1F_1 위의 점 A_2, 선분 B_1C_1 위의 두 점 B_2, C_2, 선분 C_1F_1 위의 점 D_2 를 꼭짓점으로 하고 $\overline{A_2B_2}:\overline{B_2C_2}=1:2$ 인 직사각형 $A_2B_2C_2D_2$ 를 그린다. 직사각형 $A_2B_2C_2D_2$ 에 그림 R_1 을 얻은 것과 같은 방법으로 ⋈ 모양의 도형에 색칠하여 얻은 그림을 R_2 라 하자.

이와 같은 과정을 계속하여 n 번째 얻은 그림 R_n 에 색칠되어 있는 부분의 넓이를 S_n 이라 할 때, $\lim\limits_{n\to\infty}S_n$ 의 값은? [3점]

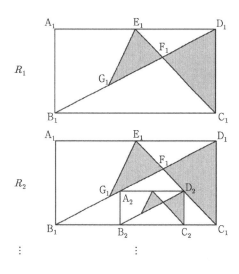

① $\dfrac{23}{42}$ ② $\dfrac{25}{42}$ ③ $\dfrac{9}{14}$ ④ $\dfrac{29}{42}$ ⑤ $\dfrac{31}{42}$

28. 실수 전체의 집합에서 도함수가 연속인 함수 $f(x)$ 가 모든 실수 x 에 대하여 다음 조건을 만족시킨다.

(가) $f(-x)=f(x)$
(나) $f(x+2)=f(x)$

$\displaystyle\int_{-1}^{5} f(x)(x+\cos 2\pi x)dx=\dfrac{47}{2}$, $\displaystyle\int_{0}^{1} f(x)dx=2$ 일 때,

$\displaystyle\int_{0}^{1} f'(x)\sin 2\pi x\, dx$ 의 값은? [4점]

① $\dfrac{\pi}{6}$ ② $\dfrac{\pi}{4}$ ③ $\dfrac{\pi}{3}$ ④ $\dfrac{5}{12}\pi$ ⑤ $\dfrac{\pi}{2}$

단답형

29. 그림과 같이 길이가 2인 선분 AB를 지름으로 하는 반원의 호 AB 위에 점 P가 있다. 호 AP 위에 점 Q를 호 PB와 호 PQ의 길이가 같도록 잡을 때, 두 선분 AP, BQ가 만나는 점을 R라 하고 점 B를 지나고 선분 AB에 수직인 직선이 직선 AP와 만나는 점을 S라 하자. ∠BAP $=\theta$ 라 할 때, 두 선분 PR, QR와 호 PQ로 둘러싸인 부분의 넓이를 $f(\theta)$, 두 선분 PS, BS와 호 BP로 둘러싸인 부분의 넓이를 $g(\theta)$ 라 하자. $\displaystyle\lim_{\theta \to 0+} \dfrac{f(\theta)+g(\theta)}{\theta^3}$ 의 값을 구하시오.

(단, $0<\theta<\dfrac{\pi}{4}$) [4점]

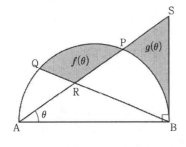

30. 최고차항의 계수가 3보다 크고 실수 전체의 집합에서 최솟값이 양수인 이차함수 $f(x)$ 에 대하여 함수 $g(x)$ 가

$$g(x)=e^x f(x)$$

이다. 양수 k 에 대하여 집합 $\{x\,|\,g(x)=k,\ x$ 는 실수$\}$ 의 모든 원소의 합을 $h(k)$ 라 할 때, 양의 실수 전체의 집합에서 정의된 함수 $h(k)$ 는 다음 조건을 만족시킨다.

(가) 함수 $h(k)$ 가 $k=t$ 에서 불연속인 t 의 개수는 1 이다.
(나) $\displaystyle\lim_{k \to 3e+} h(k) - \lim_{k \to 3e-} h(k) = 2$

$g(-6) \times g(2)$ 의 값을 구하시오. (단, $\displaystyle\lim_{x \to -\infty} x^2 e^x = 0$) [4점]

미적분 정답

23	④	24	③	25	③	26	②	27	②
28	①	29	4	30	129				

수학 영역(기하)

5지선다형

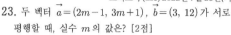

벡터의 연산 A 510
모의고사 (고3) 2022년 7월 23번(기하)

23. 두 벡터 $\vec{a}=(2m-1,\ 3m+1)$, $\vec{b}=(3,\ 12)$ 가 서로 평행할 때, 실수 m 의 값은? [2점]

① 1 ② 2 ③ 3 ④ 4 ⑤ 5

이차곡선과 직선 A 503
모의고사 (고3) 2022년 7월 23번(기하)

24. 포물선 $y^2=4x$ 위의 점 $(9,\ 6)$ 에서의 접선과 포물선의 준선이 만나는 점이 $(a,\ b)$ 일 때, $a+b$ 의 값은? [3점]

① $\dfrac{7}{6}$ ② $\dfrac{4}{3}$ ③ $\dfrac{3}{2}$ ④ $\dfrac{5}{3}$ ⑤ $\dfrac{11}{6}$

벡터의 성분과 내적 B 505
모의고사 (고3) 2022년 7월 24번(기하)

25. 좌표평면에서 두 점 $A(-2,\ 0)$, $B(3,\ 3)$ 에 대하여

$$(\overrightarrow{OP}-\overrightarrow{OA})\cdot(\overrightarrow{OP}-2\overrightarrow{OB})=0$$

을 만족시키는 점 P 가 나타내는 도형의 길이는?
(단, O는 원점이다.) [3점]

① 6π ② 7π ③ 8π ④ 9π ⑤ 10π

이차곡선과 직선 C 503
모의고사 (고3) 2022년 7월 26번(기하)

26. 두 초점이 $F(c,\ 0)$, $F'(-c,\ 0)$ $(c>0)$ 인 쌍곡선

$$\dfrac{x^2}{4}-\dfrac{y^2}{k}=1$$ 위의 제1사분면에 있는 점 P에서의 접선이

x축과 만나는 점의 x좌표가 $\dfrac{4}{3}$ 이다. $\overline{PF'}=\overline{FF'}$ 일 때, 양수 k의 값은? [3점]

① 9 ② 10 ③ 11 ④ 12 ⑤ 13

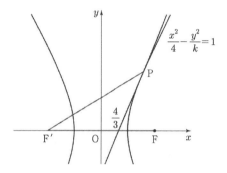

공간도형 C 503
모의고사 (고3) 2022년 7월 25번(기하)

27. 공간에서 수직으로 만나는 두 평면 α, β의 교선 위에 두 점 A, B가 있다. 평면 α 위에 $\overline{AC}=2\sqrt{29}$, $\overline{BC}=6$인 점 C와 평면 β 위에 $\overline{AD}=\overline{BD}=6$인 점 D가 있다. $\angle ABC=\dfrac{\pi}{2}$ 일 때, 직선 CD와 평면 α가 이루는 예각의 크기를 θ 라 하자. $\cos\theta$의 값은? [3점]

① $\dfrac{\sqrt{3}}{2}$ ② $\dfrac{\sqrt{7}}{3}$ ③ $\dfrac{\sqrt{29}}{6}$ ④ $\dfrac{\sqrt{30}}{6}$ ⑤ $\dfrac{\sqrt{31}}{6}$

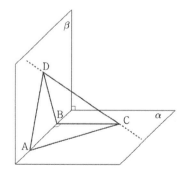

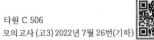

28. 그림과 같이 $F(6, 0)$, $F'(-6, 0)$을 두 초점으로 하는

타원 $\dfrac{x^2}{a^2}+\dfrac{y^2}{b^2}=1$ 이 있다. 점 $A\left(\dfrac{3}{2}, 0\right)$ 에 대하여

$\angle FPA = \angle F'PA$ 를 만족시키는 타원의 제1사분면 위의

점을 P 라 할 때, 점 F 에서 직선 AP 에 내린 수선의 발을

B 라 하자. $\overline{OB}=\sqrt{3}$ 일 때, $a \times b$ 의 값은?

(단, $a > 0$, $b > 0$ 이고 O 는 원점이다.) [4점]

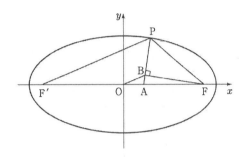

① 16   ② 20   ③ 24   ④ 28   ⑤ 32

단답형

29. 평면 위에 한 변의 길이가 6인 정삼각형 ABC 의 무게중심

O 에 대하여 $\overrightarrow{OD}=\dfrac{3}{2}\overrightarrow{OB}-\dfrac{1}{2}\overrightarrow{OC}$ 를 만족시키는 점을 D 라

하자. 선분 CD 위의 점 P 에 대하여 $|2\overrightarrow{PA}+\overrightarrow{PD}|$ 의 값이

최소가 되도록 하는 점 P 를 Q 라 하자. $|\overrightarrow{OR}|=|\overrightarrow{OA}|$ 를

만족시키는 점 R 에 대하여 $\overrightarrow{QA} \cdot \overrightarrow{QR}$ 의 최댓값이

$p+q\sqrt{93}$ 일 때, $p+q$ 의 값을 구하시오.

(단, p, q 는 유리수이다.) [4점]

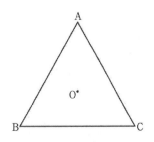

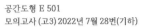

30. 공간에서 중심이 O 이고 반지름의 길이가 4인 구와 점 O 를

지나는 평면 α 가 있다. 평면 α 와 구가 만나서 생기는 원 위의

서로 다른 세 점 A, B, C 에 대하여 두 직선 OA, BC 가

서로 수직일 때, 구 위의 점 P 가 다음 조건을 만족시킨다.

(가) $\angle PAO = \dfrac{\pi}{3}$

(나) 점 P 의 평면 α 위로의 정사영은 선분 OA 위에 있다.

$\cos(\angle PAB)=\dfrac{\sqrt{10}}{8}$ 일 때, 삼각형 PAB 의 평면 PAC

위로의 정사영의 넓이를 S 라 하자. $30 \times S^2$ 의 값을 구하시오.

(단, $0 < \angle BAC < \dfrac{\pi}{2}$) [4점]

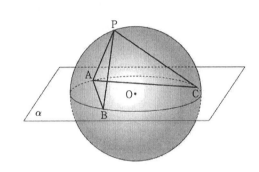

기하 정답

23	①	24	④	25	⑤	26	④	27	②
28	③	29	15	30	50				

5지선다형

지수 A 513
모의고사 (고3) 2022년 6월 1번

1. $\left(\dfrac{2^{\sqrt{3}}}{2}\right)^{\sqrt{3}+1}$ 의 값은? [2점]

① $\dfrac{1}{16}$ ② $\dfrac{1}{4}$ ③ 1   ④ 4   ⑤ 16

미분계수와 도함수 A 520
모의고사 (고3) 2022년 9월 2번

2. 함수 $f(x)=2x^2+5$ 에 대하여 $\lim\limits_{x \to 2}\dfrac{f(x)-f(2)}{x-2}$ 의 값은? [2점]

① 8   ② 9   ③ 10   ④ 11   ⑤ 12

삼각함수 A 515
모의고사 (고3) 2022년 9월 4번

3. $\sin(\pi-\theta)=\dfrac{5}{13}$ 이고 $\cos\theta<0$ 일 때, $\tan\theta$ 의 값은? [3점]

① $-\dfrac{12}{13}$ ② $-\dfrac{5}{12}$ ③ 0   ④ $\dfrac{5}{12}$ ⑤ $\dfrac{12}{13}$

함수의 연속 A 503
모의고사 (고3) 2022년 6월 5번

4. 함수

$$f(x)=\begin{cases} -2x+a & (x \le a) \\ ax-6 & (x > a) \end{cases}$$

가 실수 전체의 집합에서 연속이 되도록 하는 모든 상수 a 의 값의 합은? [3점]

① -1 ② -2 ③ -3 ④ -4 ⑤ -5

등차수열과 등비수열 A 513
모의고사 (고3) 2022년 9월 7번

5. 등차수열 $\{a_n\}$ 에 대하여

$$a_1=2a_5, \quad a_8+a_{12}=-6$$

일 때, a_2 의 값은? [3점]

① 17   ② 19   ③ 21   ④ 23   ⑤ 25

도함수의 활용 B 512
모의고사 (고3) 2022년 9월 8번

6. 함수 $f(x)=x^3-3x^2+k$ 의 극댓값이 9일 때, 함수 $f(x)$ 의 극솟값은? (단, k 는 상수이다.) [3점]

① 1   ② 2   ③ 3   ④ 4   ⑤ 5

7. 수열 $\{a_n\}$의 첫째항부터 제 n항까지의 합을 S_n이라 하자.

$$S_n = \frac{1}{n(n+1)}$$ 일 때, $\sum_{k=1}^{10}(S_k - a_k)$의 값은? [3점]

① $\frac{1}{2}$ ② $\frac{3}{5}$ ③ $\frac{7}{10}$ ④ $\frac{4}{5}$ ⑤ $\frac{9}{10}$

8. 곡선 $y = x^3 - 4x + 5$ 위의 점 $(1, 2)$에서의 접선이 곡선 $y = x^4 + 3x + a$에 접할 때, 상수 a의 값은? [3점]

① 6 ② 7 ③ 8 ④ 9 ⑤ 10

9. 닫힌구간 $[0, 12]$에서 정의된 두 함수

$$f(x) = \cos\frac{\pi x}{6}, \quad g(x) = -3\cos\frac{\pi x}{6} - 1$$

이 있다. 곡선 $y = f(x)$와 직선 $y = k$가 만나는 두 점의 x좌표를 α_1, α_2라 할 때, $|\alpha_1 - \alpha_2| = 8$이다. 곡선 $y = g(x)$와 직선 $y = k$가 만나는 두 점의 x좌표를 β_1, β_2라 할 때, $|\beta_1 - \beta_2|$의 값은? (단, k는 $-1 < k < 1$인 상수이다.) [4점]

① 3 ② $\frac{7}{2}$ ③ 4 ④ $\frac{9}{2}$ ⑤ 5

10. 수직선 위의 점 $A(6)$과 시각 $t = 0$일 때 원점을 출발하여 이 수직선 위를 움직이는 점 P가 있다. 시각 t $(t \geq 0)$에서의 점 P의 속도 $v(t)$를

$$v(t) = 3t^2 + at \quad (a > 0)$$

이라 하자. 시각 $t = 2$에서 점 P와 점 A 사이의 거리가 10일 때, 상수 a의 값은? [4점]

① 1 ② 2 ③ 3 ④ 4 ⑤ 5

11. 함수 $f(x) = -(x-2)^2 + k$에 대하여 다음 조건을 만족시키는 자연수 n의 개수가 2일 때, 상수 k의 값은? [4점]

$\sqrt{3}^{f(n)}$의 네제곱근 중 실수인 것을 모두 곱한 값이 -9이다.

① 8 ② 9 ③ 10 ④ 11 ⑤ 12

12. 실수 t $(t > 0)$에 대하여 직선 $y = x + t$와 곡선 $y = x^2$이 만나는 두 점을 A, B라 하자. 점 A를 지나고 x축에 평행한 직선이 곡선 $y = x^2$과 만나는 점 중 A가 아닌 점을 C, 점 B에서 선분 AC에 내린 수선의 발을 H라 하자.

$$\lim_{t \to 0+} \frac{\overline{AH} - \overline{CH}}{t}$$의 값은? (단, 점 A의 x좌표는 양수이다.) [4점]

① 1 ② 2 ③ 3 ④ 4 ⑤ 5

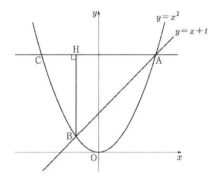

13. 그림과 같이 선분 AB를 지름으로 하는 반원의 호 AB 위에 두 점 C, D가 있다. 선분 AB의 중점 O에 대하여 두 선분 AD, CO가 점 E에서 만나고,

$$\overline{CE} = 4, \quad \overline{ED} = 3\sqrt{2}, \quad \angle CEA = \frac{3}{4}\pi$$

이다. $\overline{AC} \times \overline{CD}$ 의 값은? [4점]

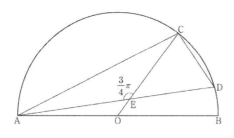

① $6\sqrt{10}$ ② $10\sqrt{5}$ ③ $16\sqrt{2}$

④ $12\sqrt{5}$ ⑤ $20\sqrt{2}$

14. 최고차항의 계수가 1이고 $f(0)=0$, $f(1)=0$인 삼차함수 $f(x)$에 대하여 함수 $g(t)$를

$$g(t) = \int_{t}^{t+1} f(x)\,dx - \int_{0}^{1} |f(x)|\,dx$$

라 할 때, <보기>에서 옳은 것만을 있는 대로 고른 것은? [4점]

<보 기>

ㄱ. $g(0)=0$이면 $g(-1)<0$이다.

ㄴ. $g(-1)>0$이면 $f(k)=0$을 만족시키는 $k<-1$인 실수 k가 존재한다.

ㄷ. $g(-1)>1$이면 $g(0)<-1$이다.

① ㄱ   ② ㄱ, ㄴ   ③ ㄱ, ㄷ

④ ㄴ, ㄷ   ⑤ ㄱ, ㄴ, ㄷ

15. 수열 $\{a_n\}$이 다음 조건을 만족시킨다.

(가) 모든 자연수 k에 대하여 $a_{4k}=r^k$이다.
(단, r는 $0<|r|<1$인 상수이다.)

(나) $a_1<0$이고, 모든 자연수 n에 대하여

$$a_{n+1} = \begin{cases} a_n+3 & (|a_n|<5) \\ -\dfrac{1}{2}a_n & (|a_n|\geq 5) \end{cases}$$

이다.

$|a_m| \geq 5$를 만족시키는 100 이하의 자연수 m의 개수를 p라 할 때, $p+a_1$의 값은? [4점]

① 8   ② 10   ③ 12   ④ 14   ⑤ 16

단답형

16. 방정식 $\log_3(x-4)=\log_9(x+2)$를 만족시키는 실수 x의 값을 구하시오. [3점]

17. 함수 $f(x)$에 대하여 $f'(x)=6x^2-4x+3$이고 $f(1)=5$일 때, $f(2)$의 값을 구하시오. [3점]

수열의 합 B 507
모의고사 (고3) 2022년 9월 10번

18. 수열 $\{a_n\}$에 대하여 $\sum_{k=1}^{5} a_k = 10$일 때,

$$\sum_{k=1}^{5} c a_k = 65 + \sum_{k=1}^{5} c$$

를 만족시키는 상수 c의 값을 구하시오. [3점]

도함수의 활용 B 514
모의고사 (고3) 2022년 9월 16번

19. 방정식 $3x^4 - 4x^3 - 12x^2 + k = 0$이 서로 다른 4개의 실근을 갖도록 하는 자연수 k의 개수를 구하시오. [3점]

정적분의 활용 C 509
모의고사 (고3) 2022년 9월 31번

20. 상수 $k(k<0)$에 대하여 두 함수

$$f(x) = x^3 + x^2 - x, \quad g(x) = 4|x| + k$$

의 그래프가 만나는 점의 개수가 2일 때, 두 함수의 그래프로 둘러싸인 부분의 넓이를 S라 하자. $30 \times S$의 값을 구하시오. [4점]

지수함수 D 503
모의고사 (고3) 2022년 9월 3 번

21. 그림과 같이 곡선 $y = 2^x$ 위에 두 점 $P(a, 2^a)$, $Q(b, 2^b)$이 있다. 직선 PQ의 기울기를 m이라 할 때, 점 P를 지나며 기울기가 $-m$인 직선이 x축, y축과 만나는 점을 각각 A, B라 하고, 점 Q를 지나며 기울기가 $-m$인 직선이 x축과 만나는 점을 C라 하자.

$$\overline{AB} = 4\overline{PB}, \quad \overline{CQ} = 3\overline{AB}$$

일 때, $90 \times (a+b)$의 값을 구하시오. (단, $0 < a < b$) [4점]

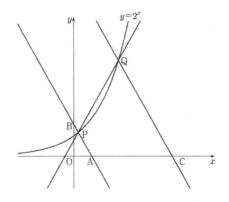

도함수의 활용 E 507
모의고사 (고3) 2022년 9월 33번

22. 최고차항의 계수가 1이고 $x = 3$에서 극댓값 8을 갖는 삼차함수 $f(x)$가 있다. 실수 t에 대하여 함수 $g(x)$를

$$g(x) = \begin{cases} f(x) & (x \geq t) \\ -f(x) + 2f(t) & (x < t) \end{cases}$$

라 할 때, 방정식 $g(x) = 0$의 서로 다른 실근의 개수를 $h(t)$라 하자. 함수 $h(t)$가 $t = a$에서 불연속인 a의 값이 두 개일 때, $f(8)$의 값을 구하시오. [4점]

■ [공통: 수학Ⅰ·수학Ⅱ]				
01.④	02.①	03.②	04.①	05.③
06.⑤	07.⑤	08.①	09.③	10.④
11.②	12.②	13.⑤	14.⑤	15.③
16. 7	17. 16	18. 13	19. 4	
20. 80	21. 220	22. 58		

수학 영역(확률과 통계)

5지선다형

이항정리 A 508
모의고사 (고3) 2022년 6월 23번(확통)

23. 다항식 $(x^2+2)^6$의 전개식에서 x^4의 계수는? [2점]

① 240　　② 270　　③ 300　　④ 330　　⑤ 360

조건부확률 A 502
모의고사 (고3) 2022년 9월 25번(확통)

24. 두 사건 A, B에 대하여

$$P(A \cup B) = 1, \quad P(A \cap B) = \frac{1}{4}, \quad P(A|B) = P(B|A)$$

일 때, $P(A)$의 값은? [3점]

① $\frac{1}{2}$　　② $\frac{9}{16}$　　③ $\frac{5}{8}$　　④ $\frac{11}{16}$　　⑤ $\frac{3}{4}$

연속확률분포 B 502
모의고사 (고3) 2022년 9월 27번(확통)

25. 어느 인스턴트 커피 제조 회사에서 생산하는 A 제품 1개의
중량은 평균이 9, 표준편차가 0.4인 정규분포를 따르고,
B 제품 1개의 중량은 평균이 20, 표준편차가 1인 정규분포를
따른다고 한다. 이 회사에서 생산한 A 제품 중에서 임의로
선택한 1개의 중량이 8.9 이상 9.4 이하일 확률과 B 제품
중에서 임의로 선택한 1개의 중량이 19 이상 k 이하일 확률이
서로 같다. 상수 k의 값은? (단, 중량의 단위는 g이다.) [3점]

① 19.5　　② 19.75　　③ 20　　④ 20.25　　⑤ 20.5

여러가지확률 C 502
모의고사 (고3) 2022년 6월 26번(확통)

26. 세 학생 A, B, C를 포함한 7명의 학생이 원 모양의 탁자에
일정한 간격을 두고 임의로 모두 둘러앉았을 때, A가 B 또는 C와
이웃하게 될 확률은? [3점]

① $\frac{1}{2}$　　② $\frac{3}{5}$　　③ $\frac{7}{10}$　　④ $\frac{4}{5}$　　⑤ $\frac{9}{10}$

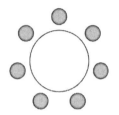

이산확률분포 C 502
모의고사 (고3) 2022년 9월 29번(확통)

27. 이산확률변수 X의 확률분포를 표로 나타내면 다음과 같다.

X	0	1	a	합계
$P(X=x)$	$\frac{1}{10}$	$\frac{1}{2}$	$\frac{2}{5}$	1

$\sigma(X) = E(X)$일 때, $E(X^2) + E(X)$의 값은? (단, $a > 1$) [3점]

① 29　　② 33　　③ 37　　④ 41　　⑤ 45

28. 1부터 10까지의 자연수 중에서 임의로 서로 다른 3개의 수를 선택한다. 선택된 세 개의 수의 곱이 5의 배수이고 합은 3의 배수일 확률은? [4점]

① $\dfrac{3}{20}$ ② $\dfrac{1}{6}$ ③ $\dfrac{11}{60}$ ④ $\dfrac{1}{5}$ ⑤ $\dfrac{13}{60}$

29. 1부터 6까지의 자연수가 하나씩 적힌 6장의 카드가 들어 있는 주머니가 있다. 이 주머니에서 임의로 한 장의 카드를 꺼내어 카드에 적힌 수를 확인한 후 다시 넣는 시행을 한다. 이 시행을 4번 반복하여 확인한 네 개의 수의 평균을 $\overline{X}$ 라 할 때, $P\left(\overline{X}=\dfrac{11}{4}\right)=\dfrac{q}{p}$ 이다. $p+q$ 의 값을 구하시오. (단, p 와 q 는 서로소인 자연수이다.) [4점]

30. 집합 $X=\{1, 2, 3, 4, 5\}$ 와 함수 $f:X\to X$ 에 대하여 함수 f 의 치역을 A, 합성함수 $f\circ f$ 의 치역을 B 라 할 때, 다음 조건을 만족시키는 함수 f 의 개수를 구하시오. [4점]

(가) $n(A)\le 3$

(나) $n(A)=n(B)$

(다) 집합 X 의 모든 원소 x 에 대하여 $f(x)\ne x$ 이다.

■ **[선택: 확률과 통계]**
23. ①   24. ③   25. ④   26. ②   27. ⑤
28. ③   29. 175   30. 260

수학 영역(미적분)

(미적)정적분의 활용 C 503
모의고사 (고3) 2022년 6월 26번(미적)

5지선다형

지수함수와 로그함수의 미분 A 504
모의고사 (고3) 2022년 6월 23번(미적)

23. $\lim\limits_{x\to 0}\dfrac{4^x-2^x}{x}$ 의 값은? [2점]

① $1\ln 2$ ② 1 ③ $2\ln 2$ ④ 2 ⑤ $3\ln 2$

(미적)정적분 D 507
모의고사 (고3) 2022년 9월 25번(미적)

24. $\displaystyle\int_0^{\pi} x\cos\left(\dfrac{\pi}{2}-x\right)dx$ 의 값은? [3점]

① $\dfrac{\pi}{2}$ ② π ③ $\dfrac{3\pi}{2}$ ④ 2π ⑤ $\dfrac{5\pi}{2}$

수열의 극한 B 502
모의고사 (고3) 2022년 9월 27번(미적)

25. 수열 $\{a_n\}$ 에 대하여 $\lim\limits_{n\to\infty}\dfrac{a_n+2}{2}=6$ 일 때,

$\lim\limits_{n\to\infty}\dfrac{na_n+1}{a_n+2n}$ 의 값은? [3점]

① 1 ② 2 ③ 3 ④ 4 ⑤ 5

26. 그림과 같이 양수 k 에 대하여 곡선 $y=\sqrt{\dfrac{kx}{2x^2+1}}$ 와

x축 및 두 직선 $x=1$, $x=2$로 둘러싸인 부분을 밑면으로 하고 x축에 수직인 평면으로 자른 단면이 모두 정사각형인 입체도형의 부피가 $2\ln 3$일 때, k의 값은? [3점]

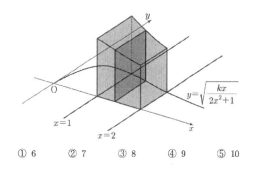

① 6 ② 7 ③ 8 ④ 9 ⑤ 10

급수 C 507
모의고사 (고3) 2022년 9월 29번(미적)

27. 그림과 같이 $\overline{A_1B_1}=4$, $\overline{A_1D_1}=1$인 직사각형 $A_1B_1C_1D_1$에서 두 대각선의 교점을 E_1이라 하자.

$\overline{A_2D_1}=\overline{D_1E_1}$, $\angle A_2D_1E_1=\dfrac{\pi}{2}$이고 선분 D_1C_1과 선분 A_2E_1이 만나도록 점 A_2를 잡고, $\overline{B_2C_1}=\overline{C_1E_1}$, $\angle B_2C_1E_1=\dfrac{\pi}{2}$이고 선분 D_1C_1과 선분 B_2E_1이 만나도록 점 B_2를 잡는다. 두 삼각형 $A_2D_1E_1$, $B_2C_1E_1$을 그린 후 ▷◁ 모양의 도형에 색칠하여 얻은 그림을 R_1이라 하자.

그림 R_1에서 $\overline{A_2B_2}:\overline{A_2D_2}=4:1$이고 선분 D_2C_2가 두 선분 A_2E_1, B_2E_1과 만나지 않도록 직사각형 $A_2B_2C_2D_2$를 그린다. 그림 R_1을 얻은 것과 같은 방법으로 세 점 E_2, A_3, B_3을 잡고 두 삼각형 $A_3D_2E_2$, $B_3C_2E_2$를 그린 후 ▷◁ 모양의 도형에 색칠하여 얻은 그림을 R_2라 하자.

이와 같은 과정을 계속하여 n번째 얻은 그림 R_n에 색칠되어 있는 부분의 넓이를 S_n이라 할 때, $\lim\limits_{n\to\infty}S_n$의 값은? [3점]

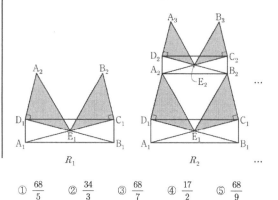

① $\dfrac{68}{5}$ ② $\dfrac{34}{3}$ ③ $\dfrac{68}{7}$ ④ $\dfrac{17}{2}$ ⑤ $\dfrac{68}{9}$

28. 그림과 같이 반지름의 길이가 1이고 중심각의 크기가 $\dfrac{\pi}{2}$ 인 부채꼴 OAB가 있다. 호 AB 위의 점 P에 대하여 $\overline{PA} = \overline{PC} = \overline{PD}$ 가 되도록 호 PB 위에 점 C와 선분 OA 위에 점 D를 잡는다. 점 D를 지나고 선분 OP와 평행한 직선이 선분 PA와 만나는 점을 E라 하자. $\angle POA = \theta$ 일 때, 삼각형 CDP의 넓이를 $f(\theta)$, 삼각형 EDA의 넓이를 $g(\theta)$ 라 하자. $\displaystyle\lim_{\theta \to 0+} \dfrac{g(\theta)}{\theta^2 \times f(\theta)}$ 의 값은? (단, $0 < \theta < \dfrac{\pi}{4}$) [4점]

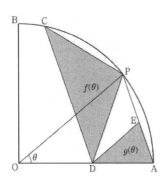

① $\dfrac{1}{8}$ ② $\dfrac{1}{4}$ ③ $\dfrac{3}{8}$ ④ $\dfrac{1}{2}$ ⑤ $\dfrac{5}{8}$

단답형

29. 함수 $f(x) = e^x + x$ 가 있다. 양수 t에 대하여 점 $(t, 0)$ 과 점 $(x, f(x))$ 사이의 거리가 $x = s$ 에서 최소일 때, 실수 $f(s)$ 의 값을 $g(t)$ 라 하자. 함수 $g(t)$ 의 역함수를 $h(t)$ 라 할 때, $h'(1)$ 의 값을 구하시오. [4점]

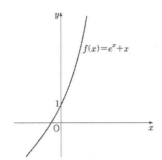

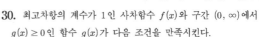

30. 최고차항의 계수가 1인 사차함수 $f(x)$ 와 구간 $(0, \infty)$ 에서 $g(x) \geq 0$ 인 함수 $g(x)$ 가 다음 조건을 만족시킨다.

> (가) $x \leq -3$ 인 모든 실수 x에 대하여 $f(x) \geq f(-3)$ 이다.
>
> (나) $x > -3$ 인 모든 실수 x에 대하여 $g(x+3)\{f(x) - f(0)\}^2 = f'(x)$ 이다.

$\displaystyle\int_4^5 g(x)\,dx = \dfrac{q}{p}$ 일 때, $p + q$ 의 값을 구하시오. (단, p와 q는 서로소인 자연수이다.) [4점]

■ [선택: 미적분]
23. ①   24. ②   25. ⑤   26. ③   27. ③
28. ④   29. 3   30. 283

수학 영역(기하)

5지선다형

공간좌표 A 507
모의고사 (고3) 2022년 6월 23번(기하)

23. 좌표공간의 두 점 $A(a, 1, -1)$, $B(-5, b, 3)$에 대하여 선분 AB의 중점의 좌표가 $(8, 3, 1)$일 때, $a+b$의 값은? [2점]

① 20　　② 22　　③ 24　　④ 26　　⑤ 28

이차곡선과 직선 A 504
모의고사 (고3) 2022년 9월 25번(기하)

24. 쌍곡선 $\dfrac{x^2}{a^2} - y^2 = 1$ 위의 점 $(2a, \sqrt{3})$에서의 접선이 직선 $y = -\sqrt{3}x + 1$과 수직일 때, 상수 a의 값은? [3점]

① 1　　② 2　　③ 3　　④ 4　　⑤ 5

타원 B 505
모의고사 (고3) 2022년 9월 27번(기하)

25. 타원 $\dfrac{x^2}{a^2} + \dfrac{y^2}{5} = 1$의 두 초점을 F, F′이라 하자. 점 F를 지나고 x축에 수직인 직선 위의 점 A가 $\overline{AF'} = 5$, $\overline{AF} = 3$을 만족시킨다. 선분 AF′과 타원이 만나는 점을 P라 할 때, 삼각형 PF′F의 둘레의 길이는? (단, a는 $a > \sqrt{5}$인 상수이다.) [3점]

① 8　　② $\dfrac{17}{2}$　　③ 9　　④ $\dfrac{19}{2}$　　⑤ 10

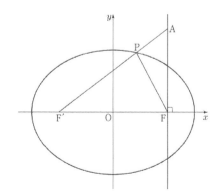

벡터의 성분과 내적 B 506
모의고사 (고3) 2022년 6월 26번(기하)

26. 좌표평면 위의 점 $A(3, 0)$에 대하여

$$\left(\overrightarrow{OP} - \overrightarrow{OA}\right) \cdot \left(\overrightarrow{OP} - \overrightarrow{OA}\right) = 5$$

를 만족시키는 점 P가 나타내는 도형과 직선 $y = \dfrac{1}{2}x + k$가 오직 한 점에서 만날 때, 양수 k의 값은? (단, O는 원점이다.) [3점]

① $\dfrac{3}{5}$　　② $\dfrac{4}{5}$　　③ 1　　④ $\dfrac{6}{5}$　　⑤ $\dfrac{7}{5}$

공간도형 B 505
모의고사 (고3) 2022년 9월 29번(기하)

27. 그림과 같이 밑면의 반지름의 길이가 4, 높이가 3인 원기둥이 있다. 선분 AB는 이 원기둥의 한 밑면의 지름이고 C, D는 다른 밑면의 둘레 위의 서로 다른 두 점이다. 네 점 A, B, C, D가 다음 조건을 만족시킬 때, 선분 CD의 길이는? [3점]

（가）삼각형 ABC의 넓이는 16이다.

（나）두 직선 AB, CD는 서로 평행하다.

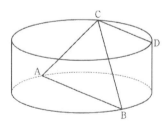

① 5　　② $\dfrac{11}{2}$　　③ 6　　④ $\dfrac{13}{2}$　　⑤ 7

포물선 C 507
모의고사 (고3) 2022년 9월 20번(기하)

28. 실수 $p\,(p \geq 1)$과 함수 $f(x) = (x+a)^2$에 대하여 두 포물선

$$C_1 : y^2 = 4x, \quad C_2 : (y-3)^2 = 4p\{x - f(p)\}$$

가 제1사분면에서 만나는 점을 A라 하자. 두 포물선 C_1, C_2의 초점을 각각 F_1, F_2라 할 때, $\overline{AF_1} = \overline{AF_2}$를 만족시키는 p가 오직 하나가 되도록 하는 상수 a의 값은? [4점]

① $-\dfrac{3}{4}$　② $-\dfrac{5}{8}$　③ $-\dfrac{1}{2}$　④ $-\dfrac{3}{8}$　⑤ $-\dfrac{1}{4}$

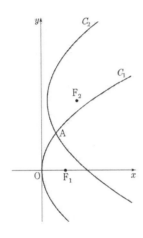

단답형

공간좌표 D 502
모의고사 (고3) 2022년 9월 26번(기하)

29. 좌표공간에 두 개의 구

$$S_1 : x^2 + y^2 + (z-2)^2 = 4, \quad S_2 : x^2 + y^2 + (z+7)^2 = 49$$

가 있다. 점 $A(\sqrt{5},\,0,\,0)$을 지나고 zx평면에 수직이며, 구 S_1과 z좌표가 양수인 한 점에서 접하는 평면을 α라 하자. 구 S_2가 평면 α와 만나서 생기는 원을 C라 할 때, 원 C 위의 점 중 z좌표가 최소인 점을 B라 하고 구 S_2와 점 B에서 접하는 평면을 β라 하자.

원 C의 평면 β 위로의 정사영의 넓이가 $\dfrac{q}{p}\pi$일 때, $p+q$의 값을 구하시오. (단, p와 q는 서로소인 자연수이다.) [4점]

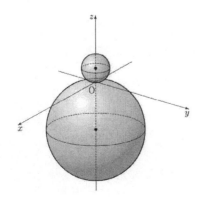

벡터의 성분과 내적 D 506
모의고사 (고3) 2022년 9월 41번(기하)

30. 좌표평면 위에 두 점 $A(-2,\,2)$, $B(2,\,2)$가 있다.

$$(|\overrightarrow{AX}| - 2)(|\overrightarrow{BX}| - 2) = 0, \quad |\overrightarrow{OX}| \geq 2$$

를 만족시키는 점 X가 나타내는 도형 위를 움직이는 두 점 P, Q가 다음 조건을 만족시킨다.

> (가) $\overrightarrow{u} = (1,\,0)$에 대하여 $(\overrightarrow{OP} \cdot \overrightarrow{u})(\overrightarrow{OQ} \cdot \overrightarrow{u}) \geq 0$이다.
>
> (나) $|\overrightarrow{PQ}| = 2$

$\overrightarrow{OY} = \overrightarrow{OP} + \overrightarrow{OQ}$를 만족시키는 점 Y의 집합이 나타내는 도형의 길이가 $\dfrac{q}{p}\sqrt{3}\,\pi$일 때, $p+q$의 값을 구하시오. (단, O는 원점이고, p와 q는 서로소인 자연수이다.) [4점]

■ **[선택: 기하]**
23. ④　24. ②　25. ⑤　26. ③　27. ③
28. ①　29. 127　30. 17

5지선다형

지수 A 514
모의고사 (고3) 2022년 4 월 1번

1. $\sqrt{8} \times 4^{\frac{1}{4}}$ 의 값은? [2점]

① 2   ② $2\sqrt{2}$ ③ 4   ④ $4\sqrt{2}$ ⑤ 8

정적분 A 503
모의고사 (고3) 2022년 10월 2번

2. $\int_0^2 (2x^3 + 3x^2) dx$ 의 값은? [2점]

① 14   ② 16   ③ 18   ④ 20   ⑤ 22

등차수열과 등비수열 A 514
모의고사 (고3) 2022년 10월 3번

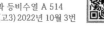

3. 모든 항이 양수인 등비수열 $\{a_n\}$ 에 대하여

$$a_1 a_3 = 4, \quad a_3 a_5 = 64$$

일 때, a_6 의 값은? [3점]

① 16   ② $16\sqrt{2}$ ③ 32   ④ $32\sqrt{2}$ ⑤ 64

함수의 극한 A 515
모의고사 (고3) 2022년 4 월 5번

4. 함수 $y = f(x)$ 의 그래프가 그림과 같다.

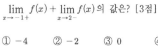

$$\lim_{x \to -1+} f(x) + \lim_{x \to 2-} f(x)$$ 의 값은? [3점]

① -4 ② -2 ③ 0   ④ 2   ⑤ 4

삼각함수 B 513
모의고사 (고3) 2022년 10월 6번

5. $\frac{\pi}{2} < \theta < \pi$ 인 θ 에 대하여 $\sin\theta = 2\cos(\pi - \theta)$ 일 때, $\cos\theta \tan\theta$의 값은? [3점]

① $-\dfrac{2\sqrt{5}}{5}$ ② $-\dfrac{\sqrt{5}}{5}$ ③ $\dfrac{1}{5}$

④ $\dfrac{\sqrt{5}}{5}$ ⑤ $\dfrac{2\sqrt{5}}{5}$

미분계수와 도함수 B 512
모의고사 (고3) 2022년 10월 7번

6. 함수 $f(x) = x^3 - 2x^2 + 2x + a$ 에 대하여 곡선 $y = f(x)$ 위의 점 $(1, f(1))$에서의 접선이 x축, y축과 만나는 점을 각각 P, Q 라 하자. $\overline{PQ} = 6$일 때, 양수 a의 값은? [3점]

① $2\sqrt{2}$ ② $\dfrac{5\sqrt{2}}{2}$ ③ $3\sqrt{2}$ ④ $\dfrac{7\sqrt{2}}{2}$ ⑤ $4\sqrt{2}$

정적분의 활용 B 512
모의고사 (고3) 2022년 10월 8번

7. 두 함수

$$f(x) = x^2 - 4x, \qquad g(x) = \begin{cases} -x^2 + 2x & (x < 2) \\ -x^2 + 6x - 8 & (x \geq 2) \end{cases}$$

의 그래프로 둘러싸인 부분의 넓이는? [3점]

① $\dfrac{40}{3}$ ② 14 ③ $\dfrac{44}{3}$ ④ $\dfrac{46}{3}$ ⑤ 16

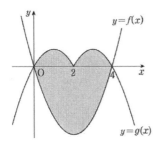

수열의 합 B 508
모의고사 (고3) 2022년 10월 9번

8. 첫째항이 20인 수열 $\{a_n\}$이 모든 자연수 n에 대하여

$$a_{n+1} = |a_n| - 2$$

를 만족시킬 때, $\displaystyle\sum_{n=1}^{30} a_n$의 값은? [3점]

① 88 ② 90 ③ 92 ④ 94 ⑤ 96

미분계수와 도함수 C 503
모의고사 (고3) 2022년 10월 1번

9. 최고차항의 계수가 1인 다항함수 $f(x)$가 모든 실수 x에 대하여

$$xf'(x) - 3f(x) = 2x^2 - 8x$$

를 만족시킬 때, $f(1)$의 값은? [4점]

① 1 ② 2 ③ 3 ④ 4 ⑤ 5

로그함수 C 503
모의고사 (고3) 2022년 10월 1 번

10. $a > 1$인 실수 a에 대하여 두 곡선

$$y = -\log_2(-x), \quad y = \log_2(x + 2a)$$

가 만나는 두 점을 A, B라 하자. 선분 AB의 중점이 직선 $4x + 3y + 5 = 0$ 위에 있을 때, 선분 AB의 길이는? [4점]

① $\dfrac{3}{2}$ ② $\dfrac{7}{4}$ ③ 2 ④ $\dfrac{9}{4}$ ⑤ $\dfrac{5}{2}$

함수의 연속 C 505
모의고사 (고3) 2022년 10월 14번

11. 두 정수 a, b에 대하여 실수 전체의 집합에서 연속인 함수 $f(x)$가 다음 조건을 만족시킨다.

(가) $0 \leq x < 4$에서 $f(x) = ax^2 + bx - 24$이다.
(나) 모든 실수 x에 대하여 $f(x+4) = f(x)$이다.

$1 < x < 10$일 때, 방정식 $f(x) = 0$의 서로 다른 실근의 개수가 5이다. $a + b$의 값은? [4점]

① 18 ② 19 ③ 20 ④ 21 ⑤ 22

삼각함수 C 509
모의고사 (고3) 2022년 10월 12번

12. 양수 a에 대하여 함수

$$f(x) = \left| 4\sin\left(ax - \frac{\pi}{3}\right) + 2 \right| \quad \left(0 \leq x < \frac{4\pi}{a}\right)$$

의 그래프가 직선 $y = 2$와 만나는 서로 다른 점의 개수는 n이다. 이 n개의 점의 x좌표의 합이 39일 때, $n \times a$의 값은? [4점]

① $\dfrac{\pi}{2}$ ② π ③ $\dfrac{3\pi}{2}$ ④ 2π ⑤ $\dfrac{5\pi}{2}$

13. 그림과 같이 $\overline{AB}=2$, $\overline{BC}=3\sqrt{3}$, $\overline{CA}=\sqrt{13}$ 인 삼각형 ABC가 있다. 선분 BC 위에 점 B가 아닌 점 D를 $\overline{AD}=2$가 되도록 잡고, 선분 AC 위에 양 끝점 A, C가 아닌 점 E를 사각형 ABDE가 원에 내접하도록 잡는다.

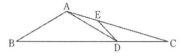

다음은 선분 DE의 길이를 구하는 과정이다.

삼각형 ABC에서 코사인법칙에 의하여

$$\cos(\angle ABC) = \boxed{\text{(가)}}$$

이다. 삼각형 ABD에서 $\sin(\angle ABD) = \sqrt{1 - \left(\boxed{\text{(가)}}\right)^2}$ 이므로 사인법칙에 의하여 삼각형 ABD의 외접원의 반지름의 길이는 $\boxed{\text{(나)}}$ 이다.

삼각형 ADC에서 사인법칙에 의하여

$$\frac{\overline{CD}}{\sin(\angle CAD)} = \frac{\overline{AD}}{\sin(\angle ACD)}$$

이므로 $\sin(\angle CAD) = \dfrac{\overline{CD}}{\overline{AD}} \times \sin(\angle ACD)$ 이다.

삼각형 ADE에서 사인법칙에 의하여

$$\overline{DE} = \boxed{\text{(다)}}$$

이다.

위의 (가), (나), (다)에 알맞은 수를 각각 p, q, r라 할 때, $p \times q \times r$의 값은? [4점]

① $\dfrac{6\sqrt{13}}{13}$　② $\dfrac{7\sqrt{13}}{13}$　③ $\dfrac{8\sqrt{13}}{13}$　④ $\dfrac{9\sqrt{13}}{13}$　⑤ $\dfrac{10\sqrt{13}}{13}$

14. 최고차항의 계수가 1인 삼차함수 $f(x)$와 실수 t에 대하여 x에 대한 방정식

$$\int_t^x f(s)\,ds = 0$$

의 서로 다른 실근의 개수를 $g(t)$라 할 때, <보기>에서 옳은 것만을 있는 대로 고른 것은? [4점]

< 보 기 >

ㄱ. $f(x) = x^2(x-1)$일 때, $g(1) = 1$이다.

ㄴ. 방정식 $f(x) = 0$의 서로 다른 실근의 개수가 3이면 $g(a) = 3$인 실수 a가 존재한다.

ㄷ. $\displaystyle\lim_{t \to b} g(t) + g(b) = 6$을 만족시키는 실수 b의 값이 0과 3뿐이면 $f(4) = 12$이다.

---

① ㄱ　　②ㄱ, ㄴ　　③ ㄱ, ㄷ

④ ㄴ, ㄷ　　⑤ ㄱ, ㄴ, ㄷ

15. 수열 $\{a_n\}$의 첫째항부터 제n항까지의 합을 S_n이라 하자. 두 자연수 p, q에 대하여 $S_n = pn^2 - 36n + q$일 때, S_n이 다음 조건을 만족시키도록 하는 p의 최솟값을 p_1이라 하자.

임의의 두 자연수 i, j에 대하여 $i \neq j$이면 $S_i \neq S_j$이다.

$p = p_1$일 때, $|a_k| < a_1$을 만족시키는 자연수 k의 개수가 3이 되도록 하는 모든 q의 값의 합은? [4점]

① 372　　② 377　　③ 382　　④ 387　　⑤ 392

단 답 형

16. $\log_2 96 + \log_{\frac{1}{4}} 9$의 값을 구하시오. [3점]

17. 함수 $f(x) = x^3 - 3x^2 + ax + 10$이 $x = 3$에서 극소일 때, 함수 $f(x)$의 극댓값을 구하시오. (단, a는 상수이다.) [3점]

수열의 합 B 509
모의고사 (고3) 2022년 10월 19번

18. $\sum\limits_{k=1}^{6} (k+1)^2 - \sum\limits_{k=1}^{5} (k-1)^2$ 의 값을 구하시오. [3점]

정적분의 활용 B 513
모의고사 (고3) 2022년 10월 11번

19. 수직선 위를 움직이는 점 P의 시각 $t(t \geq 0)$에서의 속도 $v(t)$가

$$v(t) = 4t^3 - 48t$$

이다. 시각 $t=k(k>0)$에서 점 P의 가속도가 0일 때, 시각 $t=0$에서 $t=k$까지 점 P가 움직인 거리를 구하시오. (단, k는 상수이다.) [3점]

도함수의 활용 C 512
모의고사 (고3) 2022년 10월 02 번

20. 최고차항의 계수가 1이고 다음 조건을 만족시키는 모든 삼차함수 $f(x)$에 대하여 $f(5)$의 최댓값을 구하시오. [4점]

> (가) $\lim\limits_{x \to 0} \dfrac{|f(x)-1|}{x}$ 의 값이 존재한다.
>
> (나) 모든 실수 x에 대하여 $xf(x) \geq -4x^2 + x$ 이다.

지수함수 D 504
모의고사 (고3) 2022년 10월 24번

21. 그림과 같이 $a>1$인 실수 a에 대하여 두 곡선

$$y = a^{-2x} - 1, \ y = a^x - 1$$

이 있다. 곡선 $y=a^{-2x}-1$과 직선 $y=-\sqrt{3}x$가 서로 다른 두 점 O, A에서 만난다. 점 A를 지나고 직선 OA에 수직인 직선이 곡선 $y=a^x-1$과 제1사분면에서 만나는 점을 B라 하자. $\overline{OA}:\overline{OB} = \sqrt{3}:\sqrt{19}$ 일 때, 선분 AB의 길이를 구하시오. (단, O는 원점이다.) [4점]

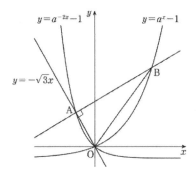

도함수의 활용 D 506
모의고사 (고3) 2022년 10월 22번

22. 최고차항의 계수가 1인 사차함수 $f(x)$와 실수 t에 대하여 구간 $(-\infty, t]$에서 함수 $f(x)$의 최솟값을 m_1이라 하고, 구간 $[t, \infty)$에서 함수 $f(x)$의 최솟값을 m_2라 할 때,

$$g(t) = m_1 - m_2$$

라 하자. $k>0$인 상수 k와 함수 $g(t)$가 다음 조건을 만족시킨다.

> $g(t)=k$를 만족시키는 모든 실수 t의 값의 집합은 $\{t \mid 0 \leq t \leq 2\}$ 이다.

$g(4)=0$일 때, $k+g(-1)$의 값을 구하시오. [4점]

정 답

1	③	2	②	3	③	4	④	5	⑤
6	③	7	①	8	②	9	③	10	⑤
11	④	12	④	13	①	14	②	15	①
16	5	17	15	18	109	19	80	20	226
21	8	22	82						

수학 영역(확률과 통계)

---

5 지 선 다 형 통계적 추정 A 501
모의고사 (고3) 2022년 4 월 23번(확통)

23. 표준편차가 12인 정규분포를 따르는 모집단에서 크기가 36인 표본을 임의추출하여 구한 표본평균을 $\overline{X}$라 할 때, $\sigma(\overline{X})$의 값은? [2점]

① 1   ② 2   ③ 3   ④ 4   ⑤ 5

이항정리 A 509
모의고사 (고3) 2022년 10월 25번(확통)

24. 다항식 $(x^2+1)(x-2)^5$의 전개식에서 x^6의 계수는? [3점]

① -10 ② -8 ③ -6 ④ -4 ⑤ -2

이산확률분포 B 502
모의고사 (고3) 2022년 10월 26번(확통)

25. 이산확률변수 X의 확률분포를 표로 나타내면 다음과 같다.

X	-3	0	a	합계
$\mathrm{P}(X=x)$	$\dfrac{1}{2}$	$\dfrac{1}{4}$	$\dfrac{1}{4}$	1

$\mathrm{E}(X)=-1$일 때, $\mathrm{V}(aX)$의 값은? (단, a는 상수이다.) [3점]

① 12   ② 15   ③ 18   ④ 21   ⑤ 24

중복조합 B 505
모의고사 (고3) 2022년 4 월 26번(확통)

26. 다음 조건을 만족시키는 자연수 a, b, c, d의 모든 순서쌍 (a, b, c, d)의 개수는? [3점]

> (가) $a \times b \times c \times d = 8$
> (나) $a+b+c+d < 10$

① 10   ② 12   ③ 14   ④ 16   ⑤ 18

여러가지확률 B 511
모의고사 (고3) 2022년 10월 28번(확통)

27. 1부터 10까지의 자연수가 하나씩 적혀 있는 10장의 카드가 들어 있는 주머니가 있다. 이 주머니에서 임의로 카드 4장을 동시에 꺼내어 카드에 적혀 있는 수를 작은 수부터 크기 순서대로 a_1, a_2, a_3, a_4라 하자. $a_1 \times a_2$의 값이 홀수이고, $a_3 + a_4 \geq 16$일 확률은? [3점]

① $\dfrac{1}{14}$ ② $\dfrac{3}{35}$ ③ $\dfrac{1}{10}$ ④ $\dfrac{4}{35}$ ⑤ $\dfrac{9}{70}$

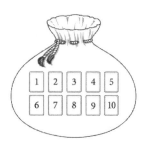

28. 정규분포를 따르는 두 확률변수 X, Y의 확률밀도함수를 각각 $f(x)$, $g(x)$라 할 때, 모든 실수 x에 대하여

$$g(x) = f(x+6)$$

이다. 두 확률변수 X, Y와 상수 k가 다음 조건을 만족시킨다.

(가) $P(X \le 11) = P(Y \ge 23)$	z	$P(0 \le Z \le z)$
(나) $P(X \le k) + P(Y \le k) = 1$	0.5	0.1915
	1.0	0.3413
	1.5	0.4332
	2.0	0.4772

오른쪽 표준정규분포표를 이용하여 구한 $P(X \le k) + P(Y \ge k)$의 값이 0.1336일 때, $E(X) + \sigma(Y)$의 값은? [4점]

① $\dfrac{41}{2}$ ② 21   ③ $\dfrac{43}{2}$ ④ 22   ⑤ $\dfrac{45}{2}$

단 답 형

29. 두 집합 $X = \{1, 2, 3, 4\}$, $Y = \{1, 2, 3, 4, 5, 6\}$에 대하여 다음 조건을 만족시키는 함수 $f : X \to Y$의 개수를 구하시오. [4점]

(가) 집합 X의 임의의 두 원소 x_1, x_2에 대하여
$x_1 < x_2$이면 $f(x_1) \le f(x_2)$이다.
(나) $f(1) \le 3$
(다) $f(3) \le f(1) + 4$

---

30. 주머니 A에 흰 공 3개, 검은 공 1개가 들어 있고, 주머니 B에도 흰 공 3개, 검은 공 1개가 들어 있다. 한 개의 동전을 사용하여 [실행 1]과 [실행 2]를 순서대로 하려고 한다.

[실행 1] 한 개의 동전을 던져
앞면이 나오면 주머니 A에서 임의로 2개의 공을
꺼내어 주머니 B에 넣고,
뒷면이 나오면 주머니 A에서 임의로 3개의 공을
꺼내어 주머니 B에 넣는다.
[실행 2] 주머니 B에서 임의로 5개의 공을 꺼내어
주머니 A에 넣는다.

[실행 2]가 끝난 후 주머니 B에 흰 공이 남아 있지 않을 때, [실행 1]에서 주머니 B에 넣은 공 중 흰 공이 2개이었을 확률은 $\dfrac{q}{p}$이다. $p+q$의 값을 구하시오. (단, p와 q는 서로소인 자연수이다.) [4점]

[확률과 통계]

23	②	24	①	25	③	26	④	27	⑤
28	④	29	105	30	17				

수학 영역(미적분)

5지선다형 수열의 극한 A 509
모의고사 (고3) 2022년 4 월 23번(미적)

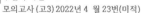
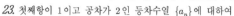

23. 첫째항이 1이고 공차가 2인 등차수열 $\{a_n\}$에 대하여

$$\lim_{n \to \infty} \frac{a_n}{3n+1}$$의 값은? [2점]

① $\frac{2}{3}$ ② 1 ③ $\frac{4}{3}$ ④ $\frac{5}{3}$ ⑤ 2

지수함수와 로그함수의 미분 B 503
모의고사 (고3) 2022년 10월 25번(미적)

24. 미분가능한 함수 $f(x)$에 대하여

$$\lim_{x \to 0} \frac{f(x)-f(0)}{\ln(1+3x)} = 2$$

일 때, $f'(0)$의 값은? [3점]

① 4 ② 5 ③ 6 ④ 7 ⑤ 8

여러가지 미분법 B 508
모의고사 (고3) 2022년 10월 26번(미적)

25. 매개변수 $t\,(0 < t < \pi)$로 나타내어진 곡선

$$x = \sin t - \cos t, \quad y = 3\cos t + \sin t$$

위의 점 (a, b)에서의 접선의 기울기가 3일 때, $a+b$의 값은?
[3점]

① 0 ② $-\frac{\sqrt{10}}{10}$ ③ $-\frac{\sqrt{10}}{5}$

④ $-\frac{3\sqrt{10}}{10}$ ⑤ $-\frac{2\sqrt{10}}{5}$

(미적)정적분 C 501
모의고사 (고3) 2022년4 월 26번(미적)

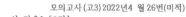

26. $\lim_{n \to \infty} \sum_{k=1}^{n} \frac{k}{(2n-k)^2}$의 값은? [3점]

① $\frac{3}{2} - 2\ln 2$ ② $1 - \ln 2$ ③ $\frac{3}{2} - \ln 3$

④ $\ln 2$ ⑤ $2 - \ln 3$

급수 C 508
모의고사 (고3) 2022년10월 28번(미적)

27. 그림과 같이 $\overline{A_1B_1} = 1$, $\overline{B_1C_1} = 2\sqrt{6}$인 직사각형 $A_1B_1C_1D_1$이 있다. 중심이 B_1이고 반지름의 길이가 1인 원이 선분 B_1C_1과 만나는 점을 E_1이라 하고, 중심이 D_1이고 반지름의 길이가 1인 원이 선분 A_1D_1과 만나는 점을 F_1이라 하자. 선분 B_1D_1이 호 A_1E_1, 호 C_1F_1과 만나는 점을 각각 B_2, D_2라 하고, 두 선분 B_1B_2, D_1D_2의 중점을 각각 G_1, H_1이라 하자.
두 선분 A_1G_1, G_1B_2와 호 B_2A_1로 둘러싸인 부분인 ◁ 모양의 도형과 두 선분 D_2H_1, H_1F_1과 호 F_1D_2로 둘러싸인 부분인 ▷ 모양의 도형에 색칠하여 얻은 그림을 R_1이라 하자.
그림 R_1에서 선분 B_2D_2가 대각선이고 모든 변이 선분 A_1B_1 또는 선분 B_1C_1에 평행한 직사각형 $A_2B_2C_2D_2$를 그린다.
직사각형 $A_2B_2C_2D_2$에 그림 R_1을 얻은 것과 같은 방법으로 ◁ 모양의 도형과 ▷ 모양의 도형을 그리고 색칠하여 얻은 그림을 R_2라 하자.
이와 같은 과정을 계속하여 n번째 얻은 그림 R_n에 색칠되어 있는 부분의 넓이를 S_n이라 할 때, $\lim_{n \to \infty} S_n$의 값은? [3점]

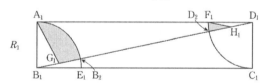

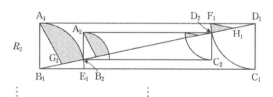

① $\frac{25\pi - 12\sqrt{6} - 5}{64}$ ② $\frac{25\pi - 12\sqrt{6} - 4}{64}$

③ $\frac{25\pi - 10\sqrt{6} - 6}{64}$ ④ $\frac{25\pi - 10\sqrt{6} - 5}{64}$

⑤ $\frac{25\pi - 10\sqrt{6} - 4}{64}$

28. 닫힌구간 $[0, 4\pi]$에서 연속이고 다음 조건을 만족시키는 모든 함수 $f(x)$에 대하여 $\int_0^{4\pi} |f(x)|dx$의 최솟값은? [4점]

(가) $0 \le x \le \pi$일 때, $f(x) = 1 - \cos x$이다.

(나) $1 \le n \le 3$인 각각의 자연수 n에 대하여
$$f(n\pi + t) = f(n\pi) + f(t) \ (0 < t \le \pi)$$
또는
$$f(n\pi + t) = f(n\pi) - f(t) \ (0 < t \le \pi)$$
이다.

(다) $0 < x < 4\pi$에서 곡선 $y = f(x)$의 변곡점의 개수는 6이다.

① 4π ② 6π ③ 8π ④ 10π ⑤ 12π

29. 그림과 같이 길이가 2인 선분 AB를 지름으로 하는 반원이 있다. 선분 AB의 중점을 O라 하고 호 AB 위에 두 점 P, Q를

$$\angle BOP = \theta, \ \angle BOQ = 2\theta$$

가 되도록 잡는다. 점 Q를 지나고 선분 AB에 평행한 직선이 호 AB와 만나는 점 중 Q가 아닌 점을 R라 하고, 선분 BR가 두 선분 OP, OQ와 만나는 점을 각각 S, T라 하자. 세 선분 AO, OT, TR와 호 RA로 둘러싸인 부분의 넓이를 $f(\theta)$라 하고, 세 선분 QT, TS, SP와 호 PQ로 둘러싸인 부분의 넓이를 $g(\theta)$라 하자. $\lim\limits_{\theta \to 0+} \dfrac{g(\theta)}{f(\theta)} = a$일 때, $80a$의 값을 구하시오. (단, $0 < \theta < \dfrac{\pi}{4}$) [4점]

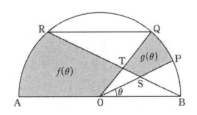

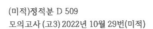

30. 최고차항의 계수가 1인 이차함수 $f(x)$에 대하여 실수 전체의 집합에서 정의된 함수

$$g(x) = \ln\{f(x) + f'(x) + 1\}$$

이 있다. 상수 a와 함수 $g(x)$가 다음 조건을 만족시킨다.

(가) 모든 실수 x에 대하여 $g(x) > 0$이고
$$\int_{2a}^{3a+x} g(t)dt = \int_{3a-x}^{2a+2} g(t)dt$$
이다.

(나) $g(4) = \ln 5$

$\int_3^5 \{f'(x) + 2a\}g(x)dx = m + n\ln 2$일 때, $m+n$의 값을 구하시오. (단, m, n은 정수이고, $\ln 2$는 무리수이다.) [4점]

[미적분]

| 23 | ① | 24 | ③ | 25 | ⑤ | 26 | ② | 27 | ④ |
| 28 | ② | 29 | 20 | 30 | 12 | | | | |

수학 영역(기하)

5 지 선 다 형   공간좌표 A 508
모의고사 (고3) 2022년 4 월 23번(기하)

23. 좌표공간의 두 점 A$(3, a, -2)$, B$(-1, 3, a)$에 대하여 선분 AB의 중점이 xy평면 위에 있을 때, a의 값은? [2점]

① 1   ② $\dfrac{3}{2}$ ③ 2   ④ $\dfrac{5}{2}$ ⑤ 3

이차곡선과 직선 A 505
모의고사 (고3) 2022년 10월 25번(기하)

24. 타원 $\dfrac{x^2}{16}+\dfrac{y^2}{8}=1$에 접하고 기울기가 2인 두 직선이 y축과 만나는 점을 각각 A, B라 할 때, 선분 AB의 길이는? [3점]

① $8\sqrt{2}$ ② 12   ③ $10\sqrt{2}$

④ 15   ⑤ $12\sqrt{2}$

벡터의 연산 B 507
모의고사 (고3) 2022년 10월 26번(기하)

25. 평면 위의 네 점 A, B, C, D가 다음 조건을 만족시킬 때, $|\overrightarrow{AD}|$의 값은? [3점]

(가) $|\overrightarrow{AB}|=2$, $\overrightarrow{AB}+\overrightarrow{CD}=\vec{0}$
(나) $|\overrightarrow{BD}|=|\overrightarrow{BA}-\overrightarrow{BC}|=6$

① $2\sqrt{5}$ ② $2\sqrt{6}$ ③ $2\sqrt{7}$ ④ $4\sqrt{2}$ ⑤ 6

공간도형 B 506
모의고사 (고3) 2022년 4 월 26번(기하)

26. 그림과 같이 $\overline{BC}=\overline{CD}=3$이고 $\angle BCD=90°$인 사면체 ABCD가 있다. 점 A에서 평면 BCD에 내린 수선의 발을 H라 할 때, 점 H는 선분 BD를 $1:2$로 내분하는 점이다. 삼각형 ABC의 넓이가 6일 때, 삼각형 AHC의 넓이는? [3점]

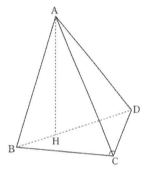

① $2\sqrt{3}$ ② $\dfrac{5\sqrt{3}}{2}$ ③ $3\sqrt{3}$ ④ $\dfrac{7\sqrt{3}}{2}$ ⑤ $4\sqrt{3}$

포물선 B 504
모의고사 (고3) 2022년 10월 28번(기하)

27. 양수 p에 대하여 두 포물선 $x^2=8(y+2)$, $y^2=4px$가 만나는 점 중 제1사분면 위의 점을 P라 하자. 점 P에서 포물선 $x^2=8(y+2)$의 준선에 내린 수선의 발 H와 포물선 $x^2=8(y+2)$의 초점 F에 대하여 $\overline{PH}+\overline{PF}=40$일 때, p의 값은? [3점]

① $\dfrac{16}{3}$ ② 6   ③ $\dfrac{20}{3}$ ④ $\dfrac{22}{3}$ ⑤ 8

28. 그림과 같이 한 평면 위에 반지름의 길이가 4이고 중심각의 크기가 120°인 부채꼴 OAB와 중심이 C이고 반지름의 길이가 1인 원 C가 있고, 세 벡터 $\overrightarrow{OA}$, $\overrightarrow{OB}$, $\overrightarrow{OC}$가

$$\overrightarrow{OA} \cdot \overrightarrow{OC} = 24, \quad \overrightarrow{OB} \cdot \overrightarrow{OC} = 0$$

을 만족시킨다. 호 AB 위를 움직이는 점 P와 원 C 위를 움직이는 점 Q에 대하여 $\overrightarrow{OP} \cdot \overrightarrow{PQ}$의 최댓값과 최솟값을 각각 M, m이라 할 때, $M+m$의 값은? [4점]

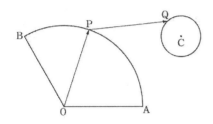

① $12\sqrt{3} - 34$　　② $12\sqrt{3} - 32$　　③ $16\sqrt{3} - 36$

④ $16\sqrt{3} - 34$　　⑤ $16\sqrt{3} - 32$

단답형

29. 두 점 $F_1(4, 0)$, $F_2(-6, 0)$에 대하여 포물선 $y^2 = 16x$ 위의 점 중 제1사분면에 있는 점 P가 $\overline{PF_2} - \overline{PF_1} = 6$을 만족시킨다. 포물선 $y^2 = 16x$ 위의 점 P에서의 접선이 x축과 만나는 점을 F_3이라 하면 두 점 F_1, F_3을 초점으로 하는 타원의 한 꼭짓점은 선분 PF_3 위에 있다. 이 타원의 장축의 길이가 $2a$일 때, a^2의 값을 구하시오. [4점]

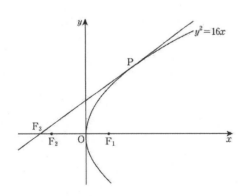

30. 그림과 같이 한 변의 길이가 4인 정삼각형을 밑면으로 하고 높이가 $4 + 2\sqrt{3}$인 정삼각기둥 ABC−DEF와 $\overline{DG} = 4$인 선분 AD 위의 점 G가 있다. 점 H가 다음 조건을 만족시킨다.

(가) 삼각형 CGH의 평면 ADEB 위로의 정사영은 정삼각형이다.

(나) 삼각형 CGH의 평면 DEF 위로의 정사영의 내부와 삼각형 DEF의 내부의 공통부분의 넓이는 $2\sqrt{3}$이다.

삼각형 CGH의 평면 ADFC 위로의 정사영의 넓이를 S라 할 때, S^2의 값을 구하시오. [4점]

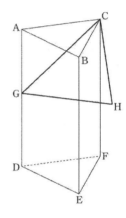

[기하]

23	③	24	⑤	25	④	26	②	27	①
28	⑤	29	54	30	48				

5지선다형

지수 A 515
2023년 수능 1번

1. $\left(\dfrac{4}{2^{\sqrt{2}}}\right)^{2+\sqrt{2}}$ 의 값은? [2점]

① $\dfrac{1}{4}$ ② $\dfrac{1}{2}$ ③ 1   ④ 2   ⑤ 4

함수의 극한 A 516
2023년 수능 7번

2. $\displaystyle\lim_{x\to\infty}\dfrac{\sqrt{x^2-2}+3x}{x+5}$ 의 값은? [2점]

① 1   ② 2   ③ 3   ④ 4   ⑤ 5

등차수열과 등비수열 A 515
2023년 수능 2번

3. 공비가 양수인 등비수열 $\{a_n\}$ 이

$$a_2+a_4=30, \quad a_4+a_6=\dfrac{15}{2}$$

를 만족시킬 때, a_1 의 값은? [3점]

① 48   ② 56   ③ 64   ④ 72   ⑤ 80

미분계수와 도함수 A 521
2023년 수능 4번

4. 다항함수 $f(x)$ 에 대하여 함수 $g(x)$ 를

$$g(x)=x^2 f(x)$$

라 하자. $f(2)=1$, $f'(2)=3$일 때, $g'(2)$의 값은? [3점]

① 12   ② 14   ③ 16   ④ 18   ⑤ 20

삼각함수 B 514
2023년 수능 3번

5. $\tan\theta<0$ 이고 $\cos\left(\dfrac{\pi}{2}+\theta\right)=\dfrac{\sqrt{5}}{5}$ 일 때, $\cos\theta$ 의 값은? [3점]

① $-\dfrac{2\sqrt{5}}{5}$ ② $-\dfrac{\sqrt{5}}{5}$ ③ 0

④ $\dfrac{\sqrt{5}}{5}$ ⑤ $\dfrac{2\sqrt{5}}{5}$

도함수의 활용 B 515
2023년 수능 4번

6. 함수 $f(x)=2x^3-9x^2+ax+5$ 는 $x=1$ 에서 극대이고, $x=b$ 에서 극소이다. $a+b$ 의 값은? (단, a, b 는 상수이다.) [3점]

① 12   ② 14   ③ 16   ④ 18   ⑤ 20

7. 모든 항이 양수이고 첫째항과 공차가 같은 등차수열 $\{a_n\}$이

$$\sum_{k=1}^{15} \frac{1}{\sqrt{a_k}+\sqrt{a_{k+1}}}=2$$

를 만족시킬 때, a_4의 값은? [3점]

① 6   ② 7   ③ 8   ④ 9   ⑤ 10

8. 점 $(0, 4)$에서 곡선 $y=x^3-x+2$에 그은 접선의 x절편은?
[3점]

① $-\dfrac{1}{2}$ ② -1 ③ $-\dfrac{3}{2}$ ④ -2 ⑤ $-\dfrac{5}{2}$

9. 함수

$$f(x)=a-\sqrt{3}\tan 2x$$

가 닫힌구간 $\left[-\dfrac{\pi}{6}, b\right]$에서 최댓값 7, 최솟값 3을 가질 때, $a \times b$의 값은? (단, a, b는 상수이다.) [4점]

① $\dfrac{\pi}{2}$ ② $\dfrac{5\pi}{12}$ ③ $\dfrac{\pi}{3}$ ④ $\dfrac{\pi}{4}$ ⑤ $\dfrac{\pi}{6}$

10. 두 곡선 $y=x^3+x^2$, $y=-x^2+k$와 y축으로 둘러싸인 부분의 넓이를 A, 두 곡선 $y=x^3+x^2$, $y=-x^2+k$와 직선 $x=2$로 둘러싸인 부분의 넓이를 B라 하자. $A=B$일 때, 상수 k의 값은? (단, $4<k<5$) [4점]

① $\dfrac{25}{6}$ ② $\dfrac{13}{3}$ ③ $\dfrac{9}{2}$ ④ $\dfrac{14}{3}$ ⑤ $\dfrac{29}{6}$

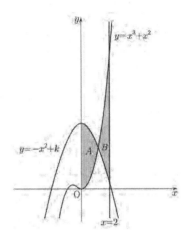

11. 그림과 같이 사각형 ABCD가 한 원에 내접하고

$$\overline{AB}=5, \ \overline{AC}=3\sqrt{5}, \ \overline{AD}=7, \ \angle BAC=\angle CAD$$

일 때, 이 원의 반지름의 길이는? [4점]

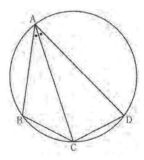

① $\dfrac{5\sqrt{2}}{2}$ ② $\dfrac{8\sqrt{5}}{5}$ ③ $\dfrac{5\sqrt{5}}{3}$

④ $\dfrac{8\sqrt{2}}{3}$ ⑤ $\dfrac{9\sqrt{3}}{4}$

12. 실수 전체의 집합에서 연속인 함수 $f(x)$가 다음 조건을 만족시킨다.

$n-1 \leq x < n$일 때, $|f(x)| = |6(x-n+1)(x-n)|$ 이다.
(단, n은 자연수이다.)

열린구간 $(0, 4)$에서 정의된 함수

$$g(x) = \int_0^x f(t)\,dt - \int_x^4 f(t)\,dt$$

가 $x=2$에서 최솟값 0을 가질 때, $\int_{\frac{1}{2}}^4 f(x)\,dx$의 값은? [4점]

① $-\dfrac{3}{2}$ ② $-\dfrac{1}{2}$ ③ $\dfrac{1}{2}$ ④ $\dfrac{3}{2}$ ⑤ $\dfrac{5}{2}$

13. 자연수 $m(m \geq 2)$에 대하여 m^{12}의 n제곱근 중에서 정수가 존재하도록 하는 2 이상의 자연수 n의 개수를 $f(m)$이라 할 때, $\sum\limits_{m=2}^{9} f(m)$의 값은? [4점]

① 37 ② 42 ③ 47 ④ 52 ⑤ 57

14. 다항함수 $f(x)$에 대하여 함수 $g(x)$를 다음과 같이 정의한다.

$$g(x) = \begin{cases} x & (x < -1 \text{ 또는 } x > 1) \\ f(x) & (-1 \leq x \leq 1) \end{cases}$$

함수 $h(x) = \lim\limits_{t \to 0+} g(x+t) \times \lim\limits_{t \to 2+} g(x+t)$에 대하여 <보기>에서 옳은 것만을 있는 대로 고른 것은? [4점]

<보 기>

ㄱ. $h(1) = 3$

ㄴ. 함수 $h(x)$는 실수 전체의 집합에서 연속이다.

ㄷ. 함수 $g(x)$가 닫힌구간 $[-1, 1]$에서 감소하고 $g(-1) = -2$이면 함수 $h(x)$는 실수 전체의 집합에서 최솟값을 갖는다.

---

① ㄱ ② ㄴ ③ ㄱ, ㄴ ④ ㄱ, ㄷ ⑤ ㄴ, ㄷ

15. 모든 항이 자연수이고 다음 조건을 만족시키는 모든 수열 $\{a_n\}$에 대하여 a_9의 최댓값과 최솟값을 각각 M, m이라 할 때, $M+m$의 값은? [4점]

(가) $a_7 = 40$

(나) 모든 자연수 n에 대하여

$$a_{n+2} = \begin{cases} a_{n+1} + a_n & (a_{n+1} \text{이 } 3 \text{의 배수가 아닌 경우}) \\ \dfrac{1}{3}a_{n+1} & (a_{n+1} \text{이 } 3 \text{의 배수인 경우}) \end{cases}$$

이다.

---

① 216 ② 218 ③ 220 ④ 222 ⑤ 224

단답형

16. 방정식

$$\log_2(3x+2) = 2 + \log_2(x-2)$$

를 만족시키는 실수 x의 값을 구하시오. [3점]

17. 함수 $f(x)$에 대하여 $f'(x) = 4x^3 - 2x$이고 $f(0) = 3$일 때, $f(2)$의 값을 구하시오. [3점]

18. 두 수열 $\{a_n\}$, $\{b_n\}$에 대하여

수열의 합 B 511
2023년 수능 16번

$$\sum_{k=1}^{5}(3a_k+5)=55, \quad \sum_{k=1}^{5}(a_k+b_k)=32$$

일 때, $\sum_{k=1}^{5}b_k$의 값을 구하시오. [3점]

도함수의 활용 B 517
2023년 수능 18번

19. 방정식 $2x^3-6x^2+k=0$의 서로 다른 양의 실근의 개수가 2가 되도록 하는 정수 k의 개수를 구하시오. [3점]

정적분의 활용 C 510
2023년 수능 70번

20. 수직선 위를 움직이는 점 P의 시각 $t\,(t \geq 0)$에서의 속도 $v(t)$와 가속도 $a(t)$가 다음 조건을 만족시킨다.

(가) $0 \leq t \leq 2$일 때, $v(t)=2t^3-8t$이다.

(나) $t \geq 2$일 때, $a(t)=6t+4$이다.

시각 $t=0$에서 $t=3$까지 점 P가 움직인 거리를 구하시오. [4점]

로그함수의 활용 C 505
2023년 수능 79번

21. 자연수 n에 대하여 함수 $f(x)$를

$$f(x)=\begin{cases} |3^{x+2}-n| & (x<0) \\ |\log_2(x+4)-n| & (x \geq 0) \end{cases}$$

이라 하자. 실수 t에 대하여 x에 대한 방정식 $f(x)=t$의 서로 다른 실근의 개수를 $g(t)$라 할 때, 함수 $g(t)$의 최댓값이 4가 되도록 하는 모든 자연수 n의 값의 합을 구하시오. [4점]

도함수의 활용 E 508
2023년 수능 77번

22. 최고차항의 계수가 1인 삼차함수 $f(x)$와 실수 전체의 집합에서 연속인 함수 $g(x)$가 다음 조건을 만족시킬 때, $f(4)$의 값을 구하시오. [4점]

(가) 모든 실수 x에 대하여
$f(x)=f(1)+(x-1)f'(g(x))$이다.

(나) 함수 $g(x)$의 최솟값은 $\dfrac{5}{2}$이다.

(다) $f(0)=-3$, $f(g(1))=6$

[공통: 수학Ⅰ·수학Ⅱ]

01. ⑤	02. ④	03. ①	04. ③	05. ⑤
06. ②	07. ④	08. ④	09. ③	10. ④
11. ①	12. ②	13. ③	14. ①	15. ⑤
16. 10	17. 15	18. 22	19. 7	
20. 17	21. 33	22. 13		

수학 영역(확률과 통계)

이항정리 A 510
2023년 수능 23번(확통)

5지선다형

23. 다항식 $(x^3+3)^5$의 전개식에서 x^9의 계수는? [2점]

① 30 ② 60 ③ 90 ④ 120 ⑤ 150

여러가지순열 A 504
2023년 수능 21번(확통)

24. 숫자 1, 2, 3, 4, 5 중에서 중복을 허락하여 4개를 택해 일렬로 나열하여 만들 수 있는 네 자리의 자연수 중 4000 이상인 홀수의 개수는? [3점]

① 125 ② 150 ③ 175 ④ 200 ⑤ 225

여러가지확률 B 512
2023년 수능 23번(확통)

25. 흰색 마스크 5개, 검은색 마스크 9개가 들어 있는 상자가 있다. 이 상자에서 임의로 3개의 마스크를 동시에 꺼낼 때, 꺼낸 3개의 마스크 중에서 적어도 한 개가 흰색 마스크일 확률은? [3점]

① $\frac{8}{13}$ ② $\frac{17}{26}$ ③ $\frac{9}{13}$ ④ $\frac{19}{26}$ ⑤ $\frac{10}{13}$

여러가지확률 B 513
2023년 수능 26번(확통)

26. 주머니에 1이 적힌 흰 공 1개, 2가 적힌 흰 공 1개, 1이 적힌 검은 공 1개, 2가 적힌 검은 공 3개가 들어 있다. 이 주머니에서 임의로 3개의 공을 동시에 꺼내는 시행을 한다. 이 시행에서 꺼낸 3개의 공 중에서 흰 공이 1개이고 검은 공이 2개인 사건을 A, 꺼낸 3개의 공에 적혀 있는 수를 모두 곱한 값이 8인 사건을 B라 할 때, $\mathrm{P}(A \cup B)$의 값은? [3점]

① $\frac{11}{20}$ ② $\frac{3}{5}$ ③ $\frac{13}{20}$ ④ $\frac{7}{10}$ ⑤ $\frac{3}{4}$

통계적 추정 C 503
2023년 수능 25번(확통)

27. 어느 회사에서 생산하는 샴푸 1개의 용량은 정규분포 $\mathrm{N}(m, \sigma^2)$을 따른다고 한다. 이 회사에서 생산하는 샴푸 중에서 16개를 임의추출하여 얻은 표본평균을 이용하여 구한 m에 대한 신뢰도 95 %의 신뢰구간이 $746.1 \le m \le 755.9$이다. 이 회사에서 생산하는 샴푸 중에서 n개를 임의추출하여 얻은 표본평균을 이용하여 구하는 m에 대한 신뢰도 99 %의 신뢰구간이 $a \le m \le b$일 때, $b-a$의 값이 6 이하가 되기 위한 자연수 n의 최솟값은? (단, 용량의 단위는 mL이고, Z가 표준정규분포를 따르는 확률변수일 때, $\mathrm{P}(|Z| \le 1.96) = 0.95$, $\mathrm{P}(|Z| \le 2.58) = 0.99$로 계산한다.) [3점]

① 70 ② 74 ③ 78 ④ 82 ⑤ 86

28. 연속확률변수 X가 갖는 값의 범위는 $0 \le X \le a$이고, X의 확률밀도함수의 그래프가 그림과 같다.

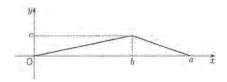

$\mathrm{P}(X \le b) - \mathrm{P}(X \ge b) = \dfrac{1}{4}$, $\mathrm{P}(X \le \sqrt{5}) = \dfrac{1}{2}$일 때,

$a+b+c$의 값은? (단, a, b, c는 상수이다.) [4점]

① $\dfrac{11}{2}$ ② 6 ③ $\dfrac{13}{2}$ ④ 7 ⑤ $\dfrac{15}{2}$

29. 앞면에는 1부터 6까지의 자연수가 하나씩 적혀 있고 뒷면에는 모두 0이 하나씩 적혀 있는 6장의 카드가 있다. 이 6장의 카드가 그림과 같이 6 이하의 자연수 k에 대하여 k번째 자리에 자연수 k가 보이도록 놓여 있다.

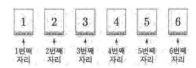

이 6장의 카드와 한 개의 주사위를 사용하여 다음 시행을 한다.

> 주사위를 한 번 던져 나온 눈의 수가 k이면 k번째 자리에 놓여 있는 카드를 한 번 뒤집어 제자리에 놓는다.

위의 시행을 3번 반복한 후 6장의 카드에 보이는 모든 수의 합이 짝수일 때, 주사위의 1의 눈이 한 번만 나왔을 확률은 $\dfrac{q}{p}$이다. $p+q$의 값을 구하시오. (단, p와 q는 서로소인 자연수이다.)

[4점]

30. 집합 $X = \{x \mid x \text{는 } 10 \text{ 이하의 자연수}\}$에 대하여 다음 조건을 만족시키는 함수 $f : X \to X$의 개수를 구하시오. [4점]

> (가) 9 이하의 모든 자연수 x에 대하여 $f(x) \le f(x+1)$이다.
>
> (나) $1 \le x \le 5$일 때 $f(x) \le x$이고, $6 \le x \le 10$일 때 $f(x) \ge x$이다.
>
> (다) $f(6) = f(5) + 6$

■ [선택: 확률과 통계]
23. ③   24. ②   25. ⑤   26. ③   27. ②
28. ④   29. 49   30. 100

수학 영역(미적분)

5지선다형

수열의 극한 A 510
2023년 수능 23번(미적)

23. $\lim\limits_{x \to 0} \dfrac{\ln(x+1)}{\sqrt{x+4}-2}$ 의 값은? [2점]

① 1   ② 2   ③ 3   ④ 4   ⑤ 5

(미적)정적분의 활용 B 506
2023년 수능 21번(미적)

24. $\lim\limits_{n \to \infty} \dfrac{1}{n} \sum\limits_{k=1}^{n} \sqrt{1+\dfrac{3k}{n}}$ 의 값은? [3점]

① $\dfrac{4}{3}$ ② $\dfrac{13}{9}$ ③ $\dfrac{14}{9}$ ④ $\dfrac{5}{3}$ ⑤ $\dfrac{16}{9}$

수열의 극한 B 503
2023년 수능 23번(미적)

25. 등비수열 $\{a_n\}$ 에 대하여 $\lim\limits_{n \to \infty} \dfrac{a_n + 1}{3^n + 2^{2n-1}} = 3$ 일 때,

a_2 의 값은? [3점]

① 16   ② 18   ③ 20   ④ 22   ⑤ 24

(미적)정적분의 활용 C 504
2023년 수능 26번(미적)

26. 그림과 같이 곡선 $y = \sqrt{\sec^2 x + \tan x} \left(0 \le x \le \dfrac{\pi}{3}\right)$ 와

x축, y축 및 직선 $x = \dfrac{\pi}{3}$ 로 둘러싸인 부분을 밑면으로 하는

입체도형이 있다. 이 입체도형을 x축에 수직인 평면으로 자른

단면이 모두 정사각형일 때, 이 입체도형의 부피는? [3점]

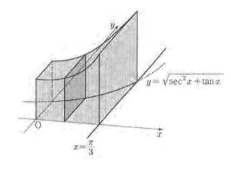

① $\dfrac{\sqrt{3}}{2} + \dfrac{\ln 2}{2}$ ② $\dfrac{\sqrt{3}}{2} + \ln 2$ ③ $\sqrt{3} + \dfrac{\ln 2}{2}$

④ $\sqrt{3} + \ln 2$ ⑤ $\sqrt{3} + 2\ln 2$

27. 그림과 같이 중심이 O, 반지름의 길이가 1이고 중심각의 크기가 $\frac{\pi}{2}$인 부채꼴 OA_1B_1이 있다. 호 A_1B_1 위에 점 P_1, 선분 OA_1 위에 점 C_1, 선분 OB_1 위에 점 D_1을 사각형 $OC_1P_1D_1$이 $\overline{OC_1}:\overline{OD_1}=3:4$인 직사각형이 되도록 잡는다. 부채꼴 OA_1B_1의 내부에 점 Q_1을 $\overline{P_1Q_1}=\overline{A_1Q_1}$, $\angle P_1Q_1A_1 = \frac{\pi}{2}$가 되도록 잡고, 이등변삼각형 $P_1Q_1A_1$에 색칠하여 얻은 그림을 R_1이라 하자.

그림 R_1에서 선분 OA_1 위의 점 A_2와 선분 OB_1 위의 점 B_2를 $\overline{OQ_1}=\overline{OA_2}=\overline{OB_2}$가 되도록 잡고, 중심이 O, 반지름의 길이가 $\overline{OQ_1}$, 중심각의 크기가 $\frac{\pi}{2}$인 부채꼴 OA_2B_2를 그린다. 그림 R_1을 얻은 것과 같은 방법으로 네 점 P_2, C_2, D_2, Q_2를 잡고, 이등변삼각형 $P_2Q_2A_2$에 색칠하여 얻은 그림을 R_2라 하자.

이와 같은 과정을 계속하여 n번째 얻은 그림 R_n에 색칠되어 있는 부분의 넓이를 S_n이라 할 때, $\lim_{n \to \infty} S_n$의 값은? [3점]

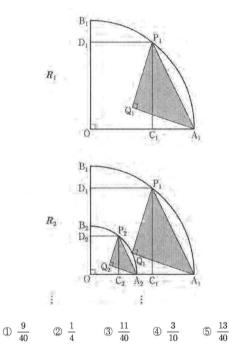

① $\frac{9}{40}$ ② $\frac{1}{4}$ ③ $\frac{11}{40}$ ④ $\frac{3}{10}$ ⑤ $\frac{13}{40}$

---

28. 그림과 같이 중심이 O이고 길이가 2인 선분 AB를 지름으로 하는 반원 위에 $\angle AOC = \frac{\pi}{2}$인 점 C가 있다. 호 BC 위에 점 P와 호 CA 위에 점 Q를 $\overline{PB}=\overline{QC}$가 되도록 잡고, 선분 AP 위에 점 R를 $\angle CQR = \frac{\pi}{2}$가 되도록 잡는다. 선분 AP와 선분 CO의 교점을 S라 하자. $\angle PAB = \theta$일 때, 삼각형 POB의 넓이를 $f(\theta)$, 사각형 CQRS의 넓이를 $g(\theta)$라 하자. $\displaystyle\lim_{\theta \to 0+}\frac{3f(\theta)-2g(\theta)}{\theta^2}$의 값은? (단, $0 < \theta < \frac{\pi}{4}$) [4점]

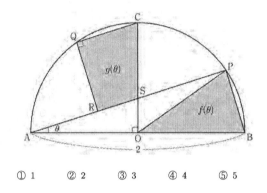

① 1   ② 2   ③ 3   ④ 4   ⑤ 5

(미적)정적분 C 502
2023년 수능 28번(미적)

단답형

29. 세 상수 a, b, c에 대하여 함수 $f(x) = ae^{2x} + be^x + c$가 다음 조건을 만족시킨다.

(가) $\displaystyle\lim_{x \to -\infty} \frac{f(x)+6}{e^x} = 1$

(나) $f(\ln 2) = 0$

함수 $f(x)$의 역함수를 $g(x)$라 할 때,

$\displaystyle\int_0^{14} g(x)\,dx = p + q\ln 2$이다. $p+q$의 값을 구하시오.

(단, p, q는 유리수이고, $\ln 2$는 무리수이다.) [4점]

30. 최고차항의 계수가 양수인 삼차함수 $f(x)$와 함수 $g(x) = e^{\sin \pi x} - 1$에 대하여 실수 전체의 집합에서 정의된 합성함수 $h(x) = g(f(x))$가 다음 조건을 만족시킨다.

(가) 함수 $h(x)$는 $x=0$에서 극댓값 0을 갖는다.

(나) 열린구간 $(0, 3)$에서 방정식 $h(x)=1$의 서로 다른 실근의 개수는 7이다.

$f(3) = \dfrac{1}{2}$, $f'(3) = 0$일 때, $f(2) = \dfrac{q}{p}$이다. $p+q$의 값을 구하시오. (단, p와 q는 서로소인 자연수이다.) [4점]

■ **[선택: 미적분]**

23. ④ 24. ③ 25. ⑤ 26. ④ 27. ②
28. ② 29. 26 30. 31

수학 영역(기하)

5지선다형

공간좌표 A 509
2023년 수능 23번(기하)

23. 좌표공간의 점 $A(2, 2, -1)$을 x축에 대하여 대칭이동한 점을 B라 하자. 점 $C(-2, 1, 1)$에 대하여 선분 BC의 길이는? [2점]

① 1   ② 2   ③ 3   ④ 4   ⑤ 5

포물선 A 501
2023년 수능 21번(기하)

24. 초점이 $F\left(\dfrac{1}{3}, 0\right)$이고 준선이 $x = -\dfrac{1}{3}$인 포물선이 점 $(a, 2)$를 지날 때, a의 값은? [3점]

① 1   ② 2   ③ 3   ④ 4   ⑤ 5

이차곡선과 직선 B 505
2023년 수능 23번(기하)

25. 타원 $\dfrac{x^2}{a^2} + \dfrac{y^2}{b^2} = 1$ 위의 점 $(2, 1)$에서의 접선의 기울기가 $-\dfrac{1}{2}$일 때, 이 타원의 두 초점 사이의 거리는? (단, a, b는 양수이다.) [3점]

① $2\sqrt{3}$ ② 4   ③ $2\sqrt{5}$ ④ $2\sqrt{6}$ ⑤ $2\sqrt{7}$

벡터의 성분과 내적 B 507
2023년 수능 26번(기하)

26. 좌표평면에서 세 벡터

$$\vec{a} = (2, 4), \quad \vec{b} = (2, 8), \quad \vec{c} = (1, 0)$$

에 대하여 두 벡터 $\vec{p}$, $\vec{q}$가

$$(\vec{p} - \vec{a}) \cdot (\vec{p} - \vec{b}) = 0, \quad \vec{q} = \frac{1}{2}\vec{a} + t\vec{c} \ (t \text{는 실수})$$

를 만족시킬 때, $|\vec{p} - \vec{q}|$의 최솟값은? [3점]

① $\dfrac{3}{2}$ ② 2   ③ $\dfrac{5}{2}$ ④ 3   ⑤ $\dfrac{7}{2}$

공간도형 B 507
2023년 수능 25번(기하)

27. 좌표공간에 직선 AB를 포함하는 평면 α가 있다. 평면 α 위에 있지 않은 점 C에 대하여 직선 AB와 직선 AC가 이루는 예각의 크기를 θ_1이라 할 때 $\sin\theta_1 = \dfrac{4}{5}$이고, 직선 AC와 평면 α가 이루는 예각의 크기는 $\dfrac{\pi}{2} - \theta_1$이다. 평면 ABC와 평면 α가 이루는 예각의 크기를 θ_2라 할 때, $\cos\theta_2$의 값은? [3점]

① $\dfrac{\sqrt{7}}{4}$ ② $\dfrac{\sqrt{7}}{5}$ ③ $\dfrac{\sqrt{7}}{6}$ ④ $\dfrac{\sqrt{7}}{7}$ ⑤ $\dfrac{\sqrt{7}}{8}$

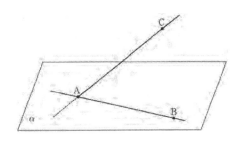

28. 두 초점이 $F(c, 0)$, $F'(-c, 0)$ $(c > 0)$인 쌍곡선 C와 y축 위의 점 A가 있다. 쌍곡선 C가 선분 AF와 만나는 점을 P, 선분 AF'과 만나는 점을 P'이라 하자.
직선 AF는 쌍곡선 C의 한 점근선과 평행하고

$$\overline{AP}:\overline{PP'} = 5:6, \quad \overline{PF} = 1$$

일 때, 쌍곡선 C의 주축의 길이는? [4점]

① $\dfrac{13}{6}$ ② $\dfrac{9}{4}$ ③ $\dfrac{7}{3}$ ④ $\dfrac{29}{12}$ ⑤ $\dfrac{5}{2}$

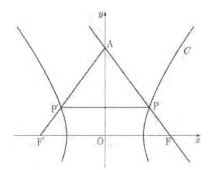

단답형

29. 평면 α 위에 $\overline{AB} = \overline{CD} = \overline{AD} = 2$, $\angle ABC = \angle BCD = \dfrac{\pi}{3}$ 인 사다리꼴 ABCD가 있다. 다음 조건을 만족시키는 평면 α 위의 두 점 P, Q에 대하여 $\overrightarrow{CP} \cdot \overrightarrow{DQ}$의 값을 구하시오. [4점]

(가) $\overrightarrow{AC} = 2(\overrightarrow{AD} + \overrightarrow{BP})$

(나) $\overrightarrow{AC} \cdot \overrightarrow{PQ} = 6$

(다) $2 \times \angle BQA = \angle PBQ < \dfrac{\pi}{2}$

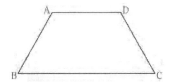

30. 좌표공간에 정사면체 ABCD가 있다. 정삼각형 BCD의 외심을 중심으로 하고 점 B를 지나는 구를 S라 하자.
구 S와 선분 AB가 만나는 점 중 B가 아닌 점을 P,
구 S와 선분 AC가 만나는 점 중 C가 아닌 점을 Q,
구 S와 선분 AD가 만나는 점 중 D가 아닌 점을 R라 하고,
점 P에서 구 S에 접하는 평면을 α라 하자.
구 S의 반지름의 길이가 6일 때, 삼각형 PQR의 평면 α 위로의 정사영의 넓이가 k이다. k^2의 값을 구하시오. [4점]

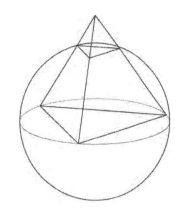

■ [선택: 기하]
23. ⑤ 24. ③ 25. ④ 26. ② 27. ①
28. ② 29. 12 30. 24

5지선다형

지수 A 516
모의고사 (고3) 2023년 6월 1번

1. $\sqrt[3]{8} \times \dfrac{2^{\sqrt{2}}}{2^{1+\sqrt{2}}}$ 의 값은? [2점]

① 1   ② 2   ③ 4   ④ 8   ⑤ 16

미분계수와 도함수 A 523
모의고사 (고3) 2023년 9월 2번

2. 함수 $f(x) = 2x^3 - x^2 + 6$ 에 대하여 $f'(1)$의 값은? [2점]

① 1   ② 2   ③ 3   ④ 4   ⑤ 5

등차수열과 등비수열 A 516
모의고사 (고3) 2023년 9월 6번

3. 등비수열 $\{a_n\}$ 이

$$a_5 = 4, \quad a_7 = 4a_6 - 16$$

을 만족시킬 때, a_8의 값은? [3점]

① 32   ② 34   ③ 36   ④ 38   ⑤ 40

정적분 A 504
모의고사 (고3) 2023년 6월3번

4. 다항함수 $f(x)$가 모든 실수 x에 대하여

$$\int_1^x f(t)\,dt = x^3 - ax + 1$$

을 만족시킬 때, $f(2)$의 값은? (단, a는 상수이다.) [3점]

① 8   ② 10   ③ 12   ④ 14   ⑤ 16

삼각함수 A 516
모의고사 (고3) 2023년 9월4번

5. $\cos(\pi + \theta) = \dfrac{1}{3}$ 이고 $\sin(\pi + \theta) > 0$ 일 때, $\tan\theta$ 의 값은? [3점]

① $-2\sqrt{2}$ ② $-\dfrac{\sqrt{2}}{4}$ ③ 1

④ $\dfrac{\sqrt{2}}{4}$ ⑤ $2\sqrt{2}$

함수의 연속 A 504
모의고사 (고3) 2023년 9월5번

6. 함수

$$f(x) = \begin{cases} x^2 - ax + 1 & (x < 2) \\ -x + 1 & (x \geq 2) \end{cases}$$

에 대하여 함수 $\{f(x)\}^2$이 실수 전체의 집합에서 연속이 되도록 하는 모든 상수 a의 값의 합은? [3점]

① 5   ② 6   ③ 7   ④ 8   ⑤ 9

7. 함수 $y=|x^2-2x|+1$ 의 그래프와 x축, y축 및 직선 $x=2$로
둘러싸인 부분의 넓이는? [3점]

① $\dfrac{8}{3}$　　② 3　　③ $\dfrac{10}{3}$　　④ $\dfrac{11}{3}$　　⑤ 4

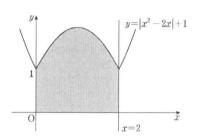

8. 두 점 $A(m, m+3)$, $B(m+3, m-3)$에 대하여 선분 AB를
$2:1$로 내분하는 점이 곡선 $y=\log_4(x+8)+m-3$ 위에
있을 때, 상수 m의 값은? [3점]

① 4　　② $\dfrac{9}{2}$　　③ 5　　④ $\dfrac{11}{2}$　　⑤ 6

9. 함수 $f(x)=|x^3-3x^2+p|$ 는 $x=a$와 $x=b$에서 극대이다.
$f(a)=f(b)$일 때, 실수 p의 값은?
(단, a, b는 $a \neq b$인 상수이다.) [4점]

① $\dfrac{3}{2}$　　② 2　　③ $\dfrac{5}{2}$　　④ 3　　⑤ $\dfrac{7}{2}$

10. 공차가 양수인 등차수열 $\{a_n\}$이 다음 조건을 만족시킬 때,
a_{10}의 값은? [4점]

| (가) $|a_4|+|a_6|=8$ |
| (나) $\sum_{k=1}^{9} a_k = 27$ |

① 21　　② 23　　③ 25　　④ 27　　⑤ 29

11. 그림과 같이 $\angle BAC=60°$, $\overline{AB}=2\sqrt{2}$, $\overline{BC}=2\sqrt{3}$인 삼각형
ABC가 있다. 삼각형 ABC의 내부의 점 P에 대하여
$\angle PBC=30°$, $\angle PCB=15°$일 때, 삼각형 APC의 넓이는? [4점]

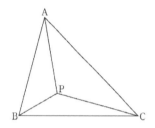

① $\dfrac{3+\sqrt{3}}{4}$　　② $\dfrac{3+2\sqrt{3}}{4}$　　③ $\dfrac{3+\sqrt{3}}{2}$

④ $\dfrac{3+2\sqrt{3}}{2}$　　⑤ $2+\sqrt{3}$

12. 곡선 $y=x^2$과 기울기가 1인 직선 l이 서로 다른 두 점
A, B에서 만난다. 양의 실수 t에 대하여 선분 AB의 길이가
$2t$가 되도록 하는 직선 l의 y절편을 $g(t)$라 할 때,
$\displaystyle\lim_{t \to \infty} \dfrac{g(t)}{t^2}$의 값은? [4점]

① $\dfrac{1}{16}$　　② $\dfrac{1}{8}$　　③ $\dfrac{1}{4}$　　④ $\dfrac{1}{2}$　　⑤ 1

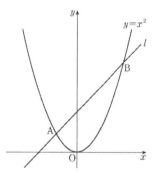

13. 두 함수

$$f(x) = x^2 + ax + b, \quad g(x) = \sin x$$

가 다음 조건을 만족시킬 때, $f(2)$의 값은?
(단, a, b는 상수이고, $0 \le a \le 2$이다.) [4점]

(가) $\{g(a\pi)\}^2 = 1$
(나) $0 \le x \le 2\pi$일 때, 방정식 $f(g(x)) = 0$의
모든 해의 합은 $\dfrac{5}{2}\pi$이다.

① 3   ② $\dfrac{7}{2}$ ③ 4   ④ $\dfrac{9}{2}$ ⑤ 5

14. 세 양수 a, b, k에 대하여 함수 $f(x)$를

$$f(x) = \begin{cases} ax & (x < k) \\ -x^2 + 4bx - 3b^2 & (x \ge k) \end{cases}$$

라 하자. 함수 $f(x)$가 실수 전체의 집합에서 미분가능할 때,
<보기>에서 옳은 것만을 있는 대로 고른 것은? [4점]

< 보 기 >
ㄱ. $a = 1$이면 $f'(k) = 1$이다.
ㄴ. $k = 3$이면 $a = -6 + 4\sqrt{3}$이다.
ㄷ. $f(k) = f'(k)$이면 함수 $y = f(x)$의 그래프와 x축으로
둘러싸인 부분의 넓이는 $\dfrac{1}{3}$이다.

① ㄱ   ② ㄱ, ㄴ   ③ ㄱ, ㄷ
④ ㄴ, ㄷ   ⑤ ㄱ, ㄴ, ㄷ

15. 모든 항이 자연수인 수열 $\{a_n\}$이 모든 자연수 n에 대하여

$$a_{n+2} = \begin{cases} a_{n+1} + a_n & (a_{n+1} + a_n \text{이 홀수인 경우}) \\ \dfrac{1}{2}(a_{n+1} + a_n) & (a_{n+1} + a_n \text{이 짝수인 경우}) \end{cases}$$

를 만족시킨다. $a_1 = 1$일 때, $a_6 = 34$가 되도록 하는 모든 a_2의
값의 합은? [4점]

① 60   ② 64   ③ 68   ④ 72   ⑤ 76

단 답 형

16. $\log_2 96 - \dfrac{1}{\log_6 2}$ 의 값을 구하시오. [3점]

17. 직선 $y = 4x + 5$가 곡선 $y = 2x^4 - 4x + k$에 접할 때,
상수 k의 값을 구하시오. [3점]

18. n이 자연수일 때, x에 대한 이차방정식

$$x^2 - 5nx + 4n^2 = 0$$

의 두 근을 α_n, β_n이라 하자.

$\displaystyle\sum_{n=1}^{7} (1 - \alpha_n)(1 - \beta_n)$의 값을 구하시오. [3점]

19. 시각 $t = 0$일 때 동시에 원점을 출발하여 수직선 위를 움직이는 두 점 P, Q의 시각 t $(t \geq 0)$에서의 속도가 각각

$$v_1(t) = 3t^2 - 15t + k, \quad v_2(t) = -3t^2 + 9t$$

이다. 점 P와 점 Q가 출발한 후 한 번만 만날 때, 양수 k의 값을 구하시오. [3점]

20. 최고차항의 계수가 1이고 $f(0) = 1$인 삼차함수 $f(x)$와 양의 실수 p에 대하여 함수 $g(x)$가 다음 조건을 만족시킨다.

(가) $g'(0) = 0$

(나) $g(x) = \begin{cases} f(x-p) - f(-p) & (x < 0) \\ f(x+p) - f(p) & (x \geq 0) \end{cases}$

$\displaystyle\int_0^p g(x)\,dx = 20$일 때, $f(5)$의 값을 구하시오. [4점]

21. 그림과 같이 1보다 큰 두 실수 a, k에 대하여 직선 $y = k$가 두 곡선 $y = 2\log_a x + k$, $y = a^{x-k}$과 만나는 점을 각각 A, B라 하고, 직선 $x = k$가 두 곡선 $y = 2\log_a x + k$, $y = a^{x-k}$과 만나는 점을 각각 C, D라 하자. $\overline{AB} \times \overline{CD} = 85$이고 삼각형 CAD의 넓이가 35일 때, $a + k$의 값을 구하시오. [4점]

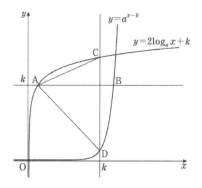

22. 최고차항의 계수가 1인 사차함수 $f(x)$가 있다.

실수 t에 대하여 함수 $g(x)$를 $g(x) = |f(x) - t|$라 할 때, $\displaystyle\lim_{x \to k} \frac{g(x) - g(k)}{|x - k|}$의 값이 존재하는 서로 다른 실수 k의 개수를 $h(t)$라 하자.

함수 $h(t)$는 다음 조건을 만족시킨다.

(가) $\displaystyle\lim_{t \to 4+} h(t) = 5$

(나) 함수 $h(t)$는 $t = -60$과 $t = 4$에서만 불연속이다.

$f(2) = 4$이고 $f'(2) > 0$일 때, $f(4) + h(4)$의 값을 구하시오. [4점]

 수학 정답

1	①	2	④	3	①	4	②	5	⑤
6	①	7	③	8	⑤	9	②	10	②
11	③	12	④	13	④	14	⑤	15	③
16	4	17	11	18	427	19	18	20	66
21	12	22	729						

수학 영역(확률과 통계)

5 지 선 다 형

중복조합 A 503
모의고사 (고3) 2023년 6월 23번(확통)

23. $_3P_2 + _3\Pi_2$의 값은? [2점]

① 15　　② 16　　③ 17　　④ 18　　⑤ 19

여러가지순열 A 505
모의고사 (고3) 2023년 9월 23번(확통)

24. 5명의 학생이 일정한 간격을 두고 원 모양의 탁자에 모두 둘러앉는 경우의 수는? (단, 회전하여 일치하는 것은 같은 것으로 본다.) [3점]

① 16　　② 20　　③ 24　　④ 28　　⑤ 32

여러가지순열 A 506
모의고사 (고3) 2023년 9월 24번(확통)

25. 문자 A, A, A, B, B, B, C, C가 하나씩 적혀 있는 8장의 카드를 모두 일렬로 나열할 때, 양 끝 모두에 B가 적힌 카드가 놓이도록 나열하는 경우의 수는? (단, 같은 문자가 적혀 있는 카드끼리는 서로 구별하지 않는다.) [3점]

① 45　　② 50　　③ 55　　④ 60　　⑤ 65

중복조합 B 506
모의고사 (고3) 2023년 6월 26번(확통)

26. 서로 다른 공 6개를 남김없이 세 주머니 A, B, C에 나누어 넣을 때, 주머니 A에 넣은 공의 개수가 3이 되도록 나누어 넣는 경우의 수는? (단, 공을 넣지 않는 주머니가 있을 수 있다.) [3점]

① 120　　② 130　　③ 140　　④ 150　　⑤ 160

중복조합 B 507
모의고사 (고3) 2023년 9월 27번(확통)

27. 방정식 $a+b+c+3d=10$을 만족시키는 자연수 a, b, c, d의 모든 순서쌍 (a, b, c, d)의 개수는? [3점]

① 15　　② 18　　③ 21　　④ 24　　⑤ 27

28. 원 모양의 식탁에 같은 종류의 비어 있는 4개의 접시가
일정한 간격을 두고 원형으로 놓여 있다. 이 4개의 접시에 서로
다른 종류의 빵 5개와 같은 종류의 사탕 5개를 다음 조건을
만족시키도록 남김없이 나누어 담는 경우의 수는?
(단, 회전하여 일치하는 것은 같은 것으로 본다.) [4점]

> (가) 각 접시에는 1개 이상의 빵을 담는다.
> (나) 각 접시에 담는 빵의 개수와 사탕의 개수의 합은
>   3 이하이다.

① 420   ② 450   ③ 480   ④ 510   ⑤ 540

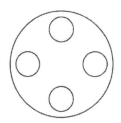

29. 숫자 1, 2, 3 중에서 중복을 허락하여 다음 조건을
만족시키도록 여섯 개를 선택한 후, 선택한 숫자 여섯 개를
모두 일렬로 나열하는 경우의 수를 구하시오. [4점]

> (가) 숫자 1, 2, 3을 각각 한 개 이상씩 선택한다.
> (나) 선택한 여섯 개의 수의 합이 4의 배수이다.

30. 집합 $X = \{1, 2, 3, 4, 5\}$에 대하여 다음 조건을 만족시키는
함수 $f : X \to X$의 개수를 구하시오. [4점]

> (가) 집합 X의 임의의 두 원소 x_1, x_2에 대하여
> $x_1 < x_2$이면 $f(x_1) \le f(x_2)$이다.
> (나) $f(2) \neq 1$이고 $f(4) \times f(5) < 20$이다.

[확률과 통계]

23	①	24	③	25	④	26	⑤	27	②
28	⑤	29	120	30	45				

수학 영역(미적분)

수열의 극한 A 511
모의고사 (고3) 2023년 6월 23번(미적)

23. $\lim\limits_{n\to\infty}\dfrac{(2n+1)(3n-1)}{n^2+1}$ 의 값은? [2점]

① 3 　 ② 4 　 ③ 5 　 ④ 6 　 ⑤ 7

수열의 극한 A 512
모의고사 (고3) 2023년9월 23번(미적)

24. 수열 $\{a_n\}$이 모든 자연수 n에 대하여

$$3^n - 2^n < a_n < 3^n + 2^n$$

을 만족시킬 때, $\lim\limits_{n\to\infty}\dfrac{a_n}{3^{n+1}+2^n}$ 의 값은? [3점]

① $\dfrac{1}{6}$ 　 ② $\dfrac{1}{3}$ 　 ③ $\dfrac{1}{2}$ 　 ④ $\dfrac{2}{3}$ 　 ⑤ $\dfrac{5}{6}$

수열의 극한 A 513
모의고사 (고3) 2023년9월 24번(미적)

25. 등차수열 $\{a_n\}$에 대하여

$$\lim\limits_{n\to\infty}\dfrac{a_{2n}-6n}{a_n+5}=4$$

일 때, $a_2 - a_1$ 의 값은? [3점]

① -1 　 ② -2 　 ③ -3 　 ④ -4 　 ⑤ -5

수열의 극한 B 504
모의고사 (고3) 2023년 6월 26번(미적)

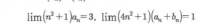

26. 두 수열 $\{a_n\}$, $\{b_n\}$에 대하여

$$\lim\limits_{n\to\infty}(n^2+1)a_n=3, \ \lim\limits_{n\to\infty}(4n^2+1)(a_n+b_n)=1$$

일 때, $\lim\limits_{n\to\infty}(2n^2+1)(a_n+2b_n)$ 의 값은? [3점]

① -3 　 ② $-\dfrac{7}{2}$ 　 ③ -4 　 ④ $-\dfrac{9}{2}$ 　 ⑤ -5

급수 C 510
모의고사 (고3) 2023년 9월 27번(미적)

27. $a_1=3$, $a_2=-4$인 수열 $\{a_n\}$과 등차수열 $\{b_n\}$이 모든 자연수 n에 대하여

$$\sum_{k=1}^{n}\dfrac{a_k}{b_k}=\dfrac{6}{n+1}$$

을 만족시킬 때, $\lim\limits_{n\to\infty}a_n b_n$의 값은? [3점]

① -54 　 ② $-\dfrac{75}{2}$ 　 ③ -24 　 ④ $-\dfrac{27}{2}$ 　 ⑤ -6

28. $a > 0$, $a \neq 1$인 실수 a와 자연수 n에 대하여 직선 $y = n$이 y축과 만나는 점을 A_n, 직선 $y = n$이 곡선 $y = \log_a(x-1)$과 만나는 점을 B_n이라 하자. 사각형 $A_n B_n B_{n+1} A_{n+1}$의 넓이를 S_n이라 할 때,

$$\lim_{n \to \infty} \frac{\overline{B_n B_{n+1}}}{S_n} = \frac{3}{2a+2}$$

을 만족시키는 모든 a의 값의 합은? [4점]

① 2   ② $\frac{9}{4}$ ③ $\frac{5}{2}$ ④ $\frac{11}{4}$ ⑤ 3

30. 함수

$$f(x) = \lim_{n \to \infty} \frac{x^{2n+1} - x}{x^{2n} + 1}$$

에 대하여 실수 전체의 집합에서 정의된 함수 $g(x)$가 다음 조건을 만족시킨다.

$2k-2 \leq |x| < 2k$일 때,

$$g(x) = (2k-1) \times f\left(\frac{x}{2k-1}\right)$$

이다. (단, k는 자연수이다.)

$0 < t < 10$인 실수 t에 대하여 직선 $y = t$가 함수 $y = g(x)$의 그래프와 만나지 않도록 하는 모든 t의 값의 합을 구하시오.

[4점]

29. 자연수 n에 대하여 x에 대한 부등식 $x^2 - 4nx - n < 0$을 만족시키는 정수 x의 개수를 a_n이라 하자. 두 상수 p, q에 대하여

$$\lim_{n \to \infty} \left(\sqrt{na_n} - pn \right) = q$$

일 때, $100pq$의 값을 구하시오. [4점]

[미적분]

23	④	24	②	25	③	26	⑤	27	①
28	②	29	50	30	25				

수학 영역(기하)

타원 A 503
모의고사 (고3) 2023년 9월 23번(기하)

5지선다형

23. 타원 $\frac{x^2}{16}+\frac{y^2}{5}=1$의 장축의 길이는? [2점]

① $4\sqrt{2}$ ② $2\sqrt{10}$ ③ $4\sqrt{3}$ ④ $2\sqrt{14}$ ⑤ 8

포물선 A 502
모의고사 (고3) 2023년 6월 23번(기하)

24. 포물선 $x^2=8y$의 초점과 준선 사이의 거리는? [3점]

① 4 ② $\frac{9}{2}$ ③ 5 ④ $\frac{11}{2}$ ⑤ 6

쌍곡선 B 503
모의고사 (고3) 2023년 9월 24번(기하)

25. 한 초점이 $F(3, 0)$이고 주축의 길이가 4인 쌍곡선 $\frac{x^2}{a^2}-\frac{y^2}{b^2}=1$의 점근선 중 기울기가 양수인 것을 l이라 하자. 점 F와 직선 l 사이의 거리는? (단, a, b는 양수이다.) [3점]

① $\sqrt{3}$ ② 2 ③ $\sqrt{5}$ ④ $\sqrt{6}$ ⑤ $\sqrt{7}$

포물선 B 505
모의고사 (고3) 2023년 6월 26번(기하)

26. 포물선 $y^2=4x+4y+4$의 초점을 중심으로 하고 반지름의 길이가 2인 원이 포물선과 만나는 두 점을 $A(a, b)$, $B(c, d)$라 할 때, $a+b+c+d$의 값은? [3점]

① 1 ② 2 ③ 3 ④ 4 ⑤ 5

쌍곡선 B 504
모의고사 (고3) 2023년 9월 27번(기하)

27. 그림과 같이 두 초점이 $F(0, c)$, $F'(0, -c)(c>0)$인 쌍곡선 $\frac{x^2}{12}-\frac{y^2}{4}=-1$이 있다. 쌍곡선 위의 제1사분면에 있는 점 P와 쌍곡선 위의 제3사분면에 있는 점 Q가

$$\overline{PF'}-\overline{QF'}=5, \quad \overline{PF}=\frac{2}{3}\overline{QF}$$

를 만족시킬 때, $\overline{PF}+\overline{QF}$의 값은? [3점]

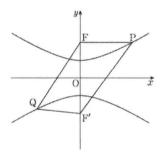

① 10 ② $\frac{35}{3}$ ③ $\frac{40}{3}$ ④ 15 ⑤ $\frac{50}{3}$

28. 장축의 길이가 6이고 두 초점이 F(c, 0), F'(−c, 0)(c > 0)인 타원을 C_1이라 하자. 장축의 길이가 6이고 두 초점이 A(3, 0), F'(−c, 0)인 타원을 C_2라 하자. 두 타원 C_1과 C_2가 만나는 점 중 제1사분면에 있는 점 P에 대하여 $\cos(\angle AFP) = \dfrac{3}{8}$일 때, 삼각형 PFA의 둘레의 길이는? [4점]

① $\dfrac{11}{6}$ ② $\dfrac{11}{5}$ ③ $\dfrac{11}{4}$ ④ $\dfrac{11}{3}$ ⑤ $\dfrac{11}{2}$

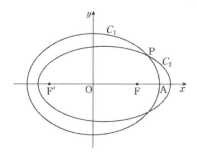

29. 그림과 같이 꼭짓점이 원점 O이고 초점이 F(p, 0)(p > 0)인 포물선이 있다. 점 F를 지나고 기울기가 $-\dfrac{4}{3}$인 직선이 포물선과 만나는 점 중 제1사분면에 있는 점을 P라 하자. 직선 FP 위의 점을 중심으로 하는 원 C가 점 P를 지나고, 포물선의 준선에 접한다. 원 C의 반지름의 길이가 3일 때, 25p의 값을 구하시오. (단, 원 C의 중심의 x좌표는 점 P의 x좌표보다 작다.) [4점]

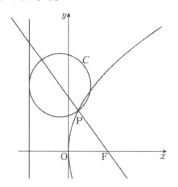

30. 그림과 같이 두 초점이 F(c, 0), F'(−c, 0)(c > 0)인 타원 C가 있다. 타원 C가 두 직선 x = c, x = −c와 만나는 점 중 y좌표가 양수인 점을 각각 A, B라 하자. 두 초점이 A, B이고 점 F를 지나는 쌍곡선이 직선 x = c와 만나는 점 중 F가 아닌 점을 P라 하고, 이 쌍곡선이 두 직선 BF, BP와 만나는 점 중 x좌표가 음수인 점을 각각 Q, R라 하자. 세 점 P, Q, R가 다음 조건을 만족시킨다.

> (가) 삼각형 BFP는 정삼각형이다.
> (나) 타원 C의 장축의 길이와 삼각형 BQR의 둘레의 길이의 차는 3이다.

$60 \times \overline{AF}$의 값을 구하시오. [4점]

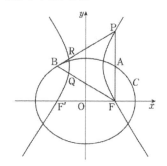

23	⑤	24	①	25	③	26	②	27	④
28	④	29	96	30	100				

모의고사 (고3) 2023년 4월
수학영역

5지선다형

지수 A 517
모의고사 (고3) 2023년 4월 1번

1. $\log_6 4 + \dfrac{2}{\log_3 6}$ 의 값은? [2점]

① 1 ② 2 ③ 3 ④ 4 ⑤ 5

등차수열과 등비수열 A 517
모의고사 (고3) 2023년 4월 7번

2. 모든 항이 양수인 등비수열 $\{a_n\}$에 대하여 $a_1 = 3$, $\dfrac{a_5}{a_3} = 4$일 때,

a_4의 값은? [2점]

① 15 ② 18 ③ 21 ④ 24 ⑤ 27

함수의 극한 A 517
모의고사 (고3) 2023년 4월 2번

3. 함수 $y = f(x)$의 그래프가 그림과 같다.

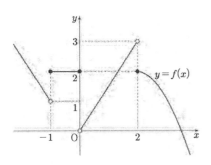

$\lim\limits_{x \to -1+} f(x) + \lim\limits_{x \to 2-} f(x)$의 값은? [3점]

① 1 ② 2 ③ 3 ④ 4 ⑤ 5

도함수의 활용 A 506
모의고사 (고3) 2023년 4월 3번

4. 함수 $f(x) = 2x^3 - 6x + a$의 극솟값이 2일 때, 상수 a의 값은? [3점]

① 6 ② 7 ③ 8 ④ 9 ⑤ 10

미분계수와 도함수 B 513
모의고사 (고3) 2023년 4월 4번

5. 0이 아닌 모든 실수 h에 대하여 다항함수 $f(x)$에서 x의 값이 1에서 $1+h$까지 변할 때의 평균변화율이 $h^2 + 2h + 3$일 때, $f'(1)$의 값은? [3점]

① 1 ② $\dfrac{3}{2}$ ③ 2 ④ $\dfrac{5}{2}$ ⑤ 3

로그함수의 활용 B 502
모의고사 (고3) 2023년 4월 5번

6. 함수 $y = \log_{\frac{1}{2}}(x-a) + b$가 닫힌구간 $[2, 5]$에서 최댓값 3, 최솟값 1을 갖는다. $a+b$의 값은? (단, a, b는 상수이다.) [3점]

① 1 ② 2 ③ 3 ④ 4 ⑤ 5

7. 다항함수 $f(x)$에 대하여 곡선 $y=f(x)$ 위의 점 $(0, f(0))$에서의 접선의 방정식이 $y=3x-1$이다. 함수 $g(x)=(x+2)f(x)$에 대하여 $g'(0)$의 값은? [3점]

① 5   ② 6   ③ 7   ④ 8   ⑤ 9

8. 그림과 같이 함수 $y=a\tan b\pi x$의 그래프가 두 점 $(2, 3)$, $(8, 3)$을 지날 때, $a^2 \times b$의 값은? (단, a, b는 양수이다.) [3점]

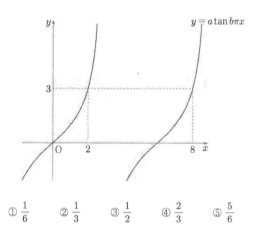

① $\dfrac{1}{6}$ ② $\dfrac{1}{3}$ ③ $\dfrac{1}{2}$ ④ $\dfrac{2}{3}$ ⑤ $\dfrac{5}{6}$

9. 함수 $f(x)$에 대하여 $f'(x)=3x^2-4x+1$이고 $\displaystyle\lim_{x\to 0}\frac{1}{x}\int_0^x f(t)dt=1$일 때, $f(2)$의 값은? [4점]

① 3   ② 4   ③ 5   ④ 6   ⑤ 7

10. 상수 $a(a>1)$에 대하여 곡선 $y=a^x-1$과 곡선 $y=\log_a(x+1)$이 원점 O를 포함한 서로 다른 두 점에서 만난다. 이 두 점 중 O가 아닌 점을 P라 하고, 점 P에서 x축에 내린 수선의 발을 H라 하자. 삼각형 OHP의 넓이가 2일 때, a의 값은? [4점]

① $\sqrt{2}$ ② $\sqrt{3}$ ③ 2   ④ $\sqrt{5}$ ⑤ $\sqrt{6}$

11. $0 \leq x \leq 2\pi$일 때, 방정식 $2\sin^2 x-3\cos x=k$의 서로 다른 실근의 개수가 3이다. 이 세 실근 중 가장 큰 실근을 α라 할 때, $k \times \alpha$의 값은? (단, k는 상수이다.) [4점]

① $\dfrac{7}{2}\pi$ ② 4π ③ $\dfrac{9}{2}\pi$ ④ 5π ⑤ $\dfrac{11}{2}\pi$

12. 그림과 같이 삼차함수 $f(x)=x^3-6x^2+8x+1$의 그래프와 최고차항의 계수가 양수인 이차함수 $y=g(x)$의 그래프가 점 $A(0, 1)$, 점 $B(k, f(k))$에서 만나고, 곡선 $y=f(x)$ 위의 점 B에서의 접선이 점 A를 지난다. 곡선 $y=f(x)$와 직선 AB로 둘러싸인 부분의 넓이를 S_1, 곡선 $y=g(x)$와 직선 AB로 둘러싸인 부분의 넓이를 S_2라 하자. $S_1=S_2$일 때, $\displaystyle\int_0^k g(x)dx$의 값은? (단, k는 양수이다.) [4점]

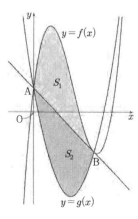

① $-\dfrac{17}{2}$ ② $-\dfrac{33}{4}$ ③ -8 ④ $-\dfrac{31}{4}$ ⑤ $-\dfrac{15}{2}$

13. 그림과 같이 닫힌구간 $[0, 2\pi]$에서 정의된 두 함수 $f(x) = k\sin x$, $g(x) = \cos x$에 대하여 곡선 $y = f(x)$와 곡선 $y = g(x)$가 만나는 서로 다른 두 점을 A, B라 하자. 선분 AB를 $3:1$로 외분하는 점을 C라 할 때, 점 C는 곡선 $y = f(x)$ 위에 있다. 점 C를 지나고 y축에 평행한 직선이 곡선 $y = g(x)$와 만나는 점을 D라 할 때, 삼각형 BCD의 넓이는? (단, k는 양수이고, 점 B의 x좌표는 점 A의 x좌표보다 크다.) [4점]

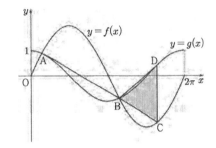

① $\dfrac{\sqrt{15}}{8}\pi$ ② $\dfrac{9\sqrt{5}}{40}\pi$ ③ $\dfrac{\sqrt{5}}{4}\pi$

④ $\dfrac{3\sqrt{10}}{16}\pi$ ⑤ $\dfrac{3\sqrt{5}}{10}\pi$

14. 양의 실수 t에 대하여 함수 $f(x)$를

$$f(x) = x^3 - 3t^2 x$$

라 할 때, 닫힌구간 $[-2, 1]$에서 두 함수 $f(x)$, $|f(x)|$의 최댓값을 각각 $M_1(t)$, $M_2(t)$라 하자. 함수

$$g(t) = M_1(t) + M_2(t)$$

에 대하여 <보기>에서 옳은 것만을 있는 대로 고른 것은? [4점]

─── 〈 보 기 〉 ───

ㄱ. $g(2) = 32$

ㄴ. $g(t) = 2f(-t)$를 만족시키는 t의 최댓값과 최솟값의 합은 3이다.

ㄷ. $\displaystyle\lim_{h\to0+}\frac{g\left(\frac{1}{2}+h\right)-g\left(\frac{1}{2}\right)}{h} - \lim_{h\to0-}\frac{g\left(\frac{1}{2}+h\right)-g\left(\frac{1}{2}\right)}{h} = 5$

① ㄱ ② ㄷ ③ ㄱ, ㄴ

④ ㄴ, ㄷ ⑤ ㄱ, ㄴ, ㄷ

15. 다음 조건을 만족시키는 모든 수열 $\{a_n\}$에 대하여

a_1의 최댓값을 M, 최솟값을 m이라 할 때, $\log_2\dfrac{M}{m}$의 값은? [4점]

(가) 모든 자연수 n에 대하여

$$a_{n+1} = \begin{cases} 2^{n-2} & (a_n < 1) \\ \log_2 a_n & (a_n \geq 1) \end{cases}$$

이다.

(나) $a_5 + a_6 = 1$

① 12 ② 13 ③ 14 ④ 15 ⑤ 16

단답형

16. $\displaystyle\lim_{x\to2}\frac{x^2+x-6}{x-2}$의 값을 구하시오. [3점]

17. 함수 $y = 4^x$의 그래프를 x축의 방향으로 1만큼, y축의 방향으로 a만큼 평행이동한 그래프가 점 $\left(\dfrac{3}{2}, 5\right)$를 지날 때, 상수 a의 값을 구하시오. [3점]

함수의 극한 B 505
모의고사 (고3) 2023년 4월 19번

18. 다항함수 $f(x)$가

$$\lim_{x \to \infty} \frac{xf(x) - 2x^3 + 1}{x^2} = 5,\ f(0) = 1$$

을 만족시킬 때, $f(1)$의 값을 구하시오. [3점]

도함수의 활용 C 514
모의고사 (고3) 2023년 4월 10번

19. 수직선 위를 움직이는 점 P의 시각 $t\,(t > 0)$에서의 위치 $x(t)$가

$$x(t) = \frac{3}{2}t^4 - 8t^3 + 15t^2 - 12t$$

이다. 점 P의 운동 방향이 바뀌는 순간 점 P의 가속도를 구하시오. [3점]

등차수열과 등비수열 C 508
모의고사 (고3) 2023년 4월 78번

20. 등차수열 $\{a_n\}$의 첫째항부터 제n항까지의 합을 S_n이라 하자. S_n이 다음 조건을 만족시킬 때, a_{13}의 값을 구하시오. [4점]

(가) S_n은 $n = 7$, $n = 8$에서 최솟값을 갖는다.
(나) $|S_m| = |S_{2m}| = 162$인 자연수 $m\,(m > 8)$이 존재한다.

삼각함수의 활용 D 508
모의고사 (고3) 2023년 4월 71번

21. 좌표평면 위의 두 점 $O(0, 0)$, $A(2, 0)$과 y좌표가 양수인 서로 다른 두 점 P, Q가 다음 조건을 만족시킨다.

(가) $\overline{AP} = \overline{AQ} = 2\sqrt{15}$이고 $\overline{OP} > \overline{OQ}$이다.
(나) $\cos(\angle OPA) = \cos(\angle OQA) = \dfrac{\sqrt{15}}{4}$

사각형 OAPQ의 넓이가 $\dfrac{q}{p}\sqrt{15}$일 때, $p \times q$의 값을 구하시오. (단, p와 q는 서로소인 자연수이다.) [4점]

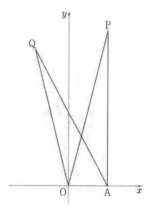

정적분 E 505
모의고사 (고3) 2023년 4월 77번

22. 두 상수 a, $b\,(b \neq 1)$과 이차함수 $f(x)$에 대하여 함수 $g(x)$가 다음 조건을 만족시킨다.

(가) 함수 $g(x)$는 실수 전체의 집합에서 미분가능하고, 도함수 $g'(x)$는 실수 전체의 집합에서 연속이다.
(나) $|x| < 2$일 때, $g(x) = \displaystyle\int_0^x (-t + a)dt$이고 $|x| \geq 2$일 때, $|g'(x)| = f(x)$이다.
(다) 함수 $g(x)$는 $x = 1$, $x = b$에서 극값을 갖는다.

$g(k) = 0$을 만족시키는 모든 실수 k의 값의 합이 $p + q\sqrt{3}$일 때, $p \times q$의 값을 구하시오. (단, p와 q는 유리수이다.) [4점]

1	②	2	④	3	⑤	4	①	5	⑤
6	④	7	①	8	③	9	①	10	②
11	②	12	②	13	③	14	③	15	④
16	5	17	3	18	8	19	6	20	30
21	22	22	32						

수학 영역(기하)

벡터의 연산 A 511
모의고사 (고3) 2023년 4월 22번(기하)

23. 그림과 같이 한 변의 길이가 2인 정사각형 ABCD에서
두 선분 AD, CD의 중점을 각각 M, N이라 할 때,
$|\overrightarrow{BM}+\overrightarrow{DN}|$의 값은? [2점]

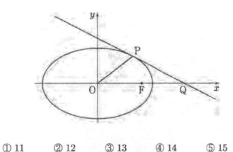

① $\frac{\sqrt{2}}{2}$　② 1　③ $\sqrt{2}$　④ 2　⑤ $2\sqrt{2}$

쌍곡선 A 507
모의고사 (고3) 2023년 4월 23번(기하)

24. 쌍곡선 $\dfrac{x^2}{a^2}-\dfrac{y^2}{8}=1$의 한 점근선의 방정식이 $y=\sqrt{2}\,x$일 때,
이 쌍곡선의 두 초점 사이의 거리는? (단, a는 양수이다.) [3점]

① $4\sqrt{2}$　② 6　③ $2\sqrt{10}$　④ $2\sqrt{11}$　⑤ $4\sqrt{3}$

이차곡선과 직선 B 506
모의고사 (고3) 2023년 4월 24번(기하)

25. 그림과 같이 타원 $\dfrac{x^2}{40}+\dfrac{y^2}{15}=1$의 두 초점 중 x좌표가 양수인
점을 F라 하고, 타원 위의 점 중 제1사분면에 있는 점 P에서의
접선이 x축과 만나는 점을 Q라 하자. $\overline{OF}=\overline{FQ}$일 때,
삼각형 POQ의 넓이는? (단, O는 원점이다.) [3점]

① 11　② 12　③ 13　④ 14　⑤ 15

쌍곡선 C 507
모의고사 (고3) 2023년 4월 26번(기하)

26. 두 초점이 $F(3\sqrt{3},\,0)$, $F'(-3\sqrt{3},\,0)$인 쌍곡선 위의 점 중
제1사분면에 있는 점 P에 대하여 직선 PF'이 y축과 만나는 점을
Q라 하자. 삼각형 PQF가 정삼각형일 때, 이 쌍곡선의
주축의 길이는? [3점]

① 6　② 7　③ 8　④ 9　⑤ 10

타원 C 507
모의고사 (고3) 2023년 4월 26번(기하)

27. 그림과 같이 두 점 $F(5,0)$, $F'(-5,0)$을 초점으로 하는 타원이
x축과 만나는 점 중 x좌표가 양수인 점을 A라 하자. 점 F를
중심으로 하고 점 A를 지나는 원을 C라 할 때, 원 C 위의 점 중
y좌표가 양수인 점 P와 타원 위의 점 중 제2사분면에 있는
점 Q가 다음 조건을 만족시킨다.

(가) 직선 PF'은 원 C에 접한다.
(나) 두 직선 PF', QF'은 서로 수직이다.

$\overline{QF'}=\dfrac{3}{2}\overline{PF}$일 때, 이 타원의 장축의 길이는? (단, $\overline{AF}<\overline{FF'}$)

[3점]

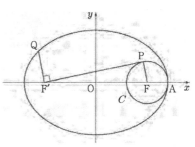

① $\dfrac{25}{2}$　② 13　③ $\dfrac{27}{2}$　④ 14　⑤ $\dfrac{29}{2}$

28. 초점이 F인 포물선 $C : y^2 = 4x$ 위의 점 중 제1사분면에 있는
점 P가 있다. 선분 PF를 지름으로 하는 원을 O라 할 때,
원 O는 포물선 C와 서로 다른 두 점에서 만난다.
원 O가 포물선 C와 만나는 점 중 P가 아닌 점을 Q,
점 P에서 포물선 C의 준선에 내린 수선의 발을 H라 하자.
$\angle$QHP $= \alpha$, $\angle$HPQ $= \beta$라 할 때, $\dfrac{\tan \beta}{\tan \alpha} = 3$이다.

$\dfrac{\overline{\mathrm{QH}}}{\overline{\mathrm{PQ}}}$의 값은? [4점]

① $\dfrac{4\sqrt{6}}{7}$　　　② $\dfrac{3\sqrt{11}}{7}$　　　③ $\dfrac{\sqrt{102}}{7}$

④ $\dfrac{\sqrt{105}}{7}$　　　⑤ $\dfrac{6\sqrt{3}}{7}$

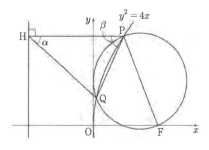

단답형

29. 그림과 같이 두 초점이 F$(c, 0)$, F′$(-c, 0)(c > 0)$인

쌍곡선 $\dfrac{x^2}{a^2} - \dfrac{y^2}{27} = 1$ 위의 점 P$\left(\dfrac{9}{2}, k\right)(k > 0)$에서의 접선이

x축과 만나는 점을 Q라 하자. 두 점 F, F′을 초점으로 하고
점 Q를 한 꼭짓점으로 하는 쌍곡선이 선분 PF′과 만나는 두 점을
R, S라 하자. $\overline{\mathrm{RS}} + \overline{\mathrm{SF}} = \overline{\mathrm{RF}} + 8$일 때, $4 \times (a^2 + k^2)$의 값을
구하시오. (단, a는 양수이고, 점 R의 x좌표는 점 S의 x좌표보다
크다.) [4점]

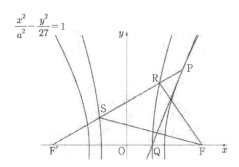

30. 좌표평면에서 포물선 $y^2 = 2x - 2$의 꼭짓점을 A라 하자.
이 포물선 위를 움직이는 점 P와 양의 실수 k에 대하여

$$\overrightarrow{\mathrm{OX}} = \overrightarrow{\mathrm{OA}} + \frac{k}{|\overrightarrow{\mathrm{OP}}|}\overrightarrow{\mathrm{OP}}$$

를 만족시키는 점 X가 나타내는 도형을 C라 하자.
도형 C가 포물선 $y^2 = 2x - 2$와 서로 다른 두 점에서 만나도록
하는 실수 k의 최솟값을 m이라 할 때, m^2의 값을 구하시오.
(단, O는 원점이다.) [4점]

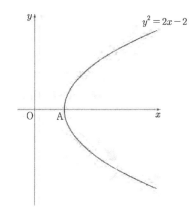

[기하]

23	③	24	⑤	25	⑤	26	①	27	④
28	④	29	171	30	24				

수학 영역(미적분)

5지선다형

수열의 극한 A 514
모의고사 (고3) 2023년 4월 23번(미적)

23. $\lim_{n \to \infty} \left(\sqrt{4n^2 + 3n} - \sqrt{4n^2 + 1} \right)$의 값은? [2점]

① $\dfrac{1}{2}$　② $\dfrac{3}{4}$　③ 1　④ $\dfrac{5}{4}$　⑤ $\dfrac{3}{2}$

지수함수와 로그함수의 미분 A 505
모의고사 (고3) 2023년 4월 23번(미적)

24. 함수 $f(x) = e^x (2\sin x + \cos x)$에 대하여 $f'(0)$의 값은? [3점]

① 3　② 4　③ 5　④ 6　⑤ 7

급수 B 512
모의고사 (고3) 2023년 4월 24번(미적)

25. 수열 $\{a_n\}$에 대하여 급수 $\sum_{n=1}^{\infty} \left(a_n - \dfrac{2^{n+1}}{2^n + 1} \right)$이 수렴할 때,

$\lim_{n \to \infty} \dfrac{2^n \times a_n + 5 \times 2^{n+1}}{2^n + 3}$의 값은? [3점]

① 6　② 8　③ 10　④ 12　⑤ 14

지수함수와 로그함수의 미분 C 501
모의고사 (고3) 2023년 4월 26번(미적)

26. 두 함수 $f(x) = a^x$, $g(x) = 2\log_b x$에 대하여

$$\lim_{x \to e} \dfrac{f(x) - g(x)}{x - e} = 0$$

일 때, $a \times b$의 값은? (단, a와 b는 1보다 큰 상수이다.) [3점]

① $e^{\frac{1}{e}}$　② $e^{\frac{2}{e}}$　③ $e^{\frac{3}{e}}$　④ $e^{\frac{4}{e}}$　⑤ $e^{\frac{5}{e}}$

삼각함수의 미분 C 510
모의고사 (고3) 2023년 4월 26번(미적)

27. 그림과 같이 좌표평면 위에 점 $A(0, 1)$을 중심으로 하고 반지름의 길이가 1인 원 C가 있다. 원점 O를 지나고 x축의 양의 방향과 이루는 각의 크기가 θ인 직선이 원 C와 만나는 점 중 O가 아닌 점을 P라 하고, 호 OP 위에 점 Q를 $\angle OPQ = \dfrac{\theta}{3}$가 되도록 잡는다. 삼각형 POQ의 넓이를 $f(\theta)$라

할 때, $\lim_{\theta \to 0+} \dfrac{f(\theta)}{\theta^3}$의 값은? (단, 점 Q는 제1사분면 위의 점이고, $0 < \theta < \pi$이다.) [3점]

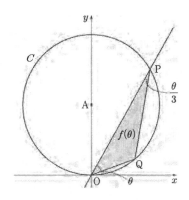

① $\dfrac{2}{9}$　② $\dfrac{1}{3}$　③ $\dfrac{4}{9}$　④ $\dfrac{5}{9}$　⑤ $\dfrac{2}{3}$

28. 그림과 같이 $\overline{AB_1} = 2$, $\overline{B_1C_1} = \sqrt{3}$, $\overline{C_1D_1} = 1$이고

$\angle C_1B_1A = \dfrac{\pi}{2}$인 사다리꼴 $AB_1C_1D_1$이 있다. 세 점 A, B_1, D_1을 지나는 원이 선분 B_1C_1과 만나는 점 중 B_1이 아닌 점을 E_1이라 할 때, 두 선분 C_1D_1, C_1E_1과 호 E_1D_1로 둘러싸인 부분과 선분 B_1E_1과 호 B_1E_1로 둘러싸인 부분인 ⌐ 모양의 도형에 색칠하여 얻은 그림을 R_1이라 하자.

그림 R_1에서 선분 AB_1 위의 점 B_2, 호 E_1D_1 위의 점 C_2, 선분 AD_1 위의 점 D_2와 점 A를 꼭짓점으로 하고

$\overline{B_2C_2} : \overline{C_2D_2} = \sqrt{3} : 1$이고 $\angle C_2B_2A = \dfrac{\pi}{2}$인 사다리꼴 $AB_2C_2D_2$를 그린다. 그림 R_1을 얻은 것과 같은 방법으로 점 E_2를 잡고, 사다리꼴 $AB_2C_2D_2$에 ⌐ 모양의 도형을 그리고 색칠하여 얻은 그림을 R_2라 하자.

이와 같은 과정을 계속하여 n번째 얻은 그림 R_n에 색칠되어 있는 부분의 넓이를 S_n이라 할 때, $\displaystyle\lim_{n\to\infty} S_n$의 값은? [4점]

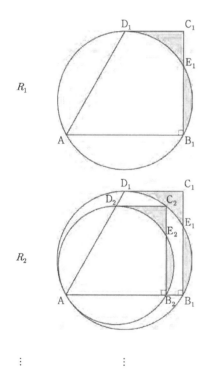

① $\dfrac{49}{144}\sqrt{3}$　　② $\dfrac{49}{122}\sqrt{3}$　　③ $\dfrac{49}{100}\sqrt{3}$

④ $\dfrac{49}{78}\sqrt{3}$　　⑤ $\dfrac{7}{8}\sqrt{3}$

단답형

29. 그림과 같이 중심이 O, 반지름의 길이가 8이고 중심각의 크기가 $\dfrac{\pi}{2}$인 부채꼴 OAB가 있다. 호 AB 위의 점 C에 대하여 점 B에서 선분 OC에 내린 수선의 발을 D라 하고, 두 선분 BD, CD와 호 BC에 동시에 접하는 원을 *C*라 하자. 점 O에서 원 *C*에 그은 접선 중 점 C를 지나지 않는 직선이 호 AB와 만나는 점을 E라 할 때, $\cos(\angle COE) = \dfrac{7}{25}$이다.

$\sin(\angle AOE) = p + q\sqrt{7}$일 때, $200 \times (p+q)$의 값을 구하시오. (단, p와 q는 유리수이고, 점 C는 점 B가 아니다.) [4점]

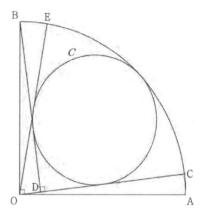

30. $x \geq 0$에서 정의된 함수 $f(x)$가 다음 조건을 만족시킨다.

(가) $f(x) = \begin{cases} 2^x - 1 & (0 \leq x \leq 1) \\ 4 \times \left(\dfrac{1}{2}\right)^x - 1 & (1 < x \leq 2) \end{cases}$

(나) 모든 양의 실수 x에 대하여 $f(x+2) = -\dfrac{1}{2}f(x)$이다.

$x > 0$에서 정의된 함수 $g(x)$를

$$g(x) = \lim_{h\to 0+} \frac{f(x+h) - f(x-h)}{h}$$

라 할 때,

$$\lim_{t\to 0+} \{g(n+t) - g(n-t)\} + 2g(n) = \frac{\ln 2}{2^{24}}$$

를 만족시키는 모든 자연수 n의 값의 합을 구하시오. [4점]

[미적분]

23	②	24	①	25	④	26	③	27	③
28	④	29	79	30	107				

수학 영역(확률과 통계)

5지선다형

중복조합 A 504
모의고사 (고3) 2023년4월 23번(확통)

23. $_3\Pi_2 + {}_2H_3$의 값은? [2점]

① 13   ② 14   ③ 15   ④ 16   ⑤ 17

여러가지순열 B 509
모의고사 (고3) 2023년4월 23번(확통)

24. 전체집합 $U = \{1, 2, 3, 4, 5, 6\}$의 두 부분집합 A, B에 대하여

$$n(A \cup B) = 5, \ A \cap B = \varnothing$$

을 만족시키는 집합 A, B의 모든 순서쌍 (A, B)의 개수는?

[3점]

① 168   ② 174   ③ 180   ④ 186   ⑤ 192

여러가지순열 B 510
모의고사 (고3) 2023년4월 24번(확통)

25. 세 학생 A, B, C를 포함한 7명의 학생이 있다. 이 7명의 학생 중에서 A, B, C를 포함하여 5명을 선택하고, 이 5명의 학생 모두를 일정한 간격으로 원 모양의 탁자에 둘러앉게 하는 경우의 수는? (단, 회전하여 일치하는 것은 같은 것으로 본다.)

[3점]

① 120   ② 132   ③ 144   ④ 156   ⑤ 168

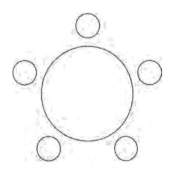

중복조합 B 508
모의고사 (고3) 2023년 4월 26번(확통)

26. 방정식 $3x + y + z + w = 11$을 만족시키는 자연수 x, y, z, w의 모든 순서쌍 (x, y, z, w)의 개수는? [3점]

① 24   ② 27   ③ 30   ④ 33   ⑤ 36

이항정리 C 501
모의고사 (고3) 2023년 4월 26번(확통)

27. 양수 a에 대하여 $\left(ax - \dfrac{2}{ax}\right)^7$의 전개식에서 각 항의 계수의

총합이 1일 때, $\dfrac{1}{x}$의 계수는? [3점]

① 70   ② 140   ③ 210   ④ 280   ⑤ 350

28. 숫자 1, 1, 2, 2, 2, 3, 3, 4가 하나씩 적혀 있는 8장의 카드가 있다. 이 8장의 카드 중에서 7장을 택하여 이 7장의 카드 모두를 일렬로 나열할 때, 서로 이웃한 2장의 카드에 적혀 있는 수의 곱 모두가 짝수가 되도록 나열하는 경우의 수는? (단, 같은 숫자가 적힌 카드끼리는 서로 구별하지 않는다.) [4점]

① 264　　② 268　　③ 272　　④ 276　　⑤ 280

---

29. 두 집합

$$X = \{1, 2, 3, 4, 5, 6, 7, 8\},\ Y = \{1, 2, 3, 4, 5\}$$

에 대하여 다음 조건을 만족시키는 X에서 Y로의 함수 f의 개수를 구하시오. [4점]

(가) $f(4) = f(1) + f(2) + f(3)$
(나) $2f(4) = f(5) + f(6) + f(7) + f(8)$

---

30. 세 문자 a, b, c 중에서 중복을 허락하여 각각 5개 이하씩 모두 7개를 택해 다음 조건을 만족시키는 7자리의 문자열을 만들려고 한다.

(가) 한 문자가 연달아 3개 이어지고 그 문자는 a뿐이다.
(나) 어느 한 문자도 연달아 4개 이상 이어지지 않는다.

예를 들어, $baaacca$, $ccbbaaa$는 조건을 만족시키는 문자열이고 $aabbcca$, $aaabccc$, $ccbaaaa$는 조건을 만족시키지 않는 문자열이다. 만들 수 있는 모든 문자열의 개수를 구하시오. [4점]

[확률과 통계]

23	①	24	⑤	25	③	26	②	27	④
28	①	29	523	30	188				

5지선다형

지수 A 518
모의고사 (고3) 2023년 6월 1번

1. $\sqrt[3]{27} \times 4^{-\frac{1}{2}}$ 의 값은? [2점]

① $\frac{1}{2}$ ② $\frac{3}{4}$ ③ 1 ④ $\frac{5}{4}$ ⑤ $\frac{3}{2}$

미분계수와 도함수 A 524
모의고사 (고3) 2023년 6월 2번

2. 함수 $f(x) = x^2 - 2x + 3$ 에 대하여 $\lim_{h \to 0} \dfrac{f(3+h) - f(3)}{h}$ 의 값은? [2점]

① 1 ② 2 ③ 3 ④ 4 ⑤ 5

수열의 합 A 506
모의고사 (고3) 2023년 6월 3번

3. 수열 $\{a_n\}$ 에 대하여 $\sum_{k=1}^{10} (2a_k + 3) = 60$ 일 때, $\sum_{k=1}^{10} a_k$ 의 값은?
[3점]

① 10 ② 15 ③ 20 ④ 25 ⑤ 30

함수의 연속 A 505
모의고사 (고3) 2023년 6월 4번

4. 실수 전체의 집합에서 연속인 함수 $f(x)$ 가

$$\lim_{x \to 1} f(x) = 4 - f(1)$$

을 만족시킬 때, $f(1)$ 의 값은? [3점]

① 1 ② 2 ③ 3 ④ 4 ⑤ 5

미분계수와 도함수 A 525
모의고사 (고3) 2023년 6월 5번

5. 다항함수 $f(x)$ 에 대하여 함수 $g(x)$ 를

$$g(x) = (x^3 + 1) f(x)$$

라 하자. $f(1) = 2$, $f'(1) = 3$ 일 때, $g'(1)$ 의 값은? [3점]

① 12 ② 14 ③ 16 ④ 18 ⑤ 20

삼각함수 A 517
모의고사 (고3) 2023년 6월 6번

6. $\cos\theta < 0$ 이고 $\sin(-\theta) = \dfrac{1}{7}\cos\theta$ 일 때, $\sin\theta$ 의 값은? [3점]

① $-\dfrac{3\sqrt{2}}{10}$ ② $-\dfrac{\sqrt{2}}{10}$ ③ 0

④ $\dfrac{\sqrt{2}}{10}$ ⑤ $\dfrac{3\sqrt{2}}{10}$

7. 상수 $a\,(a>2)$에 대하여 함수 $y=\log_2(x-a)$의 그래프의 점근선이 두 곡선 $y=\log_2\dfrac{x}{4}$, $y=\log_{\frac{1}{2}}x$와 만나는 점을 각각 A, B라 하자. $\overline{AB}=4$일 때, a의 값은? [3점]

① 4 ② 6 ③ 8 ④ 10 ⑤ 12

8. 두 곡선 $y=2x^2-1$, $y=x^3-x^2+k$가 만나는 점의 개수가 2가 되도록 하는 양수 k의 값은? [3점]

① 1 ② 2 ③ 3 ④ 4 ⑤ 5

9. 수열 $\{a_n\}$이 모든 자연수 n에 대하여

$$\sum_{k=1}^{n}\frac{1}{(2k-1)a_k}=n^2+2n$$

을 만족시킬 때, $\displaystyle\sum_{n=1}^{10}a_n$의 값은? [4점]

① $\dfrac{10}{21}$ ② $\dfrac{4}{7}$ ③ $\dfrac{2}{3}$ ④ $\dfrac{16}{21}$ ⑤ $\dfrac{6}{7}$

10. 양수 k에 대하여 함수 $f(x)$는

$$f(x)=kx(x-2)(x-3)$$

이다. 곡선 $y=f(x)$와 x축이 원점 O와 두 점 P, Q$(\overline{OP}<\overline{OQ})$에서 만난다. 곡선 $y=f(x)$와 선분 OP로 둘러싸인 영역을 A, 곡선 $y=f(x)$와 선분 PQ로 둘러싸인 영역을 B라 하자.

$$(A\text{의 넓이})-(B\text{의 넓이})=3$$

일 때, k의 값은? [4점]

① $\dfrac{7}{6}$ ② $\dfrac{4}{3}$ ③ $\dfrac{3}{2}$ ④ $\dfrac{5}{3}$ ⑤ $\dfrac{11}{6}$

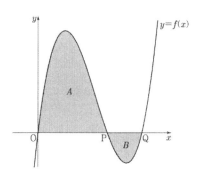

11. 그림과 같이 실수 $t\,(0<t<1)$에 대하여 곡선 $y=x^2$ 위의 점 중에서 직선 $y=2tx-1$과의 거리가 최소인 점을 P라 하고, 직선 OP가 직선 $y=2tx-1$과 만나는 점을 Q라 할 때, $\displaystyle\lim_{t\to1-}\dfrac{\overline{PQ}}{1-t}$의 값은? (단, O는 원점이다.) [4점]

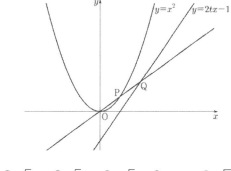

① $\sqrt{6}$ ② $\sqrt{7}$ ③ $2\sqrt{2}$ ④ 3 ⑤ $\sqrt{10}$

12. $a_2 = -4$이고 공차가 0이 아닌 등차수열 $\{a_n\}$에 대하여 수열 $\{b_n\}$을 $b_n = a_n + a_{n+1} (n \geq 1)$이라 하고, 두 집합 A, B를

$$A = \{a_1, a_2, a_3, a_4, a_5\}, \quad B = \{b_1, b_2, b_3, b_4, b_5\}$$

라 하자. $n(A \cap B) = 3$이 되도록 하는 모든 수열 $\{a_n\}$에 대하여 a_{20}의 값의 합은? [4점]

① 30 ② 34 ③ 38 ④ 42 ⑤ 46

13. 그림과 같이

$$\overline{BC} = 3, \ \overline{CD} = 2, \ \cos(\angle BCD) = -\frac{1}{3}, \ \angle DAB > \frac{\pi}{2}$$

인 사각형 ABCD에서 두 삼각형 ABC와 ACD는 모두 예각삼각형이다. 선분 AC를 $1:2$로 내분하는 점 E에 대하여 선분 AE를 지름으로 하는 원이 두 선분 AB, AD와 만나는 점 중 A가 아닌 점을 각각 P_1, P_2라 하고, 선분 CE를 지름으로 하는 원이 두 선분 BC, CD와 만나는 점 중 C가 아닌 점을 각각 Q_1, Q_2라 하자. $\overline{P_1P_2} : \overline{Q_1Q_2} = 3 : 5\sqrt{2}$이고 삼각형 ABD의 넓이가 2일 때, $\overline{AB} + \overline{AD}$의 값은? (단, $\overline{AB} > \overline{AD}$) [4점]

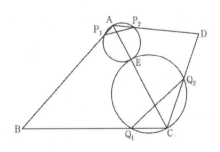

① $\sqrt{21}$ ② $\sqrt{22}$ ③ $\sqrt{23}$ ④ $2\sqrt{6}$ ⑤ 5

14. 실수 $a(a \geq 0)$에 대하여 수직선 위를 움직이는 점 P의 시각 $t(t \geq 0)$에서의 속도 $v(t)$를

$$v(t) = -t(t-1)(t-a)(t-2a)$$

라 하자. 점 P가 시각 $t = 0$일 때 출발한 후 운동 방향을 한 번만 바꾸도록 하는 a에 대하여, 시각 $t = 0$에서 $t = 2$까지 점 P의 위치의 변화량의 최댓값은? [4점]

① $\frac{1}{5}$ ② $\frac{7}{30}$ ③ $\frac{4}{15}$ ④ $\frac{3}{10}$ ⑤ $\frac{1}{3}$

15. 자연수 k에 대하여 다음 조건을 만족시키는 수열 $\{a_n\}$이 있다.

> $a_1 = k$이고, 모든 자연수 n에 대하여
> $$a_{n+1} = \begin{cases} a_n + 2n - k & (a_n \leq 0) \\ a_n - 2n - k & (a_n > 0) \end{cases}$$
> 이다.

$a_3 \times a_4 \times a_5 \times a_6 < 0$이 되도록 하는 모든 k의 값의 합은? [4점]

① 10 ② 14 ③ 18 ④ 22 ⑤ 26

단답형

16. 부등식 $2^{x-6} \leq \left(\frac{1}{4}\right)^x$을 만족시키는 모든 자연수 x의 값의 합을 구하시오. [3점]

미분계수와 도함수 A 526
모의고사 (고3) 2023년 6월 17번

17. 함수 $f(x)$에 대하여 $f'(x) = 8x^3 - 1$이고 $f(0) = 3$일 때, $f(2)$의 값을 구하시오. [3점]

도함수의 활용 B 519
모의고사 (고3) 2023년 6월 18번

18. 두 상수 a, b에 대하여 삼차함수 $f(x) = ax^3 + bx + a$는 $x = 1$에서 극소이다. 함수 $f(x)$의 극솟값이 -2일 때, 함수 $f(x)$의 극댓값을 구하시오. [3점]

삼각함수 C 511
모의고사 (고3) 2023년 6월 19번

19. 두 자연수 a, b에 대하여 함수

$$f(x) = a\sin bx + 8 - a$$

가 다음 조건을 만족시킬 때, $a + b$의 값을 구하시오. [3점]

(가) 모든 실수 x에 대하여 $f(x) \geq 0$이다.
(나) $0 \leq x < 2\pi$일 때, x에 대한 방정식 $f(x) = 0$의 서로 다른 실근의 개수는 4이다.

정적분 C 509
모의고사 (고3) 2023년 6월 20번

20. 최고차항의 계수가 1인 이차함수 $f(x)$에 대하여 함수

$$g(x) = \int_0^x f(t)\,dt$$

가 다음 조건을 만족시킬 때, $f(9)$의 값을 구하시오. [4점]

$x \geq 1$인 모든 실수 x에 대하여 $g(x) \geq g(4)$이고 $|g(x)| \geq |g(3)|$이다.

로그함수 D 503
모의고사 (고3) 2023년 6월 21번

21. 실수 t에 대하여 두 곡선 $y = t - \log_2 x$와 $y = 2^{x-t}$이 만나는 점의 x좌표를 $f(t)$라 하자.
<보기>의 각 명제에 대하여 다음 규칙에 따라 A, B, C의 값을 정할 때, $A + B + C$의 값을 구하시오. (단, $A + B + C \neq 0$) [4점]

• 명제 ㄱ이 참이면 $A = 100$, 거짓이면 $A = 0$이다.
• 명제 ㄴ이 참이면 $B = 10$, 거짓이면 $B = 0$이다.
• 명제 ㄷ이 참이면 $C = 1$, 거짓이면 $C = 0$이다.

<보 기>

ㄱ. $f(1) = 1$이고 $f(2) = 2$이다.
ㄴ. 실수 t의 값이 증가하면 $f(t)$의 값도 증가한다.
ㄷ. 모든 양의 실수 t에 대하여 $f(t) \geq t$이다.

도함수의 활용 E 510
모의고사 (고3) 2023년 6월 22번

22. 정수 $a(a \neq 0)$에 대하여 함수 $f(x)$를

$$f(x) = x^3 - 2ax^2$$

이라 하자. 다음 조건을 만족시키는 모든 정수 k의 값의 곱이 -12가 되도록 하는 a에 대하여 $f'(10)$의 값을 구하시오. [4점]

함수 $f(x)$에 대하여
$$\left\{\frac{f(x_1) - f(x_2)}{x_1 - x_2}\right\} \times \left\{\frac{f(x_2) - f(x_3)}{x_2 - x_3}\right\} < 0$$
을 만족시키는 세 실수 x_1, x_2, x_3이 열린구간 $\left(k, k + \frac{3}{2}\right)$에 존재한다.

■ [공통: 수학Ⅰ·수학Ⅱ]
01. ⑤ 02. ④ 03. ② 04. ② 05. ①
06. ④ 07. ③ 08. ③ 09. ① 10. ②
11. ③ 12. ⑤ 13. ① 14. ③ 15. ②
16. 3   17. 33 18. 6   19. 8   20. 39
21. 110 22. 380

수학 영역(확률과 통계)

5지선다형

여러가지순열 A 507
모의고사 (고3) 2023년 6월 23번(확통)

23. 5개의 문자 a, a, b, c, d를 모두 일렬로 나열하는 경우의 수는? [2점]

① 50　　② 55　　③ 60　　④ 65　　⑤ 70

여러가지확률 A 507
모의고사 (고3) 2023년 6월 24번(확통)

24. 두 사건 A, B에 대하여

$$P(A \cap B^C) = \frac{1}{9}, \quad P(B^C) = \frac{7}{18}$$

일 때, $P(A \cup B)$의 값은? (단, B^C은 B의 여사건이다.) [3점]

① $\frac{5}{9}$　　② $\frac{11}{18}$　　③ $\frac{2}{3}$　　④ $\frac{13}{18}$　　⑤ $\frac{7}{9}$

여러가지확률 B 514
모의고사 (고3) 2023년 6월 25번(확통)

25. 흰색 손수건 4장, 검은색 손수건 5장이 들어 있는 상자가 있다. 이 상자에서 임의로 4장의 손수건을 동시에 꺼낼 때, 꺼낸 4장의 손수건 중에서 흰색 손수건이 2장 이상일 확률은? [3점]

① $\frac{1}{2}$　　② $\frac{4}{7}$　　③ $\frac{9}{14}$　　④ $\frac{5}{7}$　　⑤ $\frac{11}{14}$

이항정리 B 505
모의고사 (고3) 2023년 6월 26번(확통)

26. 다항식 $(x-1)^6 (2x+1)^7$의 전개식에서 x^2의 계수는? [3점]

① 15　　② 20　　③ 25　　④ 30　　⑤ 35

조건부확률 B 501
모의고사 (고3) 2023년 6월 27번(확통)

27. 한 개의 주사위를 두 번 던질 때 나오는 눈의 수를 차례로 a, b라 하자. $a \times b$가 4의 배수일 때, $a+b \leq 7$일 확률은? [3점]

① $\frac{2}{5}$　　② $\frac{7}{15}$　　③ $\frac{8}{15}$　　④ $\frac{3}{5}$　　⑤ $\frac{2}{3}$

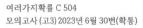

28. 집합 $X=\{1, 2, 3, 4, 5\}$에 대하여 다음 조건을 만족시키는 함수 $f : X \to X$의 개수는? [4점]

> (가) $f(1) \times f(3) \times f(5)$는 홀수이다.
> (나) $f(2) < f(4)$
> (다) 함수 f의 치역의 원소의 개수는 3이다.

① 128　　② 132　　③ 136　　④ 140　　⑤ 144

29. 그림과 같이 2장의 검은색 카드와 1부터 8까지의 자연수가 하나씩 적혀 있는 8장의 흰색 카드가 있다. 이 카드를 모두 한 번씩 사용하여 왼쪽에서 오른쪽으로 일렬로 배열할 때, 다음 조건을 만족시키는 경우의 수를 구하시오.
(단, 검은색 카드는 서로 구별하지 않는다.) [4점]

> (가) 흰색 카드에 적힌 수가 작은 수부터 크기순으로 왼쪽에서 오른쪽으로 배열되도록 카드가 놓여 있다.
> (나) 검은색 카드 사이에는 흰색 카드가 2장 이상 놓여 있다.
> (다) 검은색 카드 사이에는 3의 배수가 적힌 흰색 카드가 1장 이상 놓여 있다.

30. 주머니에 숫자 1, 2, 3, 4가 하나씩 적혀 있는 흰 공 4개와 숫자 4, 5, 6, 7이 하나씩 적혀 있는 검은 공 4개가 들어 있다. 이 주머니를 사용하여 다음 규칙에 따라 점수를 얻는 시행을 한다.

> 주머니에서 임의로 2개의 공을 동시에 꺼내어 꺼낸 공이 서로 다른 색이면 12를 점수로 얻고, 꺼낸 공이 서로 같은 색이면 꺼낸 두 공에 적힌 수의 곱을 점수로 얻는다.

이 시행을 한 번 하여 얻은 점수가 24 이하의 짝수일 확률이 $\dfrac{q}{p}$일 때, $p+q$의 값을 구하시오. (단, p와 q는 서로소인 자연수이다.) [4점]

> ■ **[선택: 확률과 통계]**
> 23. ③　24. ④　25. ③　26. ①　27. ②
> 28. ⑤　29. 25　30. 51

수학 영역(미적분)

5지선다형
수열의 극한 A 515
모의고사 (고3) 2023년 6월 23번(미적)

23. $\lim_{n \to \infty} \left(\sqrt{n^2 + 9n} - \sqrt{n^2 + 4n} \right)$의 값은? [2점]

① $\dfrac{1}{2}$ ② 1 ③ $\dfrac{3}{2}$ ④ 2 ⑤ $\dfrac{5}{2}$

여러가지 미분법 B 509
모의고사 (고3) 2023년 6월 24번(미적)

24. 매개변수 t로 나타내어진 곡선

$$x = \frac{5t}{t^2 + 1}, \quad y = 3\ln(t^2 + 1)$$

에서 $t = 2$일 때, $\dfrac{dy}{dx}$의 값은? [3점]

① -1 ② -2 ③ -3 ④ -4 ⑤ -5

지수함수와 로그함수의 미분 B 504
모의고사 (고3) 2023년 6월 25번(미적)

25. $\lim_{x \to 0} \dfrac{2^{ax + b} - 8}{2^{bx} - 1} = 16$일 때, $a + b$의 값은?

(단, a와 b는 0이 아닌 상수이다.) [3점]

① 9 ② 10 ③ 11 ④ 12 ⑤ 13

(미적)도함수의 활용 B 504
모의고사 (고3) 2023년 6월 26번(미적)

26. x에 대한 방정식 $x^2 - 5x + 2\ln x = t$의 서로 다른 실근의 개수가 2가 되도록 하는 모든 실수 t의 값의 합은? [3점]

① $-\dfrac{17}{2}$ ② $-\dfrac{33}{4}$ ③ -8 ④ $-\dfrac{31}{4}$ ⑤ $-\dfrac{15}{2}$

삼각함수의 미분 C 511
모의고사 (고3) 2023년 6월 27번(미적)

27. 실수 $t \, (0 < t < \pi)$에 대하여 곡선 $y = \sin x$ 위의 점 $P(t, \sin t)$에서의 접선과 점 P를 지나고 기울기가 -1인 직선이 이루는 예각의 크기를 θ라 할 때, $\lim_{t \to \pi^-} \dfrac{\tan \theta}{(\pi - t)^2}$의 값은? [3점]

① $\dfrac{1}{16}$ ② $\dfrac{1}{8}$ ③ $\dfrac{1}{4}$ ④ $\dfrac{1}{2}$ ⑤ 1

(미적)도함수의 활용 E 506수
모의고사 (고3) 2023년 6월 28번(미적)

28. 두 상수 $a(a>0)$, b에 대하여 실수 전체의 집합에서 연속인 함수 $f(x)$가 다음 조건을 만족시킬 때, $a\times b$의 값은?
[4점]

> (가) 모든 실수 x에 대하여
> $$\{f(x)\}^2 + 2f(x) = a\cos^3\pi x \times e^{\sin^2\pi x} + b$$
> 이다.
> (나) $f(0) = f(2) + 1$

① $-\dfrac{1}{16}$ ② $-\dfrac{7}{64}$ ③ $-\dfrac{5}{32}$ ④ $-\dfrac{13}{64}$ ⑤ $-\dfrac{1}{4}$

단답형

(미적)도함수의 활용 C 502
모의고사 (고3) 2023년 6월 29번(미적)

29. 세 실수 a, b, k에 대하여 두 점 $A(a, a+k)$, $B(b, b+k)$가 곡선 $C: x^2 - 2xy + 2y^2 = 15$ 위에 있다. 곡선 C 위의 점 A에서의 접선과 곡선 C 위의 점 B에서의 접선이 서로 수직일 때, k^2의 값을 구하시오. (단, $a+2k\neq 0$, $b+2k\neq 0$) [4점]

급수 D 501수
모의고사 (고3) 2023년 6월 30번(미적)

30. 수열 $\{a_n\}$은 등비수열이고, 수열 $\{b_n\}$을 모든 자연수 n에 대하여

$$b_n = \begin{cases} -1 & (a_n \leq -1) \\ a_n & (a_n > -1) \end{cases}$$

이라 할 때, 수열 $\{b_n\}$은 다음 조건을 만족시킨다.

> (가) 급수 $\displaystyle\sum_{n=1}^{\infty} b_{2n-1}$은 수렴하고 그 합은 -3이다.
> (나) 급수 $\displaystyle\sum_{n=1}^{\infty} b_{2n}$은 수렴하고 그 합은 8이다.

$b_3 = -1$일 때, $\displaystyle\sum_{n=1}^{\infty} |a_n|$의 값을 구하시오. [4점]

■ **[선택: 미적분]**
23. ⑤ 24. ④ 25. ① 26. ② 27. ③
28. ② 29. 5 30. 24

수학 영역(기하)

5지선다형   포물선 A 503
모의고사 (고3) 2023년 6월 23번(기하)

23. 포물선 $y^2 = -12(x-1)$의 준선을 $x = k$라 할 때, 상수 k의 값은? [2점]

① 4   ② 7   ③ 10   ④ 13   ⑤ 16

벡터의 연산 B 508
모의고사 (고3) 2023년 6월 24번(기하)

24. 한 직선 위에 있지 않은 서로 다른 세 점 A, B, C에 대하여

$$2\overrightarrow{AB} + p\overrightarrow{BC} = q\overrightarrow{CA}$$

일 때, $p - q$의 값은? (단, p와 q는 실수이다.) [3점]

① 1   ② 2   ③ 3   ④ 4   ⑤ 5

벡터의 성분과 내적 B 508
모의고사 (고3) 2023년 6월 25번(기하)

25. 그림과 같이 한 변의 길이가 1인 정사각형 ABCD에서

$$(\overrightarrow{AB} + k\overrightarrow{BC}) \cdot (\overrightarrow{AC} + 3k\overrightarrow{CD}) = 0$$

일 때, 실수 k의 값은? [3점]

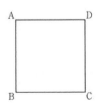

① 1   ② $\dfrac{1}{2}$ ③ $\dfrac{1}{3}$ ④ $\dfrac{1}{4}$ ⑤ $\dfrac{1}{5}$

타원 C 508
모의고사 (고3) 2023년 6월26번(기하)

26. 두 초점이 $F(12, 0)$, $F'(-4, 0)$이고, 장축의 길이가 24인 타원 C가 있다. $\overline{F'F} = \overline{F'P}$인 타원 C 위의 점 P에 대하여 선분 $F'P$의 중점을 Q라 하자. 한 초점이 F'인 타원 $\dfrac{x^2}{a^2} + \dfrac{y^2}{b^2} = 1$이 점 Q를 지날 때, $\overline{PF} + a^2 + b^2$의 값은? (단, a와 b는 양수이다.) [3점]

① 46   ② 52   ③ 58   ④ 64   ⑤ 70

포물선 C 509
모의고사 (고3) 2023년 6월 27번(기하)

27. 포물선 $(y-2)^2 = 8(x+2)$ 위의 점 P와 점 $A(0, 2)$에 대하여 $\overline{OP} + \overline{PA}$의 값이 최소가 되도록 하는 점 P를 P_0이라 하자. $\overrightarrow{OQ} + \overrightarrow{QA} = \overrightarrow{OP_0} + \overrightarrow{P_0A}$를 만족시키는 점 Q에 대하여 점 Q의 y좌표의 최댓값과 최솟값을 각각 M, m이라 할 때, $M^2 + m^2$의 값은? (단, O는 원점이다.) [3점]

① 8   ② 9   ③ 10   ④ 11   ⑤ 12

28. 좌표평면의 네 점 $A(2, 6)$, $B(6, 2)$, $C(4, 4)$, $D(8, 6)$에 대하여 다음 조건을 만족시키는 모든 점 X의 집합을 S라 하자.

(가) $\{(\overrightarrow{OX} - \overrightarrow{OD}) \cdot \overrightarrow{OC}\} \times \{|\overrightarrow{OX} - \overrightarrow{OC}| - 3\} = 0$

(나) 두 벡터 $\overrightarrow{OX} - \overrightarrow{OP}$ 와 $\overrightarrow{OC}$ 가 서로 평행하도록 하는 선분 AB 위의 점 P가 존재한다.

집합 S에 속하는 점 중에서 y좌표가 최대인 점을 Q, y좌표가 최소인 점을 R이라 할 때, $\overrightarrow{OQ} \cdot \overrightarrow{OR}$의 값은? (단, O는 원점이다.) [4점]

① 25   ② 26   ③ 27   ④ 28   ⑤ 29

단답형

29. 두 점 $F(c, 0)$, $F'(-c, 0)$ $(c > 0)$을 초점으로 하는 두 쌍곡선

$$C_1 : x^2 - \frac{y^2}{24} = 1, \quad C_2 : \frac{x^2}{4} - \frac{y^2}{21} = 1$$

이 있다. 쌍곡선 C_1 위에 있는 제2사분면 위의 점 P에 대하여 선분 PF'이 쌍곡선 C_2와 만나는 점을 Q라 하자.
$\overline{PQ} + \overline{QF}$, $2\overline{PF'}$, $\overline{PF} + \overline{PF'}$이 이 순서대로 등차수열을 이룰 때, 직선 PQ의 기울기는 m이다. $60m$의 값을 구하시오. [4점]

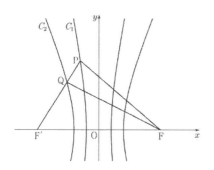

30. 직선 $2x + y = 0$ 위를 움직이는 점 P와 타원 $2x^2 + y^2 = 3$ 위를 움직이는 점 Q에 대하여

$$\overrightarrow{OX} = \overrightarrow{OP} + \overrightarrow{OQ}$$

를 만족시키고, x좌표와 y좌표가 모두 0 이상인 모든 점 X가 나타내는 영역의 넓이는 $\frac{q}{p}$이다. $p + q$의 값을 구하시오. (단, O는 원점이고, p와 q는 서로소인 자연수이다.) [4점]

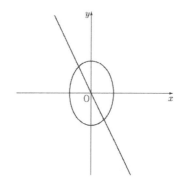

■ **[선택: 기하]**

23. ①   24. ④   25. ②   26. ④   27. ③
28. ⑤   29. 80   30. 13

5지선다형

지수 A 501
모의고사 (고3) 2023년 7월 1번

1. $4^{1-\sqrt{3}} \times 2^{2\sqrt{3}-1}$ 의 값은? [2점]

① $\dfrac{1}{4}$ ② $\dfrac{1}{2}$ ③ 1 ④ 2 ⑤ 4

미분계수와 도함수 A 501
모의고사 (고3) 2023년 7월 2번

2. 함수 $f(x) = x^3 - 7x + 5$ 에 대하여 $\lim\limits_{h \to 0} \dfrac{f(2+h) - f(2)}{h}$ 의 값은? [2점]

① 1 ② 2 ③ 3 ④ 4 ⑤ 5

삼각함수 A 501
모의고사 (고3) 2023년 7월 3번

3. $\sin\left(\dfrac{\pi}{2} + \theta\right) = \dfrac{3}{5}$ 이고 $\sin\theta\cos\theta < 0$ 일 때, $\sin\theta + 2\cos\theta$ 의 값은? [3점]

① $-\dfrac{2}{5}$ ② $-\dfrac{1}{5}$ ③ 0 ④ $\dfrac{1}{5}$ ⑤ $\dfrac{2}{5}$

함수의 극한 A 501
모의고사 (고3) 2023년 7월 4번

4. 함수 $y = f(x)$ 의 그래프가 그림과 같다.

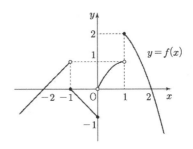

$\lim\limits_{x \to -1+} f(x) + \lim\limits_{x \to 1-} f(x)$ 의 값은? [3점]

① -1 ② 0 ③ 1 ④ 2 ⑤ 3

미분계수와 도함수 B 501
모의고사 (고3) 2023년 7월 5번

5. 함수

$$f(x) = \begin{cases} 3x + a & (x \leq 1) \\ 2x^3 + bx + 1 & (x > 1) \end{cases}$$

이 $x = 1$ 에서 미분가능할 때, $a + b$ 의 값은?
(단, a, b 는 상수이다.) [3점]

① -8 ② -6 ③ -4 ④ -2 ⑤ 0

6. 모든 항이 양수인 등비수열 $\{a_n\}$ 에 대하여

$$a_3{}^2 = a_6, \quad a_2 - a_1 = 2$$

일 때, a_5 의 값은? [3점]

① 20　　② 24　　③ 28　　④ 32　　⑤ 36

7. 함수 $f(x) = x^3 + ax^2 - 9x + 4$ 가 $x = 1$ 에서 극값을 갖는다. 함수 $f(x)$ 의 극댓값은? (단, a 는 상수이다.) [3점]

① 31　　② 33　　③ 35　　④ 37　　⑤ 39

8. 수직선 위를 움직이는 점 P의 시각 $t\,(t \geq 0)$ 에서의 속도 $v(t)$ 가

$$v(t) = t^2 - 4t + 3$$

이다. 점 P가 시각 $t = 1$, $t = a\,(a > 1)$ 에서 운동 방향을 바꿀 때, 점 P가 시각 $t = 0$ 에서 $t = a$ 까지 움직인 거리는? [3점]

① $\dfrac{7}{3}$　　② $\dfrac{8}{3}$　　③ 3　　④ $\dfrac{10}{3}$　　⑤ $\dfrac{11}{3}$

9. 2 이상의 자연수 n 에 대하여 x 에 대한 방정식

$$\left(x^n - 8\right)\left(x^{2n} - 8\right) = 0$$

의 모든 실근의 곱이 -4 일 때, n 의 값은? [4점]

① 2　　② 3　　③ 4　　④ 5　　⑤ 6

10. $0 \leq x < 2\pi$ 일 때, 곡선 $y = |4\sin 3x + 2|$ 와 직선 $y = 2$ 가 만나는 서로 다른 점의 개수는? [4점]

① 3　　② 6　　③ 9　　④ 12　　⑤ 15

11. 최고차항의 계수가 1인 삼차함수 $f(x)$ 가 다음 조건을 만족시킨다.

> (가) 모든 실수 x 에 대하여 $f(1+x) + f(1-x) = 0$ 이다.
> (나) $\displaystyle\int_{-1}^{3} f'(x)\,dx = 12$

$f(4)$ 의 값은? [4점]

① 24　　② 28　　③ 32　　④ 36　　⑤ 40

12. 모든 항이 정수이고 공차가 5인 등차수열 $\{a_n\}$ 과 자연수 m 이 다음 조건을 만족시킨다.

> (가) $\displaystyle\sum_{k=1}^{2m+1} a_k < 0$
>
> (나) $|a_m| + |a_{m+1}| + |a_{m+2}| < 13$

$24 < a_{21} < 29$ 일 때, m 의 값은? [4점]

① 10 ② 12 ③ 14 ④ 16 ⑤ 18

13. 그림과 같이 평행사변형 ABCD 가 있다. 점 A 에서 선분 BD 에 내린 수선의 발을 E 라 하고, 직선 CE 가 선분 AB 와 만나는 점을 F 라 하자. $\cos(\angle AFC) = \dfrac{\sqrt{10}}{10}$, $\overline{EC} = 10$ 이고 삼각형 CDE 의 외접원의 반지름의 길이가 $5\sqrt{2}$ 일 때, 삼각형 AFE 의 넓이는? [4점]

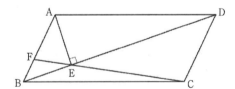

① $\dfrac{20}{3}$ ② 7 ③ $\dfrac{22}{3}$ ④ $\dfrac{23}{3}$ ⑤ 8

14. 최고차항의 계수가 1 이고 $f(-3) = f(0)$ 인 삼차함수 $f(x)$ 에 대하여 함수 $g(x)$ 를

$$g(x) = \begin{cases} f(x) & (x < -3 \ \text{또는} \ x \geq 0) \\ -f(x) & (-3 \leq x < 0) \end{cases}$$

이라 하자. 함수 $g(x)g(x-3)$ 이 $x=k$ 에서 불연속인 실수 k 의 값이 한 개일 때, <보기>에서 옳은 것만을 있는 대로 고른 것은? [4점]

> ─── <보 기> ───
>
> ㄱ. 함수 $g(x)g(x-3)$ 은 $x=0$ 에서 연속이다.
> ㄴ. $f(-6) \times f(3) = 0$
> ㄷ. 함수 $g(x)g(x-3)$ 이 $x=k$ 에서 불연속인 실수 k 가 음수일 때 집합 $\{x \mid f(x)=0, \ x \text{는 실수}\}$ 의 모든 원소의 합이 -1 이면 $g(-1) = -48$ 이다.

① ㄱ ② ㄱ, ㄴ ③ ㄱ, ㄷ
④ ㄴ, ㄷ ⑤ ㄱ, ㄴ, ㄷ

15. 모든 항이 자연수인 수열 $\{a_n\}$ 이 다음 조건을 만족시킨다.

> (가) $a_1 < 300$
> (나) 모든 자연수 n 에 대하여
>
> $$a_{n+1} = \begin{cases} \dfrac{1}{3} a_n & (\log_3 a_n \text{이 자연수인 경우}) \\ a_n + 6 & (\log_3 a_n \text{이 자연수가 아닌 경우}) \end{cases}$$
>
> 이다.

$\displaystyle\sum_{k=4}^{7} a_k = 40$ 이 되도록 하는 모든 a_1 의 값의 합은? [4점]

① 315 ② 321 ③ 327 ④ 333 ⑤ 339

로그함수의 활용 A 501
모의고사 (고3) 2023년 7월 16번

16. 방정식 $\log_2(x-5)=\log_4(x+7)$ 을 만족시키는 실수 x 의
값을 구하시오. [3점]

부정적분 A 501
모의고사 (고3) 2023년 7월 17번

17. 함수 $f(x)$ 에 대하여 $f'(x)=9x^2-8x+1$ 이고
$f(1)=10$ 일 때, $f(2)$ 의 값을 구하시오. [3점]

수열의 합 A 501
모의고사 (고3) 2023년 7월 18번

18. 두 수열 $\{a_n\}$, $\{b_n\}$ 에 대하여

$$\sum_{k=1}^{10}(2a_k+3)=40, \quad \sum_{k=1}^{10}(a_k-b_k)=-10$$

일 때, $\sum_{k=1}^{10}(b_k+5)$ 의 값을 구하시오. [3점]

도함수의 활용 B 502
모의고사 (고3) 2023년 7월 19번

19. 곡선 $y=x^3-10$ 위의 점 $P(-2, -18)$ 에서의 접선과
곡선 $y=x^3+k$ 위의 점 Q 에서의 접선이 일치할 때,
양수 k 의 값을 구하시오. [3점]

정적분의 활용 C 501
모의고사 (고3) 2023년 7월 20번

20. 실수 $t\left(\sqrt{3}<t<\dfrac{13}{4}\right)$ 에 대하여 두 함수

$$f(x)=|x^2-3|-2x, \quad g(x)=-x+t$$

의 그래프가 만나는 서로 다른 네 점의 x 좌표를 작은 수부터
크기순으로 x_1, x_2, x_3, x_4 라 하자. $x_4-x_1=5$ 일 때,
닫힌구간 $[x_3, x_4]$ 에서 두 함수 $y=f(x)$, $y=g(x)$ 의 그래프로
둘러싸인 부분의 넓이는 $p-q\sqrt{3}$ 이다. $p\times q$ 의 값을 구하시오.
(단, p, q는 유리수이다.) [4점]

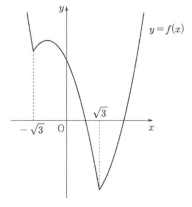

21. 그림과 같이 곡선 $y=2^{x-m}+n\,(m>0,\ n>0)$ 과 직선 $y=3x$ 가 서로 다른 두 점 A, B에서 만날 때, 점 B를 지나며 직선 $y=3x$ 에 수직인 직선이 y축과 만나는 점을 C라 하자. 직선 CA가 x축과 만나는 점을 D라 하면 점 D는 선분 CA를 $5:3$으로 외분하는 점이다. 삼각형 ABC의 넓이가 20일 때, $m+n$ 의 값을 구하시오. (단, 점 A의 x좌표는 점 B의 x좌표보다 작다.) [4점]

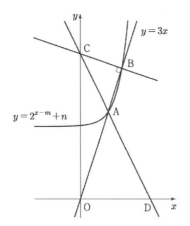

22. 최고차항의 계수가 양수인 사차함수 $f(x)$ 가 있다. 실수 t 에 대하여 함수 $g(x)$ 를

$$g(x)=f(x)-x-f(t)+t$$

라 할 때, 방정식 $g(x)=0$ 의 서로 다른 실근의 개수를 $h(t)$ 라 하자. 두 함수 $f(x)$ 와 $h(t)$ 가 다음 조건을 만족시킨다.

(가) $\lim\limits_{t\to-1}\{h(t)-h(-1)\}=\lim\limits_{t\to1}\{h(t)-h(1)\}=2$

(나) $\displaystyle\int_0^\alpha f(x)dx=\int_0^\alpha |f(x)|dx$ 를 만족시키는 실수 α 의 최솟값은 -1 이다.

(다) 모든 실수 x 에 대하여 $\dfrac{d}{dx}\displaystyle\int_0^x \{f(u)-ku\}du\geq0$ 이 되도록 하는 실수 k 의 최댓값은 $f'(\sqrt{2})$ 이다.

$f(6)$ 의 값을 구하시오. [4점]

정답

1	④	2	⑤	3	⑤	4	③	5	②
6	④	7	①	8	②	9	②	10	③
11	①	12	③	13	①	14	⑤	15	④
16	9	17	20	18	65	19	22	20	54
21	13	22	182						

수학 영역(확률과 통계)

5지선다형

이항정리 A 501
모의고사 (고3) 2023년 7월 23번(확통)

23. 다항식 $\left(x^2+2\right)^6$의 전개식에서 x^8의 계수는? [2점]

① 30 ② 45 ③ 60 ④ 75 ⑤ 90

독립시행의 확률 B 501
모의고사 (고3) 2023년 7월 24번(확통)

24. 한 개의 주사위를 네 번 던질 때 나오는 눈의 수를 차례로 a, b, c, d라 하자. 네 수 a, b, c, d의 곱 $a \times b \times c \times d$가 27의 배수일 확률은? [3점]

① $\dfrac{1}{9}$ ② $\dfrac{4}{27}$ ③ $\dfrac{5}{27}$ ④ $\dfrac{2}{9}$ ⑤ $\dfrac{7}{27}$

이산확률분포 B 501
모의고사 (고3) 2023년 7월 25번(확통)

25. 이산확률변수 X의 확률분포를 표로 나타내면 다음과 같다.

X	1	2	3	합계
$\mathrm{P}(X=x)$	a	$a+b$	b	1

$\mathrm{E}\left(X^2\right)=a+5$ 일 때, $b-a$의 값은? (단, a, b는 상수이다.)
[3점]

① $\dfrac{1}{12}$ ② $\dfrac{1}{6}$ ③ $\dfrac{1}{4}$ ④ $\dfrac{1}{3}$ ⑤ $\dfrac{5}{12}$

여러가지확률 B 501
모의고사 (고3) 2023년 7월 26번(확통)

26. 주머니 A에는 흰 공 1개, 검은 공 2개가 들어 있고, 주머니 B에는 흰 공 3개, 검은 공 3개가 들어 있다. 주머니 A에서 임의로 1개의 공을 꺼내어 주머니 B에 넣은 후 주머니 B에서 임의로 3개의 공을 동시에 꺼낼 때, 주머니 B에서 꺼낸 3개의 공 중에서 적어도 한 개가 흰 공일 확률은? [3점]

① $\dfrac{6}{7}$ ② $\dfrac{92}{105}$ ③ $\dfrac{94}{105}$ ④ $\dfrac{32}{35}$ ⑤ $\dfrac{14}{15}$

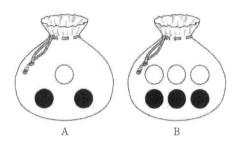

A   B

여러가지순열 C 501
모의고사 (고3) 2023년 7월 27번(확통)

27. 숫자 0, 0, 0, 1, 1, 2, 2가 하나씩 적힌 7장의 카드가 있다. 이 7장의 카드를 모두 한 번씩 사용하여 일렬로 나열할 때, 이웃하는 두 장의 카드에 적힌 수의 곱이 모두 1 이하가 되도록 나열하는 경우의 수는? (단, 같은 숫자가 적힌 카드끼리는 서로 구별하지 않는다.) [3점]

① 14 ② 15 ③ 16 ④ 17 ⑤ 18

28. 1부터 5까지의 자연수가 하나씩 적힌 5개의 공이 들어 있는 주머니가 있다. 이 주머니에서 공을 임의로 한 개씩 5번 꺼내어 $n \, (1 \le n \le 5)$번째 꺼낸 공에 적혀 있는 수를 a_n이라 하자. $a_k \le k$를 만족시키는 자연수 $k \, (1 \le k \le 5)$의 최솟값이 3일 때, $a_1 + a_2 = a_4 + a_5$일 확률은? (단, 꺼낸 공은 다시 넣지 않는다.) [4점]

① $\dfrac{4}{19}$ ② $\dfrac{5}{19}$ ③ $\dfrac{6}{19}$ ④ $\dfrac{7}{19}$ ⑤ $\dfrac{8}{19}$

단답형

29. 두 연속확률변수 X와 Y가 갖는 값의 범위는 $0 \le X \le 4$, $0 \le Y \le 4$이고, X와 Y의 확률밀도함수는 각각 $f(x)$, $g(x)$이다. 확률변수 X의 확률밀도함수 $f(x)$의 그래프는 그림과 같다.

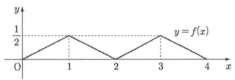

확률변수 Y의 확률밀도함수 $g(x)$는 닫힌구간 $[0, 4]$에서 연속이고 $0 \le x \le 4$인 모든 실수 x에 대하여

$$\{g(x) - f(x)\}\{g(x) - a\} = 0 \quad (a는 상수)$$

를 만족시킨다. 두 확률변수 X와 Y가 다음 조건을 만족시킨다.

(가) $\mathrm{P}(0 \le Y \le 1) < \mathrm{P}(0 \le X \le 1)$
(나) $\mathrm{P}(3 \le Y \le 4) < \mathrm{P}(3 \le X \le 4)$

$\mathrm{P}(0 \le Y \le 5a) = p - q\sqrt{2}$ 일 때, $p \times q$의 값을 구하시오. (단, p, q는 자연수이다.) [4점]

30. 집합 $X = \{1, 2, 3, 4, 5, 6, 7\}$에 대하여 다음 조건을 만족시키는 함수 $f : X \to X$의 개수를 구하시오. [4점]

(가) $f(7) - f(1) = 3$

(나) 5 이하의 모든 자연수 n에 대하여
$f(n) \le f(n+2)$ 이다.

(다) $\dfrac{1}{3}|f(2) - f(1)|$과 $\dfrac{1}{3}\displaystyle\sum_{k=1}^{4} f(2k-1)$의 값은 모두 자연수이다.

확률과 통계 정답

23	③	24	①	25	②	26	④	27	⑤
28	①	29	24	30	150				

수학영역(미적분)

(미적) 정적분 B 501
모의고사 (고3) 2023년 7월 26번(미적)

5지 선 다 형

수열의 극한 A 501
모의고사 (고3) 2023년 7월 23번(미적)

23. $\lim_{n \to \infty} 2n\left(\sqrt{n^2+4} - \sqrt{n^2+1}\right)$의 값은? [2점]

① 1 ② 2 ③ 3 ④ 4 ⑤ 5

26. 함수 $f(x)$는 실수 전체의 집합에서 도함수가 연속이고

$$\int_1^2 (x-1)f'\left(\frac{x}{2}\right)dx = 2$$

를 만족시킨다. $f(1)=4$일 때, $\int_{\frac{1}{2}}^1 f(x)dx$의 값은? [3점]

① $\frac{3}{4}$ ② 1 ③ $\frac{5}{4}$ ④ $\frac{3}{2}$ ⑤ $\frac{7}{4}$

여러가지 미분법 B 501
모의고사 (고3) 2023년 7월 24번(미적)

24. 함수 $f(x) = \ln(x^2 - x + 2)$와 실수 전체의 집합에서 미분가능한 함수 $g(x)$가 있다. 실수 전체의 집합에서 정의된 합성함수 $h(x)$를 $h(x) = f(g(x))$라 하자.
$\lim_{x \to 2} \frac{g(x)-4}{x-2} = 12$일 때, $h'(2)$의 값은? [3점]

① 4 ② 6 ③ 8 ④ 10 ⑤ 12

삼각함수의 덧셈정리 C 501
모의고사 (고3) 2023년 7월 27번(미적)

27. 그림과 같이 $\overline{AB_1} = \overline{AC_1} = \sqrt{17}$, $\overline{B_1C_1} = 2$인 삼각형 AB_1C_1이 있다. 선분 AB_1 위의 점 B_2, 선분 AC_1 위의 점 C_2, 삼각형 AB_1C_1의 내부의 점 D_1을

$\overline{B_1D_1} = \overline{B_2D_1} = \overline{C_1D_1} = \overline{C_2D_1}$, $\angle B_1D_1B_2 = \angle C_1D_1C_2 = \frac{\pi}{2}$

가 되도록 잡고, 두 삼각형 $B_1D_1B_2$, $C_1D_1C_2$에 색칠하여 얻은 그림을 R_1이라 하자.
그림 R_1에서 선분 AB_2 위의 점 B_3, 선분 AC_2 위의 점 C_3, 삼각형 AB_2C_2의 내부의 점 D_2를

$\overline{B_2D_2} = \overline{B_3D_2} = \overline{C_2D_2} = \overline{C_3D_2}$, $\angle B_2D_2B_3 = \angle C_2D_2C_3 = \frac{\pi}{2}$

가 되도록 잡고, 두 삼각형 $B_2D_2B_3$, $C_2D_2C_3$에 색칠하여 얻은 그림을 R_2라 하자.
이와 같은 과정을 계속하여 n번째 얻은 그림 R_n에 색칠되어 있는 부분의 넓이를 S_n이라 할 때, $\lim_{n \to \infty} S_n$의 값은? [3점]

여러가지 미분법 A 501
모의고사 (고3) 2023년 7월 25번(미적)

25. 곡선 $2e^{x+y-1} = 3e^x + x - y$ 위의 점 $(0, 1)$에서의 접선의 기울기는? [3점]

① $\frac{2}{3}$ ② 1 ③ $\frac{4}{3}$ ④ $\frac{5}{3}$ ⑤ 2

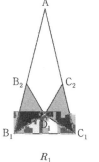

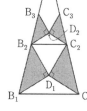

R_1 $\qquad$ R_2 $\qquad$ ...

① 2 ② $\frac{33}{16}$ ③ $\frac{17}{8}$ ④ $\frac{35}{16}$ ⑤ $\frac{9}{4}$

28. 그림과 같이 중심이 O이고 길이가 2인 선분 AB를 지름으로 하는 원이 있다. 원 위에 점 P를 $\angle \mathrm{PAB}=\theta$가 되도록 잡고, 점 P를 포함하지 않는 호 AB 위에 점 Q를 $\angle \mathrm{QAB}=2\theta$가 되도록 잡는다. 직선 OQ가 원과 만나는 점 중 Q가 아닌 점을 R, 두 선분 PA와 QR가 만나는 점을 S라 하자. 삼각형 BOQ의 넓이를 $f(\theta)$, 삼각형 PRS의 넓이를 $g(\theta)$라 할 때, $\lim\limits_{\theta \to 0+} \dfrac{g(\theta)}{f(\theta)}$의 값은? (단, $0 < \theta < \dfrac{\pi}{6}$)

[4점]

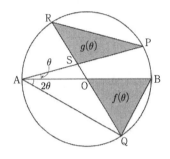

① $\dfrac{11}{10}$ ② $\dfrac{6}{5}$ ③ $\dfrac{13}{10}$ ④ $\dfrac{7}{5}$ ⑤ $\dfrac{3}{2}$

단답형

29. 함수 $f(x)$는 실수 전체의 집합에서 도함수가 연속이고 다음 조건을 만족시킨다.

(가) $x < 1$일 때, $f'(x) = -2x + 4$이다.
(나) $x \geq 0$인 모든 실수 x에 대하여
$f(x^2 + 1) = ae^{2x} + bx$이다. (단, a, b는 상수이다.)

$\displaystyle\int_0^5 f(x)dx = pe^4 - q$일 때, $p+q$의 값을 구하시오.
(단, p, q는 유리수이다.) [4점]

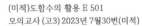

30. 최고차항의 계수가 1인 삼차함수 $f(x)$에 대하여 함수 $g(x)$를

$$g(x) = \sin|\pi f(x)|$$

라 하자. 함수 $y = g(x)$의 그래프와 x축이 만나는 점의 x좌표 중 양수인 것을 작은 수부터 크기순으로 모두 나열할 때, n번째 수를 a_n이라 하자. 함수 $g(x)$와 자연수 m이 다음 조건을 만족시킨다.

(가) 함수 $g(x)$는 $x = a_4$와 $x = a_8$에서 극대이다.
(나) $f(a_m) = f(0)$

$f(a_k) \leq f(m)$을 만족시키는 자연수 k의 최댓값을 구하시오.

[4점]

미적분 정답

23	③	24	②	25	①	26	④	27	③
28	②	29	12	30	208				

수학영역(기하)

5지선다형

벡터의 연산 A 501
모의고사 (고3) 2023년 7월 23번(기하)

23. 두 벡터 $\vec{a}=(2, 3)$, $\vec{b}=(4, -2)$ 에 대하여 벡터 $2\vec{a}+\vec{b}$ 의 모든 성분의 합은? [2점]

① 10　　② 12　　③ 14　　④ 16　　⑤ 18

타원 A 501
모의고사 (고3) 2023년 7월 24번(기하)

24. 타원 $\dfrac{x^2}{32}+\dfrac{y^2}{8}=1$ 위의 점 중 제1사분면에 있는

점 (a, b)에서의 접선이 점 $(8, 0)$을 지날 때, $a+b$의 값은? [3점]

① 5　　② $\dfrac{11}{2}$　　③ 6　　④ $\dfrac{13}{2}$　　⑤ 7

벡터의 연산 B 501
모의고사 (고3) 2023년 7월 25번(기하)

25. 좌표평면에서 벡터 $\vec{u}=(3, -1)$에 평행한 직선 l과

직선 $m:\dfrac{x-1}{7}=y-1$이 있다. 두 직선 l, m이 이루는

예각의 크기를 θ라 할 때, $\cos\theta$의 값은? [3점]

① $\dfrac{2\sqrt{3}}{5}$　　② $\dfrac{\sqrt{14}}{5}$　　③ $\dfrac{4}{5}$

④ $\dfrac{3\sqrt{2}}{5}$　　⑤ $\dfrac{2\sqrt{5}}{5}$

포물선 B 501
모의고사 (고3) 2023년 7월 26번(기하)

26. 포물선 $y^2=4px\,(p>0)$의 초점 F를 지나는 직선이
포물선과 서로 다른 두 점 A, B에서 만날 때, 두 점
A, B에서 포물선의 준선에 내린 수선의 발을 각각 C, D라
하자. $\overline{\mathrm{AC}}:\overline{\mathrm{BD}}=2:1$이고 사각형 ACDB의 넓이가 $12\sqrt{2}$
일 때, 선분 AB의 길이는? (단, 점 A는 제1사분면에 있다.)
[3점]

① 6　　② 7　　③ 8　　④ 9　　⑤ 10

공간도형 C 501
모의고사 (고3) 2023년 7월 27번(기하)

27. 공간에 선분 AB를 포함하는 평면 α가 있다. 평면 α 위에
있지 않은 점 C에서 평면 α에 내린 수선의 발을 H라 할 때,
점 H가 다음 조건을 만족시킨다.

(가) $\angle\mathrm{AHB}=\dfrac{\pi}{2}$
(나) $\sin(\angle\mathrm{CAH})=\sin(\angle\mathrm{ABH})=\dfrac{\sqrt{3}}{3}$

평면 ABC와 평면 α가 이루는 예각의 크기를 θ라 할 때,
$\cos\theta$의 값은? (단, 점 H는 선분 AB 위에 있지 않다.) [3점]

① $\dfrac{\sqrt{7}}{14}$　　② $\dfrac{\sqrt{7}}{7}$　　③ $\dfrac{3\sqrt{7}}{14}$

④ $\dfrac{2\sqrt{7}}{7}$　　⑤ $\dfrac{5\sqrt{7}}{14}$

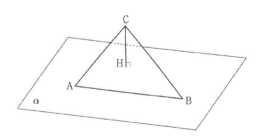

28. 두 초점이 $F(c, 0)$, $F'(-c, 0)$ $(c > 0)$인 쌍곡선

$\dfrac{x^2}{a^2} - \dfrac{y^2}{b^2} = 1$과 점 $A(0, 6)$을 중심으로 하고 두 초점을

지나는 원이 있다. 원과 쌍곡선이 만나는 점 중 제1사분면에
있는 점 P와 두 직선 PF′, AF가 만나는 점 Q가

$$\overline{PF} : \overline{PF'} = 3 : 4, \quad \angle F'QF = \dfrac{\pi}{2}$$

를 만족시킬 때, $b^2 - a^2$의 값은? (단, a, b는 양수이고,
점 Q는 제2사분면에 있다.) [4점]

① 30　　② 35　　③ 40　　④ 45　　⑤ 50

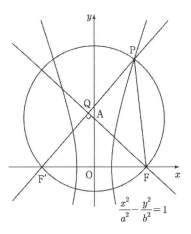

29. 좌표평면 위에 길이가 6인 선분 AB를 지름으로 하는 원이
있다. 원 위의 서로 다른 두 점 C, D가

$$\overrightarrow{AB} \cdot \overrightarrow{AC} = 27, \quad \overrightarrow{AB} \cdot \overrightarrow{AD} = 9, \quad \overline{CD} > 3$$

을 만족시킨다. 선분 AC 위의 서로 다른 두 점 P, Q와
상수 k가 다음 조건을 만족시킨다.

(가) $\dfrac{3}{2}\overrightarrow{DP} - \overrightarrow{AB} = k\overrightarrow{BC}$

(나) $\overrightarrow{QB} \cdot \overrightarrow{QD} = 3$

$k \times (\overrightarrow{AQ} \cdot \overrightarrow{DP})$의 값을 구하시오. [4점]

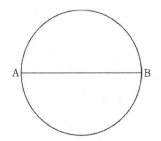

30. 공간에 중심이 O이고 반지름의 길이가 4인 구가 있다.
구 위의 서로 다른 세 점 A, B, C가

$$\overline{AB} = 8, \quad \overline{BC} = 2\sqrt{2}$$

를 만족시킨다. 평면 ABC 위에 있지 않은 구 위의 점 D에서
평면 ABC에 내린 수선의 발을 H라 할 때, 점 D가 다음
조건을 만족시킨다.

(가) 두 직선 OC, OD가 서로 수직이다.
(나) 두 직선 AD, OH가 서로 수직이다.

삼각형 DAH의 평면 DOC 위로의 정사영의 넓이를 S라
할 때, $8S$의 값을 구하시오. (단, 점 H는 점 O가 아니다.)
[4점]

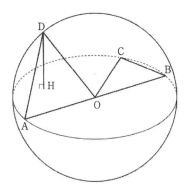

기하 정답

23	②	24	③	25	⑤	26	①	27	④
28	②	29	15	30	27				

모의고사 (고3) 2023년 9월
수학영역

지수 A 507
모의고사 (고3) 2023년 9월 1번

1. $3^{1-\sqrt{5}} \times 3^{1+\sqrt{5}}$ 의 값은? [2점]

① $\frac{1}{9}$　　② $\frac{1}{3}$　　③ 1　　④ 3　　⑤ 9

미분계수와 도함수 A 510
모의고사 (고3) 2023년 9월 2번

2. 함수 $f(x) = 2x^2 - x$ 에 대하여 $\lim_{x \to 1} \dfrac{f(x)-1}{x-1}$ 의 값은? [2점]

① 1　　② 2　　③ 3　　④ 4　　⑤ 5

삼각함수 A 507
모의고사 (고3) 2023년 9월 3번

3. $\frac{3}{2}\pi < \theta < 2\pi$ 인 θ 에 대하여 $\cos\theta = \dfrac{\sqrt{6}}{3}$ 일 때, $\tan\theta$ 의 값은? [3점]

① $-\sqrt{2}$　　② $-\dfrac{\sqrt{2}}{2}$　　③ 0　　④ $\dfrac{\sqrt{2}}{2}$　　⑤ $\sqrt{2}$

함수의 극한 A 508
모의고사 (고3) 2023년 9월 4번

4. 함수 $y = f(x)$ 의 그래프가 그림과 같다.

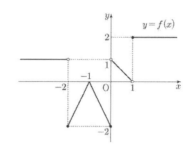

$\lim_{x \to -2+} f(x) + \lim_{x \to 1-} f(x)$ 의 값은? [3점]

① -2　　② -1　　③ 0　　④ 1　　⑤ 2

등차수열과 등비수열 A 507
모의고사 (고3) 2023년 9월 5번

5. 모든 항이 양수인 등비수열 $\{a_n\}$ 에 대하여

$$\frac{a_3 a_8}{a_6} = 12, \quad a_5 + a_7 = 36$$

일 때, a_{11} 의 값은? [3점]

① 72　　② 78　　③ 84　　④ 90　　⑤ 96

도함수의 활용 A 503
모의고사 (고3) 2023년 9월 6번

6. 함수 $f(x) = x^3 + ax^2 + bx + 1$ 은 $x = -1$ 에서 극대이고, $x = 3$ 에서 극소이다. 함수 $f(x)$ 의 극댓값은? (단, a, b 는 상수이다.) [3점]

① 0　　② 3　　③ 6　　④ 9　　⑤ 12

로그 A 507
모의고사 (고3) 2023년 9월 7번

7. 두 실수 a, b가

$$3a + 2b = \log_3 32, \quad ab = \log_9 2$$

를 만족시킬 때, $\dfrac{1}{3a} + \dfrac{1}{2b}$ 의 값은? [3점]

① $\dfrac{5}{12}$ ② $\dfrac{5}{6}$ ③ $\dfrac{5}{4}$ ④ $\dfrac{5}{3}$ ⑤ $\dfrac{25}{12}$

부정적분 B 501
모의고사 (고3) 2023년 9월 8번

8. 다항함수 $f(x)$가

$$f'(x) = 6x^2 - 2f(1)x, \quad f(0) = 4$$

를 만족시킬 때, $f(2)$의 값은? [3점]

① 5 ② 6 ③ 7 ④ 8 ⑤ 9

삼각함수 B 506
모의고사 (고3) 2023년 9월 9번

9. $0 \le x \le 2\pi$일 때, 부등식

$$\cos x \le \sin \frac{\pi}{7}$$

를 만족시키는 모든 x의 값의 범위는 $\alpha \le x \le \beta$이다.
$\beta - \alpha$의 값은? [4점]

① $\dfrac{8}{7}\pi$ ② $\dfrac{17}{14}\pi$ ③ $\dfrac{9}{7}\pi$ ④ $\dfrac{19}{14}\pi$ ⑤ $\dfrac{10}{7}\pi$

도함수의 활용 C 505
모의고사 (고3) 2023년 9월 10번

10. 최고차항의 계수가 1인 삼차함수 $f(x)$에 대하여
곡선 $y = f(x)$ 위의 점 $(-2, f(-2))$에서의 접선과
곡선 $y = f(x)$ 위의 점 $(2, 3)$에서의 접선이
점 $(1, 3)$에서 만날 때, $f(0)$의 값은? [4점]

① 31 ② 33 ③ 35 ④ 37 ⑤ 39

정적분의 활용 C 504
모의고사 (고3) 2023년 9월 11번

11. 두 점 P와 Q는 시각 $t = 0$일 때 각각 점 A(1)과 점 B(8)에서
출발하여 수직선 위를 움직인다. 두 점 P, Q의 시각
$t\,(t \ge 0)$에서의 속도는 각각

$$v_1(t) = 3t^2 + 4t - 7, \quad v_2(t) = 2t + 4$$

이다. 출발한 시각부터 두 점 P, Q 사이의 거리가 처음으로
4가 될 때까지 점 P가 움직인 거리는? [4점]

① 10 ② 14 ③ 19 ④ 25 ⑤ 32

수학적 귀납법 C 503
모의고사 (고3) 2023년 9월 12번

12. 첫째항이 자연수인 수열 $\{a_n\}$이 모든 자연수 n에 대하여

$$a_{n+1} = \begin{cases} a_n + 1 & (a_n \text{이 홀수인 경우}) \\ \dfrac{1}{2}a_n & (a_n \text{이 짝수인 경우}) \end{cases}$$

를 만족시킬 때, $a_2 + a_4 = 40$이 되도록 하는 모든 a_1의 값의
합은? [4점]

① 172 ② 175 ③ 178 ④ 181 ⑤ 184

13. 두 실수 a, b에 대하여 함수

$$f(x) = \begin{cases} -\dfrac{1}{3}x^3 - ax^2 - bx & (x < 0) \\ \\ \dfrac{1}{3}x^3 + ax^2 - bx & (x \geq 0) \end{cases}$$

이 구간 $(-\infty, -1]$에서 감소하고 구간 $[-1, \infty)$에서 증가할 때, $a+b$의 최댓값을 M, 최솟값을 m이라 하자. $M-m$의 값은?

[4점]

① $\dfrac{3}{2} + 3\sqrt{2}$ ② $3 + 3\sqrt{2}$ ③ $\dfrac{9}{2} + 3\sqrt{2}$

④ $6 + 3\sqrt{2}$ ⑤ $\dfrac{15}{2} + 3\sqrt{2}$

14. 두 자연수 a, b에 대하여 함수

$$f(x) = \begin{cases} 2^{x+a} + b & (x \leq -8) \\ \\ -3^{x-3} + 8 & (x > -8) \end{cases}$$

이 다음 조건을 만족시킬 때, $a+b$의 값은? [4점]

집합 $\{f(x) \mid x \leq k\}$의 원소 중 정수인 것의 개수가 2가 되도록 하는 모든 실수 k의 값의 범위는 $3 \leq k < 4$이다.

① 11 ② 13 ③ 15 ④ 17 ⑤ 19

15. 최고차항의 계수가 1인 삼차함수 $f(x)$에 대하여 함수 $g(x)$를

$$g(x) = \begin{cases} \dfrac{f(x+3)\{f(x)+1\}}{f(x)} & (f(x) \neq 0) \\ \\ 3 & (f(x) = 0) \end{cases}$$

이라 하자. $\lim\limits_{x \to 3} g(x) = g(3) - 1$일 때, $g(5)$의 값은? [4점]

① 14 ② 16 ③ 18 ④ 20 ⑤ 22

19. 두 곡선 $y = 3x^3 - 7x^2$ 과 $y = -x^2$ 으로 둘러싸인 부분의 넓이를 구하시오. [3점]

단답형

16. 방정식 $\log_2(x-1) = \log_4(13+2x)$ 를 만족시키는 실수 x 의 값을 구하시오. [3점]

20. 그림과 같이

$$\overline{AB} = 2, \ \overline{AD} = 1, \ \angle DAB = \frac{2}{3}\pi, \ \angle BCD = \frac{3}{4}\pi$$

인 사각형 ABCD 가 있다. 삼각형 BCD 의 외접원의 반지름의 길이를 R_1, 삼각형 ABD 의 외접원의 반지름의 길이를 R_2 라 하자.

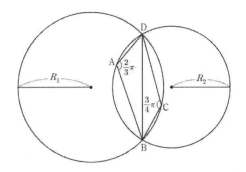

17. 두 수열 $\{a_n\}$, $\{b_n\}$ 에 대하여

$$\sum_{k=1}^{10}(2a_k - b_k) = 34, \quad \sum_{k=1}^{10} a_k = 10$$

일 때, $\displaystyle\sum_{k=1}^{10}(a_k - b_k)$ 의 값을 구하시오. [3점]

다음은 $R_1 \times R_2$ 의 값을 구하는 과정이다.

삼각형 BCD 에서 사인법칙에 의하여

$$R_1 = \frac{\sqrt{2}}{2} \times \overline{BD}$$

이고, 삼각형 ABD 에서 사인법칙에 의하여

$$R_2 = \boxed{\text{(가)}} \times \overline{BD}$$

이다. 삼각형 ABD 에서 코사인법칙에 의하여

$$\overline{BD}^2 = 2^2 + 1^2 - (\boxed{\text{(나)}})$$

이므로

$$R_1 \times R_2 = \boxed{\text{(다)}}$$

이다.

18. 함수 $f(x) = (x^2+1)(x^2+ax+3)$ 에 대하여 $f'(1) = 32$ 일 때, 상수 a 의 값을 구하시오. [3점]

위의 (가), (나), (다)에 알맞은 수를 각각 p, q, r 이라 할 때, $9 \times (p \times q \times r)^2$ 의 값을 구하시오. [4점]

21. 모든 항이 자연수인 등차수열 $\{a_n\}$의 첫째항부터 제n항까지의 합을 S_n이라 하자. a_7이 13의 배수이고 $\sum_{k=1}^{7} S_k = 644$일 때, a_2의 값을 구하시오. [4점]

22. 두 다항함수 $f(x)$, $g(x)$에 대하여 $f(x)$의 한 부정적분을 $F(x)$라 하고 $g(x)$의 한 부정적분을 $G(x)$라 할 때, 이 함수들은 모든 실수 x에 대하여 다음 조건을 만족시킨다.

> (가) $\displaystyle\int_{1}^{x} f(t)\,dt = xf(x) - 2x^2 - 1$
>
> (나) $f(x)G(x) + F(x)g(x) = 8x^3 + 3x^2 + 1$

$\displaystyle\int_{1}^{3} g(x)\,dx$의 값을 구하시오. [4점]

■ [공통: 수학 I · 수학 II]

01. ⑤	02. ③	03. ②	04. ①	05. ⑤
06. ③	07. ④	08. ④	09. ③	10. ③
11. ⑤	12. ①	13. ③	14. ②	15. ④
16. 6	17. 24	18. 5	19. 4	
20. 98	21. 19	22. 10		

수학 영역(확률과 통계)

5지선다형

이산확률분포 A 505
모의고사 (고3) 2023년 9월 23번(확통)

23. 확률변수 X가 이항분포 $B\left(30, \dfrac{1}{5}\right)$을 따를 때, $E(X)$의 값은? [2점]

① 6 ② 7 ③ 8 ④ 9 ⑤ 10

여러가지순열 A 501
모의고사 (고3) 2023년 9월 24번(확통)

24. 그림과 같이 직사각형 모양으로 연결된 도로망이 있다. 이 도로망을 따라 A지점에서 출발하여 P지점을 거쳐 B지점까지 최단 거리로 가는 경우의 수는? [3점]

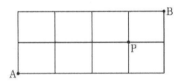

① 6 ② 7 ③ 8 ④ 9 ⑤ 10

여러가지확률 B 507
모의고사 (고3) 2023년 9월 25번(확통)

25. 두 사건 A, B에 대하여 A와 B^C은 서로 배반사건이고

$$P(A \cap B) = \frac{1}{5}, \quad P(A) + P(B) = \frac{7}{10}$$

일 때, $P(A^C \cap B)$의 값은? (단, A^C은 A의 여사건이다.) [3점]

① $\dfrac{1}{10}$ ② $\dfrac{1}{5}$ ③ $\dfrac{3}{10}$ ④ $\dfrac{2}{5}$ ⑤ $\dfrac{1}{2}$

연속확률분포 B 501
모의고사 (고3) 2023년 9월 26번(확통)

26. 어느 고등학교의 수학 시험에 응시한 수험생의 시험 점수는 평균이 68점, 표준편차가 10점인 정규분포를 따른다고 한다. 이 수학 시험에 응시한 수험생 중 임의로 선택한 수험생 한 명의 시험 점수가 55점 이상이고 78점 이하일 확률을 오른쪽 표준정규분포표를 이용하여 구한 것은? [3점]

z	$P(0 \leq Z \leq z)$
1.0	0.3413
1.1	0.3643
1.2	0.3849
1.3	0.4032

① 0.7262 ② 0.7445 ③ 0.7492 ④ 0.7675 ⑤ 0.7881

여러가지확률 B 508
모의고사 (고3) 2023년 9월 27번(확통)

27. 두 집합 $X = \{1, 2, 3, 4\}$, $Y = \{1, 2, 3, 4, 5, 6, 7\}$에 대하여 X에서 Y로의 모든 일대일함수 f 중에서 임의로 하나를 선택할 때, 이 함수가 다음 조건을 만족시킬 확률은? [3점]

(가) $f(2) = 2$
(나) $f(1) \times f(2) \times f(3) \times f(4)$는 4의 배수이다.

① $\dfrac{1}{14}$ ② $\dfrac{3}{35}$ ③ $\dfrac{1}{10}$ ④ $\dfrac{4}{35}$ ⑤ $\dfrac{9}{70}$

여러가지확률 E 501
모의고사 (고3) 2023년 9월 28번(확통)

28. 주머니 A에는 숫자 1, 2, 3이 하나씩 적힌 3개의 공이
들어 있고, 주머니 B에는 숫자 1, 2, 3, 4가 하나씩 적힌
4개의 공이 들어 있다. 두 주머니 A, B와 한 개의 주사위를
사용하여 다음 시행을 한다.

> 주사위를 한 번 던져
> 나온 눈의 수가 3의 배수이면
> 주머니 A에서 임의로 2개의 공을 동시에 꺼내고,
> 나온 눈의 수가 3의 배수가 아니면
> 주머니 B에서 임의로 2개의 공을 동시에 꺼낸다.
> 꺼낸 2개의 공에 적혀 있는 수의 차를 기록한 후,
> 공을 꺼낸 주머니에 이 2개의 공을 다시 넣는다.

이 시행을 2번 반복하여 기록한 두 개의 수의 평균을 $\overline{X}$ 라
할 때, $\mathrm{P}(\overline{X}=2)$의 값은? [4점]

① $\dfrac{11}{81}$ ② $\dfrac{13}{81}$ ③ $\dfrac{5}{27}$ ④ $\dfrac{17}{81}$ ⑤ $\dfrac{19}{81}$

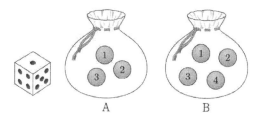

단답형

독립시행의 확률 C 501
모의고사 (고3) 2023년 9월 29번(확통)

29. 앞면에는 문자 A, 뒷면에는 문자 B가 적힌 한 장의 카드가
있다. 이 카드와 한 개의 동전을 사용하여 다음 시행을 한다.

> 동전을 두 번 던져
> 앞면이 나온 횟수가 2이면 카드를 한 번 뒤집고,
> 앞면이 나온 횟수가 0 또는 1이면 카드를 그대로 둔다.

처음에 문자 A가 보이도록 카드가 놓여 있을 때, 이 시행을
5번 반복한 후 문자 B가 보이도록 카드가 놓일 확률은 p이다.
$128 \times p$의 값을 구하시오. [4점]

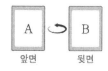

앞면   뒷면

중복조합 D 504
모의고사 (고3) 2023년 9월 30번(확통)

30. 다음 조건을 만족시키는 13 이하의 자연수 a, b, c, d의
모든 순서쌍 (a, b, c, d)의 개수를 구하시오. [4점]

> (가) $a \le b \le c \le d$
> (나) $a \times d$는 홀수이고, $b+c$는 짝수이다.

■ **[선택: 확률과 통계]**
23. ① 24. ③ 25. ③ 26. ② 27. ④
28. ⑤ 29. 62 30. 336

수학영역(미적분)

지수함수와 로그함수의 미분 A 502
모의고사 (고3) 2023년 9월 23번(미적)

23. $\displaystyle\lim_{x \to 0} \frac{e^{7x}-1}{e^{2x}-1}$ 의 값은? [2점]

① $\dfrac{1}{2}$ ② $\dfrac{3}{2}$ ③ $\dfrac{5}{2}$ ④ $\dfrac{7}{2}$ ⑤ $\dfrac{9}{2}$

여러가지 미분법 A 504
모의고사 (고3) 2023년 9월 24번(미적)

24. 매개변수 t 로 나타내어진 곡선

$$x = t + \cos 2t, \quad y = \sin^2 t$$

에서 $t = \dfrac{\pi}{4}$ 일 때, $\dfrac{dy}{dx}$ 의 값은? [3점]

① -2 ② -1 ③ 0 ④ 1 ⑤ 2

(미적)정적분 B 502
모의고사 (고3) 2023년 9월 25번(미적)

25. 함수 $f(x) = x + \ln x$ 에 대하여 $\displaystyle\int_1^e \left(1 + \frac{1}{x}\right)f(x)\,dx$ 의 값은?
[3점]

① $\dfrac{e^2}{2} + \dfrac{e}{2}$ ② $\dfrac{e^2}{2} + e$ ③ $\dfrac{e^2}{2} + 2e$

④ $e^2 + e$ ⑤ $e^2 + 2e$

급수 B 506
모의고사 (고3) 2023년 9월 26번(미적)

26. 공차가 양수인 등차수열 $\{a_n\}$ 과 등비수열 $\{b_n\}$ 에 대하여

$$a_1 = b_1 = 1, \quad a_2 b_2 = 1 \text{이고}$$

$$\sum_{n=1}^{\infty}\left(\frac{1}{a_n a_{n+1}} + b_n\right) = 2$$

일 때, $\displaystyle\sum_{n=1}^{\infty} b_n$ 의 값은? [3점]

① $\dfrac{7}{6}$ ② $\dfrac{6}{5}$ ③ $\dfrac{5}{4}$ ④ $\dfrac{4}{3}$ ⑤ $\dfrac{3}{2}$

(미적)정적분의 활용 B 503
모의고사 (고3) 2023년 9월 27번(미적)

27. $x = -\ln 4$ 에서 $x = 1$ 까지의 곡선 $y = \dfrac{1}{2}\left(|e^x - 1| - e^{|x|} + 1\right)$ 의 길이는? [3점]

① $\dfrac{23}{8}$ ② $\dfrac{13}{4}$ ③ $\dfrac{29}{8}$ ④ 4 ⑤ $\dfrac{35}{8}$

28. 실수 $a\,(0 < a < 2)$에 대하여 함수 $f(x)$를

$$f(x) = \begin{cases} 2|\sin 4x| & (x < 0) \\ -\sin ax & (x \geq 0) \end{cases}$$

이라 하자. 함수

$$g(x) = \left| \int_{-a\pi}^{x} f(t)\,dt \right|$$

가 실수 전체의 집합에서 미분가능할 때, a의 최솟값은? [4점]

① $\dfrac{1}{2}$　　② $\dfrac{3}{4}$　　③ 1　　④ $\dfrac{5}{4}$　　⑤ $\dfrac{3}{2}$

30. 길이가 10인 선분 AB를 지름으로 하는 원과 선분 AB 위에 $\overline{AC} = 4$인 점 C가 있다. 이 원 위의 점 P를 $\angle PCB = \theta$가 되도록 잡고, 점 P를 지나고 선분 AB에 수직인 직선이 이 원과 만나는 점 중 P가 아닌 점을 Q라 하자. 삼각형 PCQ의 넓이를 $S(\theta)$라 할 때, $-7 \times S'\left(\dfrac{\pi}{4}\right)$의 값을 구하시오. (단, $0 < \theta < \dfrac{\pi}{2}$) [4점]

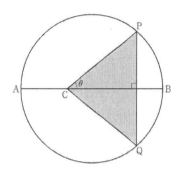

29. 두 실수 $a,\ b\,(a > 1,\ b > 1)$이

$$\lim_{n \to \infty} \frac{3^n + a^{n+1}}{3^{n+1} + a^n} = a, \quad \lim_{n \to \infty} \frac{a^n + b^{n+1}}{a^{n+1} + b^n} = \frac{9}{a}$$

를 만족시킬 때, $a + b$의 값을 구하시오. [4점]

■ **[선택: 미적분]**

23. ④　24. ②　25. ②　26. ⑤　27. ①

28. ②　29. 18　30. 32

-203-

수학영역(기하)

5지선다형

공간좌표 A 504
모의고사 (고3) 2023년 9월 23번(기하)

23. 좌표공간의 점 $A(8, 6, 2)$를 xy평면에 대하여 대칭이동한 점을 B라 할 때, 선분 AB의 길이는? [2점]

① 1　　② 2　　③ 3　　④ 4　　⑤ 5

이차곡선과 직선 A 502
모의고사 (고3) 2023년 9월 24번(기하)

24. 쌍곡선 $\dfrac{x^2}{7} - \dfrac{y^2}{6} = 1$ 위의 점 $(7, 6)$에서의 접선의 x절편은?

[3점]

① 1　　② 2　　③ 3　　④ 4　　⑤ 5

벡터의 연산 A 506
모의고사 (고3) 2023년 9월 25번(기하)

25. 좌표평면 위의 점 $A(4, 3)$에 대하여

$$|\overrightarrow{OP}| = |\overrightarrow{OA}|$$

를 만족시키는 점 P가 나타내는 도형의 길이는? (단, O는 원점이다.) [3점]

① 2π　　② 4π　　③ 6π　　④ 8π　　⑤ 10π

공간좌표 B 501
모의고사 (고3) 2023년 9월 26번(기하)

26. 그림과 같이 $\overline{AB} = 3$, $\overline{AD} = 3$, $\overline{AE} = 6$인 직육면체 ABCD – EFGH가 있다. 삼각형 BEG의 무게중심을 P라 할 때, 선분 DP의 길이는? [3점]

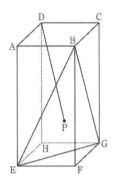

① $2\sqrt{5}$　　② $2\sqrt{6}$　　③ $2\sqrt{7}$　　④ $4\sqrt{2}$　　⑤ 6

포물선 B 503
모의고사 (고3) 2023년 9월 27번(기하)

27. 양수 p에 대하여 좌표평면 위에 초점이 F인 포물선 $y^2 = 4px$가 있다. 이 포물선이 세 직선 $x = p$, $x = 2p$, $x = 3p$와 만나는 제1사분면 위의 점을 각각 P_1, P_2, P_3이라 하자. $\overline{FP_1} + \overline{FP_2} + \overline{FP_3} = 27$일 때, p의 값은? [3점]

① 2　　② $\dfrac{5}{2}$　　③ 3　　④ $\dfrac{7}{2}$　　⑤ 4

28. 좌표공간에 중심이 $A(0, 0, 1)$이고 반지름의 길이가 4인 구 S가 있다. 구 S가 xy평면과 만나서 생기는 원을 C라 하고, 점 A에서 선분 PQ까지의 거리가 2가 되도록 원 C 위에 두 점 P, Q를 잡는다. 구 S가 선분 PQ를 지름으로 하는 구 T와 만나서 생기는 원 위에서 점 B가 움직일 때, 삼각형 BPQ의 xy평면 위로의 정사영의 넓이의 최댓값은? (단, 점 B의 z좌표는 양수이다.) [4점]

① 6   ② $3\sqrt{6}$ ③ $6\sqrt{2}$ ④ $3\sqrt{10}$ ⑤ $6\sqrt{3}$

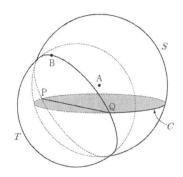

29. 한 초점이 $F(c, 0)(c > 0)$인 타원 $\dfrac{x^2}{9} + \dfrac{y^2}{5} = 1$과 중심의 좌표가 $(2, 3)$이고 반지름의 길이가 r인 원이 있다. 타원 위의 점 P와 원 위의 점 Q에 대하여 $\overline{PQ} - \overline{PF}$의 최솟값이 6일 때, r의 값을 구하시오. [4점]

30. 좌표평면에서 $\overline{AB} = \overline{AC}$이고 $\angle BAC = \dfrac{\pi}{2}$인 직각삼각형 ABC에 대하여 두 점 P, Q가 다음 조건을 만족시킨다.

(가) 삼각형 APQ는 정삼각형이고, $9|\overrightarrow{PQ}|\overrightarrow{PQ} = 4|\overrightarrow{AB}|\overrightarrow{AB}$이다.

(나) $\overrightarrow{AC} \cdot \overrightarrow{AQ} < 0$

(다) $\overrightarrow{PQ} \cdot \overrightarrow{CB} = 24$

선분 AQ 위의 점 X에 대하여 $|\overrightarrow{XA} + \overrightarrow{XB}|$의 최솟값을 m이라 할 때, m^2의 값을 구하시오. [4점]

■ [선택: 기하]

23. ④   24. ①   25. ⑤   26. ②   27. ③
28. ①   29. 17   30. 27

5 지선다 형

지수 A 509
모의고사 (고3) 2023년 10월 1번

1. $2^{\sqrt{2}} \times \left(\dfrac{1}{2}\right)^{\sqrt{2}-1}$ 의 값은? [2점]

① 1   ② $\sqrt{2}$ ③ 2   ④ $2\sqrt{2}$ ⑤ 4

미분계수와 도함수 A 512
모의고사 (고3) 2023년 10월 2번

2. 함수 $f(x)=2x^3+3x$ 에 대하여 $\displaystyle\lim_{h \to 0}\dfrac{f(2h)-f(0)}{h}$ 의 값은?

[2점]

① 0   ② 2   ③ 4   ④ 6   ⑤ 8

등차수열과 등비수열 A 509
모의고사 (고3) 2023년 10월 3번

3. 공차가 3인 등차수열 $\{a_n\}$ 과 공비가 2인 등비수열 $\{b_n\}$ 이

$$a_2=b_2, \quad a_4=b_4$$

를 만족시킬 때, a_1+b_1 의 값은? [3점]

① -2 ② -1 ③ 0   ④ 1   ⑤ 2

함수의 연속 B 504
모의고사 (고3) 2023년 10월 4번

4. 두 자연수 m, n에 대하여 함수 $f(x)=x(x-m)(x-n)$ 이

$$f(1)f(3)<0, \quad f(3)f(5)<0$$

을 만족시킬 때, $f(6)$의 값은? [3점]

① 30   ② 36   ③ 42   ④ 48   ⑤ 54

삼각함수 A 511
모의고사 (고3) 2023년 10월 5번

5. $\pi < \theta < \dfrac{3}{2}\pi$ 인 θ에 대하여

$$\dfrac{1}{1-\cos\theta}+\dfrac{1}{1+\cos\theta}=18$$

일 때, $\sin\theta$ 의 값은? [3점]

① $-\dfrac{2}{3}$ ② $-\dfrac{1}{3}$ ③ 0   ④ $\dfrac{1}{3}$ ⑤ $\dfrac{2}{3}$

정적분의 활용 A 502
모의고사 (고3) 2023년 10월 6번

6. 곡선 $y=\dfrac{1}{3}x^2+1$ 과 x축, y축 및 직선 $x=3$으로 둘러싸인 부분의 넓이는? [3점]

① 6   ② $\dfrac{20}{3}$ ③ $\dfrac{22}{3}$ ④ 8   ⑤ $\dfrac{26}{3}$

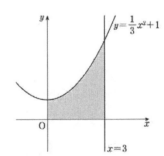

등차수열과 등비수열 B 506
모의고사 (고3) 2023년 10월 7번

7. 등차수열 $\{a_n\}$ 의 첫째항부터 제 n 항까지의 합을 S_n 이라
할 때,

$$S_7 - S_4 = 0, \ S_6 = 30$$

이다. a_2 의 값은? [3점]

① 6 ② 8 ③ 10 ④ 12 ⑤ 14

도함수의 활용 B 506
모의고사 (고3) 2023년 10월 8번

8. 두 함수

$$f(x) = -x^4 - x^3 + 2x^2, \ g(x) = \frac{1}{3}x^3 - 2x^2 + a$$

가 있다. 모든 실수 x 에 대하여 부등식

$$f(x) \leq g(x)$$

가 성립할 때, 실수 a 의 최솟값은? [3점]

① 8 ② $\frac{26}{3}$ ③ $\frac{28}{3}$ ④ 10 ⑤ $\frac{32}{3}$

지수 B 502
모의고사 (고3) 2023년 10월 9번

9. 자연수 $n (n \geq 2)$ 에 대하여 $n^2 - 16n + 48$ 의 n 제곱근 중
실수인 것의 개수를 $f(n)$ 이라 할 때, $\sum_{n=2}^{10} f(n)$ 의 값은? [4점]

① 7 ② 9 ③ 11 ④ 13 ⑤ 15

함수의 극한 C 502
모의고사 (고3) 2023년 10월 13번

10. 실수 $t (t > 0)$ 에 대하여 직선 $y = tx + t + 1$ 과
곡선 $y = x^2 - tx - 1$ 이 만나는 두 점을 A, B라 할 때,
$\lim\limits_{t \to \infty} \dfrac{\overline{AB}}{t^2}$ 의 값은? [4점]

① $\dfrac{\sqrt{2}}{2}$ ② 1 ③ $\sqrt{2}$ ④ 2 ⑤ $2\sqrt{2}$

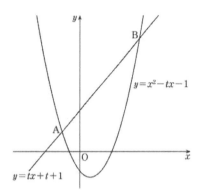

삼각함수 C 504
모의고사 (고3) 2023년 10월 11번

11. 그림과 같이 두 상수 a, b 에 대하여 함수

$$f(x) = a\sin\frac{\pi x}{b} + 1 \left(0 \leq x \leq \frac{5}{2}b\right)$$

의 그래프와 직선 $y = 5$ 가 만나는 점을 x 좌표가 작은 것부터
차례로 A, B, C라 하자.

$\overline{BC} = \overline{AB} + 6$ 이고 삼각형 AOB의 넓이가 $\dfrac{15}{2}$ 일 때, $a^2 + b^2$ 의
값은? (단, $a > 4$, $b > 0$ 이고, O는 원점이다.) [4점]

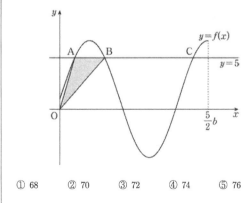

① 68 ② 70 ③ 72 ④ 74 ⑤ 76

207

12. 양수 k에 대하여 함수 $f(x)$를

$$f(x) = |x^3 - 12x + k|$$

라 하자. 함수 $y = f(x)$의 그래프와 직선 $y = a\,(a \geq 0)$이 만나는 서로 다른 점의 개수가 홀수가 되도록 하는 실수 a의 값이 오직 하나일 때, k의 값은? [4점]

① 8   ② 10   ③ 12   ④ 14   ⑤ 16

13. 그림과 같이 두 상수 $a\,(a > 1)$, k에 대하여 두 함수

$$y = a^{x+1} + 1, \quad y = a^{x-3} - \frac{7}{4}$$

의 그래프와 직선 $y = -2x + k$가 만나는 점을 각각 P, Q라 하자. 점 Q를 지나고 x축에 평행한 직선이 함수 $y = -a^{x+4} + \frac{3}{2}$의 그래프와 점 R에서 만나고 $\overline{PR} = \overline{QR} = 5$일 때, $a + k$의 값은? [4점]

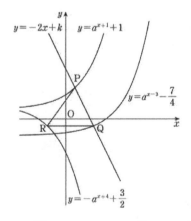

① $\dfrac{13}{2}$ ② $\dfrac{27}{4}$ ③ 7 ④ $\dfrac{29}{4}$ ⑤ $\dfrac{15}{2}$

14. 최고차항의 계수가 1이고 $f'(2) = 0$인 이차함수 $f(x)$가 모든 자연수 n에 대하여

$$\int_4^n f(x)\,dx \geq 0$$

을 만족시킬 때, <보기>에서 옳은 것만을 있는 대로 고른 것은? [4점]

─────< 보 기 >─────

ㄱ. $f(2) < 0$

ㄴ. $\displaystyle\int_4^3 f(x)\,dx > \int_4^2 f(x)\,dx$

ㄷ. $6 \leq \displaystyle\int_4^6 f(x)\,dx \leq 14$

① ㄱ   ② ㄱ, ㄴ   ③ ㄱ, ㄷ
④ ㄴ, ㄷ   ⑤ ㄱ, ㄴ, ㄷ

15. 모든 항이 자연수인 수열 $\{a_n\}$이 다음 조건을 만족시킨다.

(가) 모든 자연수 n에 대하여

$$a_{n+1} = \begin{cases} \dfrac{1}{2}a_n + 2n & (a_n\text{이 4의 배수인 경우}) \\[2mm] a_n + 2n & (a_n\text{이 4의 배수가 아닌 경우}) \end{cases}$$

이다.

(나) $a_3 > a_5$

$50 < a_4 + a_5 < 60$이 되도록 하는 a_1의 최댓값과 최솟값을 각각 M, m이라 할 때, $M + m$의 값은? [4점]

① 224   ② 228   ③ 232   ④ 236   ⑤ 240

로그 A 509
모의고사 (고3) 2023년 10월 16번

16. 방정식

$$\log_2(x-2) = 1 + \log_4(x+6)$$

을 만족시키는 실수 x의 값을 구하시오. [3점]

미분계수와 도함수 A 513
모의고사 (고3) 2023년 10월 17번

17. 삼차함수 $f(x)$에 대하여 함수 $g(x)$를

$$g(x) = (x+2)f(x)$$

라 하자. 곡선 $y = f(x)$ 위의 점 $(3, 2)$에서의 접선의 기울기가
4일 때, $g'(3)$의 값을 구하시오. [3점]

수열의 합 A 504
모의고사 (고3) 2023년 10월 18번

18. 두 수열 $\{a_n\}$, $\{b_n\}$에 대하여

$$\sum_{k=1}^{10}(a_k - b_k + 2) = 50, \quad \sum_{k=1}^{10}(a_k - 2b_k) = -10$$

일 때, $\sum_{k=1}^{10}(a_k + b_k)$의 값을 구하시오. [3점]

정적분의 활용 B 508
모의고사 (고3) 2023년 10월 19번

19. 시각 $t=0$일 때 동시에 원점을 출발하여 수직선 위를
움직이는 두 점 P, Q의 시각 $t(t \geq 0)$에서의 속도가 각각

$$v_1(t) = 12t - 12, \quad v_2(t) = 3t^2 + 2t - 12$$

이다. 시각 $t = k(k > 0)$에서 두 점 P, Q의 위치가 같을 때,
시각 $t = 0$에서 $t = k$까지 점 P가 움직인 거리를 구하시오.
[3점]

정적분 D 505
모의고사 (고3) 2023년 10월 23번

20. 다항함수 $f(x)$가 모든 실수 x에 대하여

$$2x^2 f(x) = 3 \int_0^x (x-t)\{f(x) + f(t)\}\, dt$$

를 만족시킨다. $f'(2) = 4$일 때, $f(6)$의 값을 구하시오. [4점]

209

21. 그림과 같이 선분 BC를 지름으로 하는 원에 두 삼각형 ABC와 ADE가 모두 내접한다. 두 선분 AD와 BC가 점 F에서 만나고

$$\overline{BC}=\overline{DE}=4, \quad \overline{BF}=\overline{CE}, \quad \sin(\angle CAE)=\frac{1}{4}$$

이다. $\overline{AF}=k$일 때, k^2의 값을 구하시오. [4점]

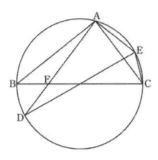

22. 삼차함수 $f(x)$에 대하여 구간 $(0, \infty)$에서 정의된 함수 $g(x)$를

$$g(x)=\begin{cases} x^3-8x^2+16x & (0<x\leq 4) \\ f(x) & (x>4) \end{cases}$$

라 하자. 함수 $g(x)$가 구간 $(0, \infty)$에서 미분가능하고 다음 조건을 만족시킬 때, $g(10)=\dfrac{q}{p}$이다. $p+q$의 값을 구하시오. (단, p와 q는 서로소인 자연수이다.) [4점]

(가) $g\left(\dfrac{21}{2}\right)=0$

(나) 점 $(-2, 0)$에서 곡선 $y=g(x)$에 그은, 기울기가 0이 아닌 접선이 오직 하나 존재한다.

정 답

1	③	2	④	3	③	4	④	5	②
6	①	7	②	8	⑤	9	①	10	④
11	①	12	⑤	13	②	14	③	15	②
16	10	17	22	18	110	19	102	20	24
21	6	22	29						

수학영역(확률과통계)

이산확률분포 A 506
모의고사 (고3) 2023년 10월 23번(확통)

23. 확률변수 X가 이항분포 B$(45, p)$를 따르고 E$(X) = 15$ 일 때, p의 값은? [2점]

① $\frac{4}{15}$　② $\frac{1}{3}$　③ $\frac{2}{5}$　④ $\frac{7}{15}$　⑤ $\frac{8}{15}$

여러가지확률 A 504
모의고사 (고3) 2023년 10월 24번(확통)

24. 두 사건 A, B가 서로 배반사건이고

$$P(A \cup B) = \frac{5}{6}, \quad P(A^C) = \frac{3}{4}$$

일 때, $P(B)$의 값은? (단, A^C은 A의 여사건이다.) [3점]

① $\frac{1}{3}$　② $\frac{5}{12}$　③ $\frac{1}{2}$　④ $\frac{7}{12}$　⑤ $\frac{2}{3}$

여러가지순열 A 502
모의고사 (고3) 2023년 10월 25번(확통)

25. 숫자 0, 1, 2 중에서 중복을 허락하여 4개를 택해 일렬로 나열하여 만들 수 있는 네 자리의 자연수 중 각 자리의 수의 합이 7 이하인 자연수의 개수는? [3점]

① 45　② 47　③ 49　④ 51　⑤ 53

통계적 추정 B 502
모의고사 (고3) 2023년 10월 26번(확통)

26. 어느 지역에서 수확하는 양파의 무게는 평균이 m, 표준편차가 16인 정규분포를 따른다고 한다. 이 지역에서 수확한 양파 64개를 임의추출하여 얻은 양파의 무게의 표본평균이 $\overline{x}$일 때, 모평균 m에 대한 신뢰도 95%의 신뢰구간이 $240.12 \le m \le a$이다. $\overline{x} + a$의 값은?
(단, 무게의 단위는 g이고, Z가 표준정규분포를 따르는 확률변수일 때, P$(|Z| \le 1.96) = 0.95$로 계산한다.) [3점]

① 486　② 489　③ 492　④ 495　⑤ 498

여러가지순열 B 503
모의고사 (고3) 2023년 10월 27번(확통)

27. 1부터 8까지의 자연수가 하나씩 적혀 있는 8개의 의자가 있다. 이 8개의 의자를 일정한 간격을 두고 원형으로 배열할 때, 서로 이웃한 2개의 의자에 적혀 있는 두 수가 서로소가 되도록 배열하는 경우의 수는?
(단, 회전하여 일치하는 것은 같은 것으로 본다.) [3점]

① 72　② 78　③ 84　④ 90　⑤ 96

28. 정규분포를 따르는 두 확률변수 X, Y의 확률밀도함수는 각각 $f(x)$, $g(x)$이다. $V(X) = V(Y)$이고, 양수 a에 대하여

$$f(a) = f(3a) = g(2a),$$

$$P(Y \le 2a) = 0.6915$$

일 때, $P(0 \le X \le 3a)$의 값을 오른쪽 표준정규분포표를 이용하여 구한 것은? [4점]

z	$P(0 \le Z \le z)$
0.5	0.1915
1.0	0.3413
1.5	0.4332
2.0	0.4772

① 0.5328 ② 0.6247 ③ 0.6687

④ 0.7745 ⑤ 0.8185

단답형

29. 다음 조건을 만족시키는 자연수 a, b, c의 모든 순서쌍 (a, b, c)의 개수를 구하시오. [4점]

(가) $a \le b \le c \le 8$
(나) $(a - b)(b - c) = 0$

---

30. 주머니에 숫자 1, 2가 하나씩 적혀 있는 흰 공 2개와 숫자 1, 2, 3이 하나씩 적혀 있는 검은 공 3개가 들어 있다. 이 주머니를 사용하여 다음 시행을 한다.

주머니에서 임의로 2개의 공을 동시에 꺼내어
꺼낸 공이 서로 같은 색이면 꺼낸 공 중 임의로 1개의 공을 주머니에 다시 넣고,
꺼낸 공이 서로 다른 색이면 꺼낸 공을 주머니에 다시 넣지 않는다.

이 시행을 한 번 한 후 주머니에 들어 있는 모든 공에 적힌 수의 합이 3의 배수일 때, 주머니에서 꺼낸 2개의 공이 서로 다른 색일 확률은 $\frac{q}{p}$이다. $p + q$의 값을 구하시오. (단, p와 q는 서로소인 자연수이다.) [4점]

[확률과 통계]

23	②	24	④	25	⑤	26	③	27	①
28	①	29	64	30	5				

212

수학영역(미적분)

5 지 선 다 형

23. $\lim\limits_{n \to \infty} \dfrac{2n^2+3n-5}{n^2+1}$ 의 값은? [2점]

① $\dfrac{1}{2}$　　② 1　　③ $\dfrac{3}{2}$　　④ 2　　⑤ $\dfrac{5}{2}$

24. $\lim\limits_{n \to \infty} \dfrac{2\pi}{n} \sum\limits_{k=1}^{n} \sin\dfrac{\pi k}{3n}$ 의 값은? [3점]

① $\dfrac{5}{2}$　　② 3　　③ $\dfrac{7}{2}$　　④ 4　　⑤ $\dfrac{9}{2}$

25. 그림과 같이 곡선 $y=\dfrac{2}{\sqrt{x}}$ 와 x축 및 두 직선 $x=1$, $x=4$로 둘러싸인 부분을 밑면으로 하고 x축에 수직인 평면으로 자른 단면이 모두 정사각형인 입체도형의 부피는? [3점]

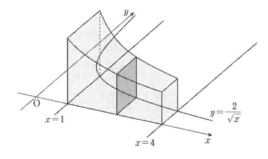

① $6\ln2$　　② $7\ln2$　　③ $8\ln2$　　④ $9\ln2$　　⑤ $10\ln2$

26. 함수 $f(x)=e^{2x}+e^x-1$의 역함수를 $g(x)$라 할 때, 함수 $g(5f(x))$의 $x=0$에서의 미분계수는? [3점]

① $\dfrac{1}{2}$　　② $\dfrac{3}{4}$　　③ 1　　④ $\dfrac{5}{4}$　　⑤ $\dfrac{3}{2}$

27. 모든 항이 자연수인 등비수열 $\{a_n\}$에 대하여

$$\sum_{n=1}^{\infty} \frac{a_n}{3^n} = 4$$

이고 급수 $\sum\limits_{n=1}^{\infty} \dfrac{1}{a_{2n}}$ 이 실수 S에 수렴할 때, S의 값은? [3점]

① $\dfrac{1}{6}$　　② $\dfrac{1}{5}$　　③ $\dfrac{1}{4}$　　④ $\dfrac{1}{3}$　　⑤ $\dfrac{1}{2}$

28. 함수

$$f(x) = \sin x \cos x \times e^{a\sin x + b\cos x}$$

이 다음 조건을 만족시키도록 하는 서로 다른 두 실수 a, b의 순서쌍 (a, b)에 대하여 $a-b$의 최솟값은? [4점]

| (가) $ab=0$ |
| (나) $\displaystyle\int_0^{\frac{\pi}{2}} f(x)\,dx = \dfrac{1}{a^2+b^2} - 2e^{a+b}$ |

① $-\dfrac{5}{2}$　　② -2　　③ $-\dfrac{3}{2}$　　④ -1　　⑤ $-\dfrac{1}{2}$

삼각함수의 미분 C 504
모의고사 (고3) 2023년 10월 29번(미적)

29. 그림과 같이 $\overline{\text{AB}}=\overline{\text{AC}}$, $\overline{\text{BC}}=2$인 삼각형 ABC에 대하여 선분 AB를 지름으로 하는 원이 선분 AC와 만나는 점 중 A가 아닌 점을 D라 하고, 선분 AB의 중점을 E라 하자. $\angle\text{BAC}=\theta$일 때, 삼각형 CDE의 넓이를 $S(\theta)$라 하자. $60\times\lim\limits_{\theta\to0+}\dfrac{S(\theta)}{\theta}$ 의 값을 구하시오. (단, $0<\theta<\dfrac{\pi}{2}$) [4점]

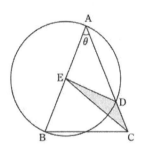

(미적)도함수의 활용 D 504
모의고사 (고3) 2023년 10월 30번(미적)

30. 두 정수 a, b에 대하여 함수

$$f(x)=(x^2+ax+b)e^{-x}$$

이 다음 조건을 만족시킨다.

(가) 함수 $f(x)$는 극값을 갖는다.
(나) 함수 $|f(x)|$가 $x=k$에서 극대 또는 극소인 모든 k의 값의 합은 3이다.

$f(10)=pe^{-10}$일 때, p의 값을 구하시오. [4점]

[미적분]

23	④	24	②	25	③	26	⑤	27	①
28	④	29	30	30	91				

수학영역(기하)

5 지 선 다 형

공간좌표 A 505
모의고사 (고3) 2023년 10월 23번(기하)

23. 좌표공간의 두 점 A$(a, 0, 1)$, B$(2, -3, 0)$에 대하여 선분 AB를 $3:2$로 외분하는 점이 yz평면 위에 있을 때, a의 값은?

[2점]

① 3   ② 4   ③ 5   ④ 6   ⑤ 7

쌍곡선 A 504
모의고사 (고3) 2023년 10월 24번(기하)

24. 쌍곡선 $\dfrac{x^2}{a^2} - \dfrac{y^2}{27} = 1$의 한 점근선의 방정식이 $y = 3x$ 일 때, 이 쌍곡선의 주축의 길이는? (단, a는 양수이다.) [3점]

① $\dfrac{2}{3}$ ② $\dfrac{2\sqrt{3}}{3}$ ③ 2   ④ $2\sqrt{3}$ ⑤ 6

공간도형 B 503
모의고사 (고3) 2023년 10월 25번(기하)

25. 평면 α 위에 $\overline{AB} = 6$이고 넓이가 12인 삼각형 ABC가 있다. 평면 α 위에 있지 않은 점 P에서 평면 α에 내린 수선의 발이 점 C와 일치한다. $\overline{PC} = 2$일 때, 점 P와 직선 AB 사이의 거리는? [3점]

① $3\sqrt{2}$ ② $2\sqrt{5}$ ③ $\sqrt{22}$ ④ $2\sqrt{6}$ ⑤ $\sqrt{26}$

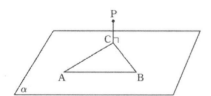

포물선 C 505
모의고사 (고3) 2023년 10월 26번(기하)

26. 그림과 같이 초점이 F$(2, 0)$이고 x축을 축으로 하는 포물선이 원점 O를 지나는 직선과 제1사분면 위의 두 점 A, B에서 만난다. 점 A에서 y축에 내린 수선의 발을 H라 하자.

$$\overline{AF} = \overline{AH}, \quad \overline{AF}:\overline{BF} = 1:4$$

일 때, 선분 AF의 길이는? [3점]

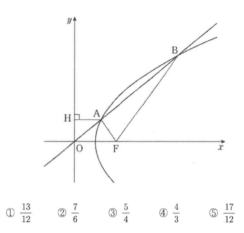

① $\dfrac{13}{12}$ ② $\dfrac{7}{6}$ ③ $\dfrac{5}{4}$ ④ $\dfrac{4}{3}$ ⑤ $\dfrac{17}{12}$

벡터의 연산 B 505
모의고사 (고3) 2023년 10월 27번(기하)

27. 사각형 ABCD가 다음 조건을 만족시킨다.

> (가) 두 벡터 $\overrightarrow{AD}$, $\overrightarrow{BC}$ 는 서로 평행하다.
> (나) $t\overrightarrow{AC} = 3\overrightarrow{AB} + 2\overrightarrow{AD}$ 를 만족시키는 실수 t가 존재한다.

삼각형 ABD의 넓이가 12일 때, 사각형 ABCD의 넓이는?

[3점]

① 16   ② 17   ③ 18   ④ 19   ⑤ 20

28. 그림과 같이 두 초점이 F$(c, 0)$, F$'(-c, 0)$ $(c > 0)$인 타원 $\dfrac{x^2}{a^2} + \dfrac{y^2}{18} = 1$ 이 있다. 타원 위의 점 중 제2사분면에 있는 점 P에서의 접선이 x축, y축과 만나는 점을 각각 Q, R이라 하자. 삼각형 RF'F가 정삼각형이고 점 F'은 선분 QF의 중점일 때, c^2의 값은? (단, a는 양수이다.) [4점]

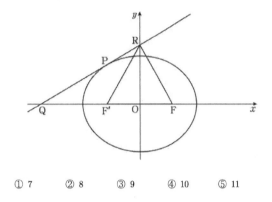

① 7 ② 8 ③ 9 ④ 10 ⑤ 11

단답형

29. 좌표평면 위의 점 A$(5, 0)$에 대하여 제1사분면 위의 점 P가
$$|\overrightarrow{OP}| = 2, \ \overrightarrow{OP} \cdot \overrightarrow{AP} = 0$$
을 만족시키고, 제1사분면 위의 점 Q가
$$|\overrightarrow{AQ}| = 1, \ \overrightarrow{OQ} \cdot \overrightarrow{AQ} = 0$$
을 만족시킬 때, $\overrightarrow{OA} \cdot \overrightarrow{PQ}$ 의 값을 구하시오.
(단, O는 원점이다.) [4점]

30. 좌표공간에 구 $S : x^2 + y^2 + (z - \sqrt{5})^2 = 9$가 xy평면과 만나서 생기는 원을 C라 하자. 구 S 위의 네 점 A, B, C, D가 다음 조건을 만족시킨다.

(가) 선분 AB는 원 C의 지름이다.
(나) 직선 AB는 평면 BCD에 수직이다.
(다) $\overline{BC} = \overline{BD} = \sqrt{15}$

삼각형 ABC의 평면 ABD 위로의 정사영의 넓이를 k라 할 때, k^2의 값을 구하시오. [4점]

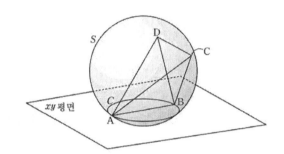

[기하]

23	①	24	④	25	②	26	③	27	⑤
28	③	29	20	30	15				

216

5지선다형

지수 A 529
2024년 수능 1번

1. $\sqrt[3]{24} \times 3^{\frac{2}{3}}$ 의 값은? [2점]

① 6 ② 7 ③ 8 ④ 9 ⑤ 10

미분계수와 도함수 A 532
2024년 수능 2번

2. 함수 $f(x) = 2x^3 - 5x^2 + 3$ 에 대하여 $\lim_{h \to 0} \dfrac{f(2+h) - f(2)}{h}$ 의

값은? [2점]

① 1 ② 2 ③ 3 ④ 4 ⑤ 5

삼각함수 A 538
2024년 수능 3번

3. $\dfrac{3}{2}\pi < \theta < 2\pi$ 인 θ 에 대하여 $\sin(-\theta) = \dfrac{1}{3}$ 일 때,

$\tan\theta$ 의 값은? [3점]

① $-\dfrac{\sqrt{2}}{2}$ ② $-\dfrac{\sqrt{2}}{4}$ ③ $-\dfrac{1}{4}$ ④ $\dfrac{1}{4}$ ⑤ $\dfrac{\sqrt{2}}{4}$

함수의 연속 A 506
2024년 수능 4번

4. 함수

$$f(x) = \begin{cases} 3x - a & (x < 2) \\ x^2 + a & (x \geq 2) \end{cases}$$

가 실수 전체의 집합에서 연속일 때, 상수 a 의 값은? [3점]

① 1 ② 2 ③ 3 ④ 4 ⑤ 5

부정적분 A 508
2024년 수능 5번

5. 다항함수 $f(x)$ 가

$$f'(x) = 3x(x-2), \quad f(1) = 6$$

을 만족시킬 때, $f(2)$ 의 값은? [3점]

① 1 ② 2 ③ 3 ④ 4 ⑤ 5

등차수열과 등비수열 A 527
2024년 수능 6번

6. 등비수열 $\{a_n\}$ 의 첫째항부터 제n항까지의 합을 S_n 이라 하자.

$$S_4 - S_2 = 3a_4, \quad a_5 = \dfrac{3}{4}$$

일 때, $a_1 + a_2$ 의 값은? [3점]

① 27 ② 24 ③ 21 ④ 18 ⑤ 15

7. 함수 $f(x) = \frac{1}{3}x^3 - 2x^2 - 12x + 4$ 가 $x = \alpha$ 에서 극대이고 $x = \beta$ 에서 극소일 때, $\beta - \alpha$ 의 값은? (단, α 와 β 는 상수이다.) [3점]

① -4 ② -1 ③ 2 ④ 5 ⑤ 8

8. 삼차함수 $f(x)$ 가 모든 실수 x 에 대하여

$$xf(x) - f(x) = 3x^4 - 3x$$

를 만족시킬 때, $\int_{-2}^{2} f(x)\,dx$ 의 값은? [3점]

① 12 ② 16 ③ 20 ④ 24 ⑤ 28

9. 수직선 위의 두 점 $P(\log_5 3)$, $Q(\log_5 12)$ 에 대하여 선분 PQ를 $m : (1-m)$ 으로 내분하는 점의 좌표가 1일 때, 4^m 의 값은? (단, m 은 $0 < m < 1$ 인 상수이다.) [4점]

① $\frac{7}{6}$ ② $\frac{4}{3}$ ③ $\frac{3}{2}$ ④ $\frac{5}{3}$ ⑤ $\frac{11}{6}$

10. 시각 $t = 0$ 일 때 동시에 원점을 출발하여 수직선 위를 움직이는 두 점 P, Q의 시각 $t\,(t \geq 0)$ 에서의 속도가 각각

$$v_1(t) = t^2 - 6t + 5, \quad v_2(t) = 2t - 7$$

이다. 시각 t 에서의 두 점 P, Q 사이의 거리를 $f(t)$ 라 할 때, 함수 $f(t)$ 는 구간 $[0, a]$ 에서 증가하고, 구간 $[a, b]$ 에서 감소하고, 구간 $[b, \infty)$ 에서 증가한다. 시각 $t = a$ 에서 $t = b$ 까지 점 Q가 움직인 거리는? (단, $0 < a < b$) [4점]

① $\frac{15}{2}$ ② $\frac{17}{2}$ ③ $\frac{19}{2}$ ④ $\frac{21}{2}$ ⑤ $\frac{23}{2}$

11. 공차가 0이 아닌 등차수열 $\{a_n\}$ 에 대하여

$$|a_6| = a_8, \quad \sum_{k=1}^{5} \frac{1}{a_k a_{k+1}} = \frac{5}{96}$$

일 때, $\sum_{k=1}^{15} a_k$ 의 값은? [4점]

① 60 ② 65 ③ 70 ④ 75 ⑤ 80

12. 함수 $f(x) = \frac{1}{9}x(x-6)(x-9)$ 와 실수 $t\,(0 < t < 6)$ 에 대하여 함수 $g(x)$ 는

$$g(x) = \begin{cases} f(x) & (x < t) \\ -(x-t) + f(t) & (x \geq t) \end{cases}$$

이다. 함수 $y = g(x)$ 의 그래프와 x 축으로 둘러싸인 영역의 넓이의 최댓값은? [4점]

① $\frac{125}{4}$ ② $\frac{127}{4}$ ③ $\frac{129}{4}$ ④ $\frac{131}{4}$ ⑤ $\frac{133}{4}$

13. 그림과 같이

$$\overline{AB} = 3, \quad \overline{BC} = \sqrt{13}, \quad \overline{AD} \times \overline{CD} = 9, \quad \angle BAC = \frac{\pi}{3}$$

인 사각형 ABCD가 있다. 삼각형 ABC의 넓이를 S_1, 삼각형 ACD의 넓이를 S_2라 하고, 삼각형 ACD의 외접원의 반지름의 길이를 R이라 하자.

$S_2 = \dfrac{5}{6} S_1$일 때, $\dfrac{R}{\sin(\angle ADC)}$의 값은? [4점]

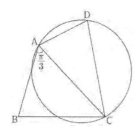

① $\dfrac{54}{25}$ ② $\dfrac{117}{50}$ ③ $\dfrac{63}{25}$ ④ $\dfrac{27}{10}$ ⑤ $\dfrac{72}{25}$

14. 두 자연수 a, b에 대하여 함수 $f(x)$는

$$f(x) = \begin{cases} 2x^3 - 6x + 1 & (x \le 2) \\ a(x-2)(x-b) + 9 & (x > 2) \end{cases}$$

이다. 실수 t에 대하여 함수 $y = f(x)$의 그래프와 직선 $y = t$가 만나는 점의 개수를 $g(t)$라 하자.

$$g(k) + \lim_{t \to k-} g(t) + \lim_{t \to k+} g(t) = 9$$

를 만족시키는 실수 k의 개수가 1이 되도록 하는 두 자연수 a, b의 순서쌍 (a, b)에 대하여 $a+b$의 최댓값은? [4점]

① 51 ② 52 ③ 53 ④ 54 ⑤ 55

15. 첫째항이 자연수인 수열 $\{a_n\}$이 모든 자연수 n에 대하여

$$a_{n+1} = \begin{cases} 2^{a_n} & (a_n \text{이 홀수인 경우}) \\ \dfrac{1}{2} a_n & (a_n \text{이 짝수인 경우}) \end{cases}$$

를 만족시킬 때, $a_6 + a_7 = 3$이 되도록 하는 모든 a_1의 값의 합은? [4점]

① 139 ② 146 ③ 153 ④ 160 ⑤ 167

단답형

16. 방정식 $3^{x-8} = \left(\dfrac{1}{27}\right)^x$을 만족시키는 실수 x의 값을 구하시오. [3점]

17. 함수 $f(x) = (x+1)(x^2+3)$에 대하여 $f'(1)$의 값을 구하시오. [3점]

18. 두 수열 $\{a_n\}$, $\{b_n\}$에 대하여

$$\sum_{k=1}^{10} a_k = \sum_{k=1}^{10} (2b_k - 1), \quad \sum_{k=1}^{10} (3a_k + b_k) = 33$$

일 때, $\sum_{k=1}^{10} b_k$의 값을 구하시오. [3점]

19. 함수 $f(x) = \sin\frac{\pi}{4}x$라 할 때, $0 < x < 16$에서 부등식

$$f(2+x)f(2-x) < \frac{1}{4}$$

을 만족시키는 모든 자연수 x의 값의 합을 구하시오. [3점]

20. $a > \sqrt{2}$인 실수 a에 대하여 함수 $f(x)$를

$$f(x) = -x^3 + ax^2 + 2x$$

라 하자. 곡선 $y = f(x)$ 위의 점 $O(0, 0)$에서의 접선이 곡선 $y = f(x)$와 만나는 점 중 O가 아닌 점을 A라 하고, 곡선 $y = f(x)$ 위의 점 A에서의 접선이 x축과 만나는 점을 B라 하자. 점 A가 선분 OB를 지름으로 하는 원 위의 점일 때, $\overline{OA} \times \overline{AB}$의 값을 구하시오. [4점]

21. 양수 a에 대하여 $x \geq -1$에서 정의된 함수 $f(x)$는

$$f(x) = \begin{cases} -x^2 + 6x & (-1 \leq x < 6) \\ a\log_4(x-5) & (x \geq 6) \end{cases}$$

이다. $t \geq 0$인 실수 t에 대하여 닫힌구간 $[t-1, t+1]$에서의 $f(x)$의 최댓값을 $g(t)$라 하자. 구간 $[0, \infty)$에서 함수 $g(t)$의 최솟값이 5가 되도록 하는 양수 a의 최솟값을 구하시오. [4점]

22. 최고차항의 계수가 1인 삼차함수 $f(x)$가 다음 조건을 만족시킨다.

> 함수 $f(x)$에 대하여
>
> $$f(k-1)f(k+1) < 0$$
>
> 을 만족시키는 정수 k는 존재하지 않는다.

$f'\left(-\dfrac{1}{4}\right) = -\dfrac{1}{4}$, $f'\left(\dfrac{1}{4}\right) < 0$일 때, $f(8)$의 값을 구하시오. [4점]

■ **[공통: 수학Ⅰ·수학Ⅱ]**

01. ① 02. ④ 03. ② 04. ① 05. ④
06. ④ 07. ⑤ 08. ② 09. ④ 10. ②
11. ① 12. ③ 13. ① 14. ① 15. ③
16. 2   17. 8   18. 9   19. 32
20. 25 21. 10   22. 483

수학 영역(확률과 통계)

23. 5개의 문자 x, x, y, y, z를 모두 일렬로 나열하는 경우의 수는? [2점]

① 10 ② 20 ③ 30 ④ 40 ⑤ 50

24. 두 사건 A, B는 서로 독립이고

$$\mathrm{P}(A \cap B) = \frac{1}{4}, \quad \mathrm{P}(A^C) = 2\mathrm{P}(A)$$

일 때, $\mathrm{P}(B)$의 값은? (단, A^C은 A의 여사건이다.) [3점]

① $\frac{3}{8}$ ② $\frac{1}{2}$ ③ $\frac{5}{8}$ ④ $\frac{3}{4}$ ⑤ $\frac{7}{8}$

25. 숫자 1, 2, 3, 4, 5, 6이 하나씩 적혀 있는 6장의 카드가 있다. 이 6장의 카드를 모두 한 번씩 사용하여 일렬로 임의로 나열할 때, 양 끝에 놓인 카드에 적힌 두 수의 합이 10 이하가 되도록 카드가 놓일 확률은? [3점]

① $\frac{8}{15}$ ② $\frac{19}{30}$ ③ $\frac{11}{15}$ ④ $\frac{5}{6}$ ⑤ $\frac{14}{15}$

26. 4개의 동전을 동시에 던져서 앞면이 나오는 동전의 개수를 확률변수 X라 하고, 이산확률변수 Y를

$$Y = \begin{cases} X & (X\text{가 0 또는 1의 값을 가지는 경우}) \\ 2 & (X\text{가 2 이상의 값을 가지는 경우}) \end{cases}$$

라 하자. $\mathrm{E}(Y)$의 값은? [3점]

① $\frac{25}{16}$ ② $\frac{13}{8}$ ③ $\frac{27}{16}$ ④ $\frac{7}{4}$ ⑤ $\frac{29}{16}$

27. 정규분포 $\mathrm{N}(m, 5^2)$을 따르는 모집단에서 크기가 49인 표본을 임의추출하여 얻은 표본평균이 $\overline{x}$일 때, 모평균 m에 대한 신뢰도 95%의 신뢰구간이 $a \le m \le \frac{6}{5}a$이다. $\overline{x}$의 값은?

(단, Z가 표준정규분포를 따르는 확률변수일 때, $\mathrm{P}(|Z| \le 1.96) = 0.95$로 계산한다.) [3점]

① 15.2 ② 15.4 ③ 15.6 ④ 15.8 ⑤ 16.0

28. 하나의 주머니와 두 상자 A, B가 있다. 주머니에는 숫자 1, 2, 3, 4가 하나씩 적힌 4장의 카드가 들어 있고, 상자 A에는 흰 공과 검은 공이 각각 8개 이상 들어 있고, 상자 B는 비어 있다. 이 주머니와 두 상자 A, B를 사용하여 다음 시행을 한다.

주머니에서 임의로 한 장의 카드를 꺼내어 카드에 적힌 수를 확인한 후 다시 주머니에 넣는다.

확인한 수가 1이면 상자 A에 있는 흰 공 1개를 상자 B에 넣고,

확인한 수가 2 또는 3이면 상자 A에 있는 흰 공 1개와 검은 공 1개를 상자 B에 넣고,

확인한 수가 4이면 상자 A에 있는 흰 공 2개와 검은 공 1개를 상자 B에 넣는다.

이 시행을 4번 반복한 후 상자 B에 들어 있는 공의 개수가 8일 때, 상자 B에 들어 있는 검은 공의 개수가 2일 확률은? [4점]

① $\dfrac{3}{70}$ ② $\dfrac{2}{35}$ ③ $\dfrac{1}{14}$ ④ $\dfrac{3}{35}$ ⑤ $\dfrac{1}{10}$

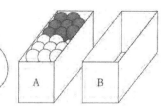

29. 다음 조건을 만족시키는 6 이하의 자연수 a, b, c, d의 모든 순서쌍 (a, b, c, d)의 개수를 구하시오. [4점]

$a \le c \le d$이고 $b \le c \le d$이다.

30. 양수 t에 대하여 확률변수 X가 정규분포 $\mathrm{N}(1, t^2)$을 따른다.

$$\mathrm{P}(X \le 5t) \ge \dfrac{1}{2}$$

이 되도록 하는 모든 양수 t에 대하여 $\mathrm{P}(t^2 - t + 1 \le X \le t^2 + t + 1)$의 최댓값을 오른쪽 표준정규분포표를 이용하여 구한 값을 k라 하자. $1000 \times k$의 값을 구하시오. [4점]

z	$\mathrm{P}(0 \le Z \le z)$
0.6	0.226
0.8	0.288
1.0	0.341
1.2	0.385
1.4	0.419

■ [선택: 확률과 통계]
23. ③ **24.** ④ **25.** ⑤ **26.** ② **27.** ②
28. ④ **29.** 196 **30.** 673

수학영역(미적분)

5지선다형

지수함수와 로그함수의 미분 A 506
2024년 수능 23번 (미적)

23. $\lim\limits_{x\to 0}\dfrac{\ln(1+3x)}{\ln(1+5x)}$ 의 값은? [2점]

① $\dfrac{1}{5}$　② $\dfrac{2}{5}$　③ $\dfrac{3}{5}$　④ $\dfrac{4}{5}$　⑤ 1

여러가지 미분법 A 506
2024년 수능 24번 (미적)

24. 매개변수 $t\,(t>0)$으로 나타내어진 곡선

$$x=\ln(t^3+1),\quad y=\sin\pi t$$

에서 $t=1$일 때, $\dfrac{dy}{dx}$의 값은? [3점]

① $-\dfrac{1}{3}\pi$　② $-\dfrac{2}{3}\pi$　③ $-\pi$　④ $-\dfrac{4}{3}\pi$　⑤ $-\dfrac{5}{3}\pi$

(미적)정적분 C 503
2024년 수능 25번 (미적)

25. 양의 실수 전체의 집합에서 정의되고 미분가능한
두 함수 $f(x)$, $g(x)$가 있다. $g(x)$는 $f(x)$의 역함수이고,
$g'(x)$는 양의 실수 전체의 집합에서 연속이다.
모든 양수 a에 대하여

$$\int_1^a \frac{1}{g'(f(x))f(x)}\,dx=2\ln a+\ln(a+1)-\ln 2$$

이고 $f(1)=8$일 때, $f(2)$의 값은? [3점]

① 36　② 40　③ 44　④ 48　⑤ 52

(미적)정적분의 활용 C 508
2024년 수능 26번 (미적)

26. 그림과 같이 곡선 $y=\sqrt{(1-2x)\cos x}$ $\left(\dfrac{3}{4}\pi\le x\le\dfrac{5}{4}\pi\right)$와

x축 및 두 직선 $x=\dfrac{3}{4}\pi$, $x=\dfrac{5}{4}\pi$로 둘러싸인 부분을 밑면으로
하는 입체도형이 있다. 이 입체도형을 x축에 수직인 평면으로
자른 단면이 모두 정사각형일 때, 이 입체도형의 부피는? [3점]

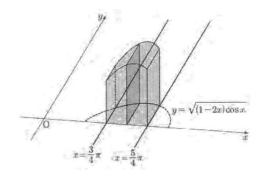

① $\sqrt{2}\pi-\sqrt{2}$　② $\sqrt{2}\pi-1$　③ $2\sqrt{2}\pi-\sqrt{2}$
④ $2\sqrt{2}\pi-1$　⑤ $2\sqrt{2}\pi$

(미적)도함수의 활용 D 509
2024년 수능 27번 (미적)

27. 실수 t에 대하여 원점을 지나고 곡선 $y=\dfrac{1}{e^x}+e^t$에 접하는

직선의 기울기를 $f(t)$라 하자. $f(a)=-e\sqrt{e}$를 만족시키는
상수 a에 대하여 $f'(a)$의 값은? [3점]

① $-\dfrac{1}{3}e\sqrt{e}$　② $-\dfrac{1}{2}e\sqrt{e}$　③ $-\dfrac{2}{3}e\sqrt{e}$
④ $-\dfrac{5}{6}e\sqrt{e}$　⑤ $-e\sqrt{e}$

28. 실수 전체의 집합에서 연속인 함수 $f(x)$가 모든 실수 x에 대하여 $f(x) \geq 0$이고, $x < 0$일 때 $f(x) = -4xe^{4x^2}$이다.

모든 양수 t에 대하여 x에 대한 방정식 $f(x) = t$의 서로 다른 실근의 개수는 2이고, 이 방정식의 두 실근 중 작은 값을 $g(t)$, 큰 값을 $h(t)$라 하자.

두 함수 $g(t)$, $h(t)$는 모든 양수 t에 대하여

$$2g(t) + h(t) = k \ (k \text{는 상수})$$

를 만족시킨다. $\displaystyle\int_0^7 f(x)\,dx = e^4 - 1$일 때, $\dfrac{f(9)}{f(8)}$의 값은? [4점]

① $\dfrac{3}{2}e^5$ ② $\dfrac{4}{3}e^7$ ③ $\dfrac{5}{4}e^9$ ④ $\dfrac{6}{5}e^{11}$ ⑤ $\dfrac{7}{6}e^{13}$

단답형

29. 첫째항과 공비가 각각 0이 아닌 두 등비수열 $\{a_n\}$, $\{b_n\}$에 대하여 두 급수 $\displaystyle\sum_{n=1}^{\infty} a_n$, $\displaystyle\sum_{n=1}^{\infty} b_n$이 각각 수렴하고

$$\sum_{n=1}^{\infty} a_n b_n = \left(\sum_{n=1}^{\infty} a_n\right) \times \left(\sum_{n=1}^{\infty} b_n\right),$$

$$3 \times \sum_{n=1}^{\infty} |a_{2n}| = 7 \times \sum_{n=1}^{\infty} |a_{3n}|$$

이 성립한다. $\displaystyle\sum_{n=1}^{\infty} \dfrac{b_{2n-1} + b_{3n+1}}{b_n} = S$일 때, $120S$의 값을 구하시오. [4점]

30. 실수 전체의 집합에서 미분가능한 함수 $f(x)$의 도함수 $f'(x)$가

$$f'(x) = |\sin x| \cos x$$

이다. 양수 a에 대하여 곡선 $y = f(x)$ 위의 점 $(a, f(a))$에서의 접선의 방정식을 $y = g(x)$라 하자. 함수

$$h(x) = \int_0^x \{f(t) - g(t)\}\,dt$$

가 $x = a$에서 극대 또는 극소가 되도록 하는 모든 양수 a를 작은 수부터 크기순으로 나열할 때, n번째 수를 a_n이라 하자. $\dfrac{100}{\pi} \times (a_6 - a_2)$의 값을 구하시오. [4점]

수학영역(기하)

5지선다형

공간좌표 A 511
2024년 수능 23번 (기하)

23. 좌표공간의 두 점 $A(a, -2, 6)$, $B(9, 2, b)$에 대하여 선분 AB의 중점의 좌표가 $(4, 0, 7)$일 때, $a+b$의 값은? [2점]

① 1   ② 3   ③ 5   ④ 7   ⑤ 9

이차곡선과 직선 A 506
2024년 수능 24번 (기하)

24. 타원 $\dfrac{x^2}{a^2} + \dfrac{y^2}{6} = 1$ 위의 점 $(\sqrt{3}, -2)$에서의 접선의 기울기는? (단, a는 양수이다.) [3점]

① $\sqrt{3}$ ② $\dfrac{\sqrt{3}}{2}$ ③ $\dfrac{\sqrt{3}}{3}$ ④ $\dfrac{\sqrt{3}}{4}$ ⑤ $\dfrac{\sqrt{3}}{5}$

벡터의 성분과 내적 B 509
2024년 수능 25번 (기하)

25. 두 벡터 $\vec{a}$, $\vec{b}$에 대하여

$$|\vec{a}| = \sqrt{11}, \quad |\vec{b}| = 3, \quad |2\vec{a} - \vec{b}| = \sqrt{17}$$

일 때, $|\vec{a} - \vec{b}|$의 값은? [3점]

① $\dfrac{\sqrt{2}}{2}$ ② $\sqrt{2}$ ③ $\dfrac{3\sqrt{2}}{2}$ ④ $2\sqrt{2}$ ⑤ $\dfrac{5\sqrt{2}}{2}$

공간도형 B 509
2024년 수능 26번 (기하)

26. 좌표공간에 평면 α가 있다. 평면 α 위에 있지 않은 서로 다른 두 점 A, B의 평면 α 위로의 정사영을 각각 A′, B′이라 할 때,

$$\overline{AB} = \overline{A'B'} = 6$$

이다. 선분 AB의 중점 M의 평면 α 위로의 정사영을 M′이라 할 때,

$$\overline{PM'} \perp \overline{A'B'}, \quad \overline{PM'} = 6$$

이 되도록 평면 α 위에 점 P를 잡는다. 삼각형 A′B′P의 평면 ABP 위로의 정사영의 넓이가 $\dfrac{9}{2}$일 때, 선분 PM의 길이는? [3점]

① 12   ② 15   ③ 18   ④ 21   ⑤ 24

포물선 C 514
2024년 수능 27번 (기하)

27. 초점이 F인 포물선 $y^2 = 8x$ 위의 한 점 A에서 포물선의 준선에 내린 수선의 발을 B라 하고, 직선 BF와 포물선이 만나는 두 점을 각각 C, D라 하자. $\overline{BC} = \overline{CD}$일 때, 삼각형 ABD의 넓이는? (단, $\overline{CF} < \overline{DF}$이고, 점 A는 원점이 아니다.) [3점]

① $100\sqrt{2}$ ② $104\sqrt{2}$ ③ $108\sqrt{2}$
④ $112\sqrt{2}$ ⑤ $116\sqrt{2}$

28. 그림과 같이 서로 다른 두 평면 α, β의 교선 위에 $\overline{AB} = 18$인 두 점 A, B가 있다. 선분 AB를 지름으로 하는 원 C_1이 평면 α 위에 있고, 선분 AB를 장축으로 하고 두 점 F, F′을 초점으로 하는 타원 C_2가 평면 β 위에 있다. 원 C_1 위의 한 점 P에서 평면 β에 내린 수선의 발을 H라 할 때, $\overline{HF'} < \overline{HF}$이고 $\angle HFF' = \dfrac{\pi}{6}$이다. 직선 HF와 타원 C_2가 만나는 점 중 점 H와 가까운 점을 Q라 하면, $\overline{FH} < \overline{FQ}$이다. 점 H를 중심으로 하고 점 Q를 지나는 평면 β 위의 원은 반지름의 길이가 4이고 직선 AB에 접한다. 두 평면 α, β가 이루는 각의 크기를 θ라 할 때, $\cos\theta$의 값은? (단, 점 P는 평면 β 위에 있지 않다.) [4점]

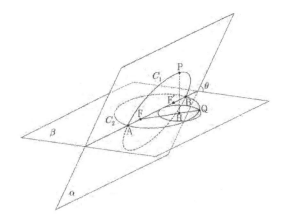

① $\dfrac{2\sqrt{66}}{33}$ ② $\dfrac{4\sqrt{69}}{69}$ ③ $\dfrac{\sqrt{2}}{3}$

④ $\dfrac{4\sqrt{3}}{15}$ ⑤ $\dfrac{2\sqrt{78}}{39}$

단답형

29. 양수 c에 대하여 두 점 $F(c, 0)$, $F'(-c, 0)$을 초점으로 하고, 주축의 길이가 6인 쌍곡선이 있다. 이 쌍곡선 위에 다음 조건을 만족시키는 서로 다른 두 점 P, Q가 존재하도록 하는 모든 c의 값의 합을 구하시오. [4점]

(가) 점 P는 제1사분면 위에 있고,
    점 Q는 직선 PF′ 위에 있다.

(나) 삼각형 PF′F는 이등변삼각형이다.

(다) 삼각형 PQF의 둘레의 길이는 28이다.

30. 좌표평면에 한 변의 길이가 4인 정삼각형 ABC가 있다. 선분 AB를 1:3으로 내분하는 점을 D, 선분 BC를 1:3으로 내분하는 점을 E, 선분 CA를 1:3으로 내분하는 점을 F라 하자. 네 점 P, Q, R, X가 다음 조건을 만족시킨다.

(가) $|\overrightarrow{DP}| = |\overrightarrow{EQ}| = |\overrightarrow{FR}| = 1$

(나) $\overrightarrow{AX} = \overrightarrow{PB} + \overrightarrow{QC} + \overrightarrow{RA}$

$|\overrightarrow{AX}|$의 값이 최대일 때, 삼각형 PQR의 넓이를 S라 하자. $16S^2$의 값을 구하시오. [4점]

■ **[선택: 기하]**

23. ④ 24. ③ 25. ② 26. ⑤ 27. ③
28. ⑤ 29. 11 30. 147

전국연합 수능 기출 모의고사, 고3 수학(2024)

발 행 | 2023년 12월 12 일
저 자 | 이원경
펴낸이 | 한건희
펴낸곳 | 주식회사 부크크
출판사등록 | 2014.07.15.(제2014-16호)
주 소 | 서울특별시 금천구 가산디지털1로 119 SK트윈타워 A동 305호
전 화 | 1670-8316
이메일 | info@bookk.co.kr

ISBN | 979-11-410-5904-0

www.bookk.co.kr
ⓒ 이원경 2023